JN015122

令和紙つぶて

―日々烈々十年―

一般社団法人 経済倶楽部前理事長／
元・東洋経済新報社代表取締役社長
柴生田 晴四

出版文化社

はじめに

筆者は二〇一二年に東洋経済新報社の社長を退いた後、一三年の五月末に一般社団法人経済倶楽部の理事長に選任され、以後二〇二三年五月末まで一〇年間その任に当たりました。経済倶楽部は一九三一年（昭和六年）に、当時、東洋経済新報社社長であった石橋湛山によって設立された会員組織で、そのモデルは英国一の紳士の集うクラブでした。この年は満州事変の勃発した年で、次第に自由な言論が封殺されていく時代が近づいていました。石橋湛山は誌面を通じた言論活動が不自由になっていくことを予期し、「聞く東洋経済」としてこの類いのない経済倶楽部を創設したと語っています。

こうしたことから、第一線で活躍する一流の講師を招いて毎週金曜日に開催される講演会は、昨年九三年目に入りました。講演会は夏休みと年末年始、五月の連休を除いて年間四三回程度開催され、昨年末までで四四七八回に及んでいます。理事長は事務局長とともに講師を選定し、当日は主催者として司会進行を務めます。

経済倶楽部の特徴は講演の内容を余すところなく収録した『講演録』を毎月刊行していることです（発行は東洋経済新報社）。本書の『令和紙つぶて』には『講演録』の二〇一九年四月号から二〇二三年六月号の談話室と編集後記、二〇二三年七月以降の展望鏡のほか、二〇二三年一月の講演と『自由思想』に執筆した文章を収録しました。

一方、本書第二章の「日々烈々十年」は、講演会当日に会員向けに配布した事務局便りに掲載した文章です。講演開催にあたっての主催者としての状況認識と問題意識を書きました。この事務局便りは、もともと後援会参加者のみに配られたものでしたがコロナ禍のために無観客開催を余儀なくされた二〇二〇年三月から五月は発行をいったん休止しましたが、一月に録画配信サービスを導入、事務局便りも六月からメール配信を始めました。このサービスはコロナ禍終息後も継続しています。

このように「日々烈々十年」は、一〇年間の日本と世界の現実とどう向き合ってきたかの記録であり、経済社会の現実に対する率直な心情を吐露したものです。この一〇年は第二次安倍政権が誕生して七年八カ月に及ぶ長期政権になり、やがて世界を覆ったコロナ禍にのみ込まれ、三年を経てやっと日常を取り戻しつつある時期に書かれました。長期政権の常として、権力は次第に腐敗していきます。権力の横暴と周囲の媚諂いが政治と社会の劣化を招きました。ＧＤＰをはるかに超える公的債務が積み上がってもなお政権の維持のためにバラマキを続ける政府と目先の安穏のためにそれを助長する国民はいつになったら目を覚ますのか。本書がそのささやかなきっかけを生むことを願いつつ筆をおきます。

二〇二四年　春

柴生田　晴四

目次

第二章　日々烈々十年

本文デザイン・DTP　山﨑 智子
イラスト：Designed by Freepik

第一章

令和紙つぶて

二〇一九年

――平成時代の位置づけ

平成の時代が終わろうとしています。天皇陛下自身が強い希望を示されたことで、生前退位が実現し、改元と新天皇の即位が円滑に行われようとしています。生前退位へのこだわりは、平成の始まりが昭和天皇のご病気と崩御に対するさまざまな自粛が長期化することで、国民生活に深刻な混乱と経済の沈滞をもたらしたことを平成天皇は深く憂慮されていたからではないでしょうか。それは、昭和時代の戦争やその後の災害によって失われた命への鎮魂と、残された国民の苦難に寄り添うことで、象徴天皇が存在する意味を自らの行動によって示されてきたことにつながるものと言えるでしょう。

明治以前の天皇は、権威の象徴であっても権力の中枢ではありませんでした。明治維新によって誕生した薩長を中心とする軍閥政権は、天皇の権威を自らの政権のために利用しただけでなく、軍隊を統率する権力者として統帥権を付与することで、それを実際に動かす権力を手に入れました。大日本帝国憲法は形式的には天皇が定めた欽定(きんてい)憲法であり、天皇の軍隊において天皇の赤子(せきし)として命を捧げることを命じたのが教育勅語(きょういくちょくご)でした。こうした大日本帝国の構造がその後の軍部の膨張と暴走によって帝国を破滅に導いたのです。

平成に先立つ昭和の時代は、軍部の膨張によって戦争と破綻に転がり落ちた二〇年間と、復興と高度経済成長によって経済大国に上り詰めた四三年間に分かれます。連合国軍の占領下で制定された日本国憲法は天皇を国民統合の象徴として位置付ける一方で、国家権力の源泉が国民の意思に拠るものであるとする国民主権の考え方で貫かれています。戦後四三年間の発展は、まさしくこの新憲法体制によって導かれたものでした。

平成の時代は、戦後日本の経済発展が、最後はバブルの破裂によって終焉したその後の三〇年間です。そしてそれは、東西冷戦の終結とグローバル化の時代でもありました。安全保障を全面的に米国の軍隊に依存し、経済的にも世界最大の市場である米国に依存していればよかった時代は終わったのですが、その新たな時代の設計図を明確に描くことができませんでした。

平成の日本に課せられたのは、グローバル化が進行する世界において、日本の新たな発展の基盤をどう再構築するのかということでした。世界に開かれた国として、世界の発展とともに歩むためには、日本の社会をどうのように見直さなければならないか。先進国で吹き荒れる排外思想と復古主義は日本においても根強く存在しています。しかし、三〇年を超える停滞の時代を克服するためには、かつての「天皇の世紀」を懐かしむのではなく、主権者である国民が自らの責任において、新しい世界に通用する社会に日本を作り変えていくしかありません。平成はそうした次の時代へ移っていくための過渡期であったと考えるべきでしょう。

（『講演録』四月号）

解散権への大いなる疑問

七月に衆参同時選挙が行われるとの観測がにわかに有力になっています。景気の先行きが不透明になり始め、消費増税の延期の是非を国民に問うことを大義名分として政権に有利な衆参同時選挙を強行するのではないかというのです。しかし、前回の衆議院解散に際しても述べたことですが、衆院解散が「首相の専権事項」だというのは、そもそも憲法の条文を政権に有利に捻じ曲げた虚構の産物です。消費増税の延期は国民に選挙によって付託された議会が粛々と議論して決めればよいのです。

(『講演録』四月号)

大型連休に潜む虚妄

令和天皇即位の日を挟む一〇連休は、全国民が新しい時代を寿ぐ十日間になるのでしょうか。そもそも国民の祝日という国会議員によって作り上げられてきた制度は、本当に国民の「休日」になっているのでしょうか。怪しいものだと私は常々疑問を感じてきました。

国会議員たちは、毎年のように新しい祝日を増やせば、それが国民に恩恵を与えることになると安易に考えてきたのではないでしょうか。しかし、祝日が増え、月曜日を振替休日とすることで、さまざまなしわ寄せと不平等が国民生活に生じている現実に、議員たちは極めて無知で鈍感です。お役人にとっては、休日の増加は単純に歓迎すべきものかもしれません。しかし、それは国民にとっては公的サービスの低下でしかないのです。

そもそも民間企業の多くは従業員との間で、労働日数に関する年間協定を結んでいます。この場合、大型連休が実現しても、別の時期に出勤しなくてはなりません。週休二日制が定着した今日の社会において、本来目指すべきなのは、祝日の一方的な押し付けではなく、有給休暇の自由な取得です。個人個人が自由に休暇を取り、休暇が分散することで、交通機関の混雑や道路の渋滞が回避され、真の意味でのゆったりとした休暇が楽しめるようになるでしょう。

国民の祝日の乱発は、本来祝日が持っていた「祝祭」の意味を薄めてしまうことになります。何を祝うのか分からない祝日はいったんリセットして、多くの国民が納得できる祝日だけに「減祝」すべきです。みんなで渡れば怖くない式の休日では、本当の意味での国民の福祉にはつながらないのです。

今回の大型連休も、実際には休むことのできない勤労者が数多く存在します。しかし、公立の保育園は当然のごとく閉園となり、働く母親たちは子どもを誰に預ければよいのか途方に暮れることになるでしょう。これで何が「女性活躍の時代」なのでしょうか。

百貨店や量販店、専門店、そして飲食店の多くは連休中も営業するでしょう。交通機関やホテル・旅館などで働く人たちも休めるはずがありません。こうしたサービス業で働く人たちの年間の休日が増えるには、こうした業種の収益力が向上し、より多くの従業員が雇えるようになる必要があります。そうでなければ、祝日の増加は、恵まれた業種や企業とそうでない業種の格差を際立たせることにしかならないでしょう。

今さらではありますが、新天皇の即位を祝うのに「大型連休」は必要ありません。むしろ、たった一日であっても、全ての国民が等しく仕事を休んでこの日を寿ぐことができれば、そのほうが意義が大きかったでしょう。祝祭とは本来そういうものです。そのことを真摯に考える選良の存在しない現実が残念でなりません。

（『講演録』五月号）

——いつまで現実逃避を続けるのか

連休が明けると、改元に関わるお祭り騒ぎも一段落して相も変わらぬ日常生活が戻ってくることになります。空疎な議論に終始する国会、大事なことにはいっこうに触れようとしないメディア、先行きの不安を言い訳に、保守的見通しが続出する企業の決算発表などが目に浮かびます。ポピュリズムと排外主義が吹き荒れる国際社会において、もともと限定的「開国」でグローバル化の果実だけを享受してきた日本は、すでに始まっている五輪狂想曲にうつつを抜かしながら現実逃避を続けていくことになるのでしょうか。

（『講演録』五月号）

——GDPが示すもの

五月二〇日に内閣府が発表した、二〇一九年第一四半期のGDP（国内総生産）の速報値は、事前の予想を大きく上回り、二四半期連続のプラス成長になりました。政府は三月に発表した月例経済報告で景気の基調判断を二〇一六年以来三年ぶりに下方修正し、「緩やかに回復している」との見方は維持しつつも、「生産と輸出の一部に弱さが見られる」としていました。そして五月一三日に内閣府が発表した景気動向指数は、景気の現状を示す一致指数が二〇一五年を一〇〇として九九・六となり、前月比〇・九ポイント低下。この結果から機械的に導かれる景気の基調判断は、景気後退の可能性が高いことを示す結果となりました。指数の低下は、中国向けの自動車や半導体製造装置の輸出の減少が主因とされています。

政府自民党内では、消費税の増税を延期して、その政策転換を理由に衆議院を解散し、衆参同時選挙に持ち込もうという空気が急速に高まっています。統一地方選挙後の参議院選挙は不利だというこれまでの実績に加えて、自民党議員に改選議員が多いことが、こうしたあからさまな党利党略の背景ですが、景気判断の下方修正はそうした流れを勇気付けるものでした。その意味では今回のＧＤＰ速報値の予想外のプラスは、歓迎すべからぬ皮肉な結果であったと言えるでしょう。

ただ、今回のプラス成長の中身を見ると、その内実は決して日本経済の強さを示すものではありません。今回のプラス成長に最も貢献したのは外需ですが、これは輸出の減少を輸入の減少が大幅に上回った結果、外需がＧＤＰを〇・四％押し上げたためです。加えて二〇一八年度補正予算の効果で公共投資が一・八％へ増加したことも、プラス成長に貢献しました。

一方で、日本のＧＤＰの約六割を占める個人消費は二・一％減と低調、設備投資も米中貿易戦争などから企業の投資意欲が減退して一・二％の減少となりました。内需の柱である個人消費と設備投資の落ち込みが輸入の減少につながっているといえるでしょう。だとすれば、今回のプラス成長は日本経済の抱える弱さと不安を示すものでしかありません。

超金融緩和政策と機動的な財政政策の発動、さらには円安による輸出支援と大企業を中心とする輸出企業の収益の底上げは、景気の好転と生産活動の活発化をもたらし、給与水準の底上げと雇用の増大を通じて、個人消費の増加をもたらすはずでした。しかし、社会保険料負担の増大などから消費者の可処分所得はむしろ減少しています。企業の投資も収益の改善にもかかわらず停滞を続け、金融資産を積み上げる結果にしかなっていません。新しい技術やサービスを生かせない日本の市場の閉鎖性が企業の投資機会を奪っているからです。物事の本質から目を背け、消費税対策のアメを専攻させたうえで消費増税の延期を選挙目当てに行うポピュリズムは日本経済の将来に禍根を残すことになるでしょう。

緑と水を生かそう

梅雨入りを控えた五月後半の東京は、連日三十度を超える真夏日が予想されています。その後には例年よりも長い梅雨が待っているようですが、近年雨の降り方も強烈な集中豪雨が多くなりました。極端に振れる気候変動は進行する地球温暖化に起因すると言われますが、東京の場合には、緑を排除し続けた開発の結果としての砂漠化が事態を深刻化させています。猛暑を和らげる最大の武器は緑と水ですが、都市部では依然として、開発が進行し、愚かなことに九〇万戸近い空き家を生み出しています。人の住まない家を全て木々の緑に変えれば、都市環境は飛躍的に向上するでしょう。時代遅れの新築住宅促進一辺倒の政策が転換するのは一体いつのことでしょうか。

（『講演録』六月号）

映画雑感①

二〇一九年前半に鑑賞した邦画から。昨年暮れ公開の『**こんな夜更けにバナナかよ**』。筋ジストロフィーで身体の自由を失った青年が病院を飛び出してボランティア頼りの一人暮らしを始めます。恋人の青年に連れてこられた若い女性があまりに勝手気ままでわがままな彼に驚き、一度は飛び出しますが、やがて必死に人生を全うしようとする彼の生きざまに惹（ひ）かれていきます。見る側もまたこの女性と同じ体験をすることになります。主人公を演じる大泉洋（おおいずみよう）の軽妙で哀歓を漂わせる存在感がなんとも秀逸でした。

『**夜明け**』は、是枝裕和（これえだひろかず）、西川美和の助監督を務めた広瀬奈々子（ひろせななこ）の初監督作品。是枝監督の『誰も知らない』で主役を演じた柳楽優弥を主人公に迎え、暗い過去を抱えた青年が、偶然彼を助けた初老の男との生活の中で次第に生きる意味を見出していく過程が描かれます。

詩人北原白秋の破天荒な半生を描いた『**この道**』は、映画としてはやや冗漫で平凡な語り口でしたが、主人公の一途で童心を宿したピュアな詩人魂を見事に造形した大森南朋の演技には好感が持てました。

自殺願望を持つ若者たちがネット上の呼びかけに応じて集まる『**十二人の死にたい子どもたち**』。主催者の提案で各自が自らの死にたい理由を吐露し、他のメンバーの遠慮のない突っ込みにさらされます。今が旬の若手俳優たちの個性がぶつかり合う会話劇は、やがて衝撃的というよりは、健全な結末に導かれます。

今年も若者向けの難病もの恋愛映画が、相次いで製作されました。お涙頂戴の悲劇ではない、前向きに生き抜く明るい難病ものが主流になりつつあるようです。中島美嘉のヒット曲をモチーフにした『**雪の華**』は、余命宣告を受けた主人公が自転車のひったくりから助けてくれた青年に百万円と引き換えに一カ月だけの恋人を演じてくれるように頼みます。内気で生きることに不器用だった主人公が青年との交際の中で人生を取り戻していきます。中条あやみと登坂広臣がありえないお話を美しいファンタジーに変えてくれました。

『**小さな恋のうた**』は沖縄出身のバンド「MONGOL800」のヒット曲をモチーフにした作品。米軍基地のある沖縄の小さな町でバンド活動に打ち込む高校生たち。観衆を熱狂させる実力を認められてプロデビューを果たす直前に作曲とベースを担当していた仲間がひき逃げ事故で死んでしまいます。基地とともに暮らす現実を織り交ぜながら、大人たちの思惑を超えて音楽に向き合う若者たちを鮮烈に描いています。音楽の力が実感できる佳作です。『**長いお別れ**』は、認知症で次第に記憶が失われていく父親を見送る母と娘二人の物語。厳格で頑固な父親を演じた山﨑努はもとより、現実をひょうひょうと受け入れる妻の松原千恵子、そして対照的な姉妹の竹内結子と蒼井優のそれぞれが実力をいかんなく発揮。驚き悲しみながらも、時に愛おしくユーモラスな老いと向き合う家族を見事に演じています。

――政策転換が急務

日米欧の経済は、超金融緩和政策によって、何とか景気拡大を実現してきました。しかし、長期に及んだ景気拡張期も、そろそろ下降局面に向かう兆しが見え始めています。最も成長のスピードが速かった米国は、すでに緩和政策を次々に解除して金融引き締めに転じています。景気下降が明らかになれば、再び金融緩和に向かう準備は整っていると言えるでしょう。ＥＵも米国ほどではありませんが、日本よりも高い経済成長を背景に出口戦略を模索し始めています。しかし、日本には下降局面に転じた時の手立てがほとんどありません。財政出動は積み上がった政府債務をさらに膨張させて地獄への扉を開くことになります。痛みを回避し続けて選挙民の歓心を買い続けてきた政府のツケはいずれ国民が支払うことになるでしょう。

（『講演録』七月号）

――通商国家の在りよう

日本政府は七月一日、「外為法に基づく輸出管理を適切に実施する観点から」韓国向けの半導体材料等の輸出規制を強化する措置を発表しました。その理由について、経済産業省は、「韓国との信頼関係のもとに輸出管理に取り組むことが困難になっていることに加え、韓国に関連する輸出管理をめぐり不適切な事案が発生した」と説明しています。特定品目について、包括的許可から個別審査による認可に切り替えるなど、これまで「ホワイト国」と認定して韓国に与えてきた優遇措置を、「ホワイト国」認定から外すことで撤廃するという内容です。

日本政府は、「徴用工問題に関する対抗措置ではない」と表明しています。しかし今回の措置は、韓国の最高裁が徴用工訴訟で原告勝訴の判決を下し、日本企業に賠償支払いを命じ、これを受けて原告側が日本企業の資産を差し押さえて売却に踏み切るタイミングを捉えて行われただけに、韓国側が「対抗措置」だと反発したのも当然でしょう。

「そもそも韓国をホワイト国指定している先進国はほとんどない」といった関係者の発言もあります。しかし、それを言うなら、そもそもなぜ韓国を特別に優遇してきたのでしょうか。韓国最高裁の判決が下されて以来、日本の保守勢力の間では、速やかにあらゆる対抗措置を講ずるべきだとの声が次第に高まってきていました。参議院選挙を目前に控えた時期の突然の発表には、支持基盤に対する政治的アピールとしての色彩が拭えません。

もちろん日本の今回の措置の不当性を声高に叫ぶ韓国政府の言動も国内世論の反日感情をあおって自らの不人気を払拭（ふっしょく）したい狙いが透けて見えます。文大統領は記者会見で「輸入先の多角化や国産化の途を歩む」とする一方、「結局は日本により大きな被害が生じる」と警告しました。両国関係の改善に取り組むべきトップが自ら国内向けの政治的アピールを優先する姿勢には嘆かわしいものがあります。しかし、韓国の対応に悲憤慷慨（ひふんこうがい）しているだけでは何も解決しません。非難の応酬は両国の国民感情を悪化させるだけで、円満な解決を遠ざけるだけでしょう。

戦後の日本は武力による領土や海外権益の拡大を通じて国力を高める道を捨て、通商を通じて経済を発展させる道を歩むことを選択しました。日本製品を世界の市場で買ってもらえるように、何よりも優れた製品を安価に生産することを目指して、血のにじむ努力を重ねて今日の地位を築いてきました。しかし、世界を席巻した電気製品や半導体は、今では韓国、台湾、中国に市場競争で後れをとり、日本が唯一高いシェアを誇っているのが、半導体材料や半導体製造装置などの分野です。政治的な理由で、こうした分野の優位性を輸出相手国に対する武器として使うことは、日本企業の競争力を傷つけるものです。そして戦後の日本が、自由貿易を標榜（ひょうぼう）することで国力を高め、世界の市場で地位を築いてきた通称国家としての在（あ）りようを根底から突き崩すことになりかねません。

（『講演録』八月号）

――目に余る優先的地位の悪用

先ごろ公取委（公正取引委員会）がジャニーズ事務所に対して元ＳＭＡＰメンバー三人のＴＶ出演への「取引妨害」につながる恐れがあるとして注意を行ったことが報道されました。この問題はかつて解散騒動に際して「談話室」でその前近代性について取り上げたことがあります。公取委の調査では明確な圧力の証拠が得られなかったものの三人の番組出演が激減し、ほぼゼロに近い現状を踏まえて「注意」という形で警告したと言えます。大手芸能事務所に「忖度（そんたく）」しがちな民放の現状と併せて、今回の注意が今後の芸能界の正常化に資することを期待したいものです。

（『講演録』八月号）

――漂流する廃プラスチック

六月に大阪で開催されたG20サミットでは、二〇五〇年までに海洋プラスチックごみをゼロにすることが首脳宣言に盛り込まれました。各国の利害の対立から実りの少ないこのサミットの数少ない成果と言えるでしょう。しかし、その目標達成に至る道筋は全く明らかではありません。主催国である日本は、まず自らの行動が問われることになります。

二〇一六年の世界経済フォーラムは、「二〇四〇年に海洋プラスチックごみが海の生物と同じ量になる」との予想を報告して世界に衝撃を与えました。海を漂流するプラスチックごみが年々増え続け、波浪や紫外線で微細化したマイクロプラスチックが、水産資源を食料として摂取する生命体に深刻な悪影響を及ぼすことが懸念されています。海洋ごみの実態やその影響についての調査研究はまだ始まったばかりですが、とりあえず廃プラスチックの海洋流出を防ぐことが先決です。

日本と韓国との国境に位置する対馬は、海洋ごみの防波堤として近年注目されています。海流の関係からさまざまな海洋ごみがこの島に漂着するからです。長崎県の対策協議会の推定では年間漂着物の量は一万二〇〇〇～一万五〇〇〇立法(メートル)で、昨年度はこのうち八五〇〇立法(メートル)が回収されました。その内訳は、発砲スチロール三五%、プラスチック類二〇%、木材二〇%などとなっています。ちなみに環境省のモニタリング調査によると、対馬に漂着したペットボトルの発生源は、韓国、日本、中国からが大半を占めていました。

プラスチックごみの海洋流出を防ぐためには、プラスチックごみの発生を抑制するとともに、分別回収の徹底が重要です。これまで日本はプラスチックごみの分別回収に関しては世界有数の実績を誇ってきました。昨年国連が発表した報告書でも日本の分別回収率の高さが評価されています。政府発表によると昨年の分別回収率は八四％です。しかし、問題は回収された後の廃プラスチックの行方です。

日本政府はリサイクル＝再資源化を、マテリアルリサイクル、ケミカルリサイクル、サーマルリサイクルの三つに分類しています。八四％の内訳はマテリアル二三％、ケミカル四％、サーマル五六％です。この中で、マテリアル二三％の七割弱が中国向けに輸出され、国内でのリサイクルではありませんでした。その中国が二〇一七年から輸入を禁止したため、輸出先は東南アジアにシフトしていますが、相手先では廃プラスチックの不法投棄が横行して社会問題化しています。そしてその一部は海洋に流出しています。

一方、五六％を占めるサーマルは、要するにごみ発電の燃料として燃やされているということです。廃熱を発電にしていますが、実態は焼却処理ということです。実は四％を占めるケミカルもほとんどが製鉄所の精錬過程で石炭の代わりの副原料として燃やされています。廃プラスチックは石油由来のごみですから燃料としては優れています。リサイクルの効率性から考えれば、この選択には一定の理があります。廃プラスチックに経済的価値が乏しい以上、焼却して廃熱を利用することが現時点では最善の方策だと正直に言うべきでしょう。

（『講演録』九月号）

――粗雑な外交政策

日本政府の輸出優遇措置の撤廃を機に一気に加速した日韓関係の悪化は、韓国政府に改善を模索する動きがあるものの、依然として解決の糸口が見えません。一方的に相手を痛めつけて二国間関係が改善することはあり得ない以上、この政策の目的が国内の不満に対する措置と受け取られても仕方がないでしょう。

そうではないと言うのなら、そのきっかけとされる「軍事転用の疑義」について、その具体的な中身を提示してもらいたいものです。

（『講演録』九月号）

──災害対策はなぜ後手に回ったのか

九月九日未明に千葉県に再上陸した台風一五号はかつてない強風で千葉県下に甚大な被害をもたらしました。特に送電網の激しい損傷により、停電が極めて広範囲かつ長期間に及んだこと、屋根など建物の損傷に対する対策が難航した結果、被災住民が著しい苦難を強いられたことが特筆されます。

台風の通過時点では直接的な死者は強風であおられて転倒した女性一名でした。しかし、台風通過後の酷暑により、停電下で熱中症患者が相次ぎ、死者も多数に及びました。また、屋根の応急処置としてブルーシートを張る作業を行っていた住民やボランティアの人たちが転落する事故も相次ぎ、死傷者多数を生んでいます。一次被害以上に二次、三次被害が深刻であったことも今回の台風被害の特徴です。

被害を大きくした最大の原因は実態把握の遅れで対策が後手に回ったことです。大規模停電はピーク時では千葉・茨城・神奈川三県で一二〇万戸強、被害が集中した千葉県では九三万戸に及びました。東京電力の発表する復旧見通しが次々に先送りされ、一七日午後七時半時点でも約六万戸残っています。復旧がここまで手間取ったのは、被害の大きさそのものよりも、被害状況の把握が遅れ、十分な策を機動的に計画することができず、対応が後手に回ったからです。

対応の遅れは、千葉県や政府にも見られました。被害の大きかった房総半島南部や千葉県北東部では、通信回線が寸断されたことで被害情報が県庁まで届かず、事態の深刻さがデータとして隠されてしまいました。被害状況の報告がないと、例えば倒壊戸数はゼロとしてカウントされてしまうというのです。しかし山間部などからの報告がなければ、それは被害が深刻だからだろうという想像力がなぜ働かないのか。交通が途絶しているなら、なぜヘリコプターをチャーターしてでも現地調査に赴かないのか。

森田健作千葉県知事が給水支援や患者の搬送などのために自衛隊に災害派遣要請を行ったのは十日午後四時以降です。しかし、これに先立って神奈川県知事は停電復旧に必要な倒木や土砂の除去のために派遣要請を行っています。東京電力と連理して停電復旧の隘路（あいろ）である作業を自衛隊の機動力に委ねていれば事態の推移は変わっていたでしょう。

千葉県が大規模災害に対する能力を欠いていたとすれば、それを補うのは中央政府の役割です。安倍政権は大規模停電のさなかに内閣改造を行って批判を浴びました。菅官房長官は、「台風上陸前から迅速・適切に対策を行った。上陸後は事務レベルの関係省庁災害対策会議を五回も開催している」と反論しています。しかし、上陸後に災害対策会議が開催されたのは三三時間後の十日午後二時半でした。八月に中国地方を縦断した台風の際には、上陸の前後に関係閣僚会議を二回招集しており、内閣改造に伴う政治空白が官僚任せの対策に止まった事実は否めません。何よりも行政は国民の奉仕者であるべきです。その原点に立ち返って真摯（しんし）に反省し次の災厄（さいやく）に備えてもらいたいものです。

（『講演録』一〇月号）

――内閣改造の不明

内閣改造で自民党では国民に一番人気の小泉進次郎氏が環境相として初入閣し、安倍首相の思惑通りに内閣支持率は上昇しました。一方で、田中和徳復興担当大臣が就任直後の記者会見で、原発自主避難者について「担当外」と発言して物議をかもしています。初入閣組一三人の中からは、まだまだ問題が生ずるかもしれません。

（『講演録』一〇月号）

――まやかしのウィンウィン

九月二五日に行われた日米首脳会談後の共同記者会談で、安倍首相は「日米双方にとってウィンウィンとなる結論を得ることができた。世界経済の発展に大きく貢献する」と胸を張りました。共同記者会見に先立って両首脳は二国間の貿易協定の合意内容を確認する共同声明に署名しました。その内容は、日本が米国から輸入する牛肉や豚肉などの畜産物への関税をＴＰＰ（環太平洋パートナーシップ協定）並みの水準まで引き下げる一方で、日本が米国に輸出する自動車・自動車部品の関税の撤廃は継続協議というものです。この合意内容のどこがウィンウィンなのでしょうか。

中国との貿易戦争の結果、米国の中国への農産物輸出は大幅に減少しています。しかもトランプ氏が、大統領就任早々に一方的に離脱を決めたＴＰＰは、その後米国抜きで発効、その結果オーストラリアやＥＵに比べて高率の関税が掛けられている米国産畜産物の日本への輸出も大幅に減少する結果になっています。大統領選挙を来年に控えたトランプ氏にとって農家の支持をつなぎ留めるために日本の関税引き下げは必須でした。

一方、自動車及び自動車部品の関税撤廃は、かねてからの悲願でした。農産物の輸入関税を大幅に引き下げるのであれば、工業製品の関税を撤廃させる。それが貿易交渉におけるウィンウィンです。これまでの貿易交渉はそうした「互恵」によって進められ、それが世界の貿易の拡大と世界経済の発展をもたらしてきたのです。

今回の貿易交渉のもう一つの側面は、トランプ氏が検討を表明している日本車への通商拡大法二三二条に基づく追加関税の問題でした。日本側はとにかくこの追加関税の回避を確約させることを目指していました。共同声明には、「協定が誠実に履行されている間、協定や共同声明の精神に反する行動は取らない」ことが明記されました。

しかし、そもそも「安全保障上」という理由で一方的な高率関税措置を発動することは、友好関係にある貿易相手国に対しては、なじまない行動です。こうした「脅かし」に怯えて、自国の正当な要求を棚上げにし、追加関税の回避を交渉の成果として喧伝する態度はあまりにもお粗末です。

安倍首相は昨年の国連総会の演説で日本が自由貿易の旗手として世界経済の発展に貢献することを高らかに宣言しました。しかし、今年の演説等からそうした表現は姿を消しています。今回の共同記者会見で、安倍首相はこの合意が「世界経済に大きく貢献する」と述べましたが、これは牽強付会と言うべきでしょう。大国の脅しに屈した交渉結果は世界経済の発展に悪影響しか与えないからです。（『講演録』一一月号）

——IOCのご都合主義

開催まで一年を切った東京オリンピック・パラリンピックは、準備も順調に進んでいるようです。初めての日本開催となったラグビーW杯が予想外の盛り上がりを見せ、これで来年の東京五輪も成功疑いなしと思われた方も多いでしょう。しかし、突如ＩＯＣから降って湧いたマラソン札幌開催案には驚きました。主催国抜きで進められた経緯にも納得がいきませんが、選手や協議への暑さへの対処を真剣に考えるのなら、IOCは開催時期の変更をなぜにべもなく拒否したのか。ご都合主義としか言いようがありません。

（『講演録』一一月号）

―政権の私物化

安倍政権は参院選後の九月に内閣改造を行って以降、新閣僚の相次ぐ辞任に加え、大学入試共通一次試験への民間事業者検定試験の導入が、安倍首相の側近である萩生田文部科学大臣の不規則発言をきっかけに延期に追い込まれるなど失態が続いています。極めつけは安倍晋三後援会のメンバーが、首相主催の公的行事である「桜を見る会」に大挙して参加していた問題です。

安倍晋三後援会の会員に対して、安倍晋三事務所から「桜を見る会」への参加を含む東京観光ツアーや首相を囲む前夜祭への参加を呼びかける案内が配布され、申し込んだ会員には、後日内閣府から招待状が届く仕掛けになっていました。この催しについて安倍内閣は、一〇月一六日に「内閣総理大臣が各界において功績、功労のあった方々を招き、日頃の御苦労を慰労するとともに、親しく懇談する内閣の公的行事として開催しているものであり、意義あるものと考えている」との答弁書を閣議決定しています。安倍事務所が堂々と行っていた行為が、この閣議決定の趣旨から逸脱していることは誰の目にも明らかです。

「桜を見る会」は、一九五二年に当時の吉田茂首相の主催で開催されて以来、大震災等の理由で中止された三回を除き、毎年四月～五月に新宿御苑（しんじゅくぎょえん）で行われてきました。記録の残る二〇〇〇年以降の参加人数を見ると、森喜朗時代までは概ね八〇〇〇人で推移、小泉純一郎時代に一万一〇〇〇人に増加しましたが、その後は一万～一万一〇〇〇人でした。それが安倍第二次政権下で一万二〇〇〇人から一万八〇〇〇人まで一気に膨れ上がったのです。安倍事務所による「桜を見る会」ツアーは毎年行われ、今年の参加者は八五〇人にのぼりました。これ以外に政府・与党幹部の招待者枠の膨張が参加人数の膨張の原因であったとみられ、公的行事の私物化はまさに政権ぐるみで行われていたことになります。

参加人数の増加は当然開催費用の膨張をもたらします。しかし、こうした現実にもかかわらず、内閣府の開催予算は参加者八〇〇〇人を前提に一億七六〇〇万円のまま編成されていました。予算成立直後に予算大幅超過の入札を公告した内閣府の鉄面皮も大変なものですが、これを毎年放置してきた財務省や会計検査院の怠慢も責められてしかるべきです。

権力は頭から腐ると言います。長期政権の座に胡坐(あぐら)をかくことで慢心と驕(おご)りが生まれ、従う者には諂(へつら)いと忖度がまん延します。自民党総裁の三選禁止規定は、まさにそうした危険を防止するための先人の知恵でした。その規定を自ら踏みにじった結果が籠池・加計事件以降の政権の私物化をもたらしたのです。安定という名のぬるま湯にどっぷりと浸って変化から目を背けることの愚かさを国民自らが深刻に受け止めない限り、この国の未来は閉ざされたままでしょう。

（『講演録』一二月号）

——仲間意識の弊害

空気を読めない人をKYと呼んで嘲笑ったり忌避したりする風潮が、いつのころからか日本社会にまん延するようになりました。仲間や集団に溶け込むことをよしとする空気は、時に権力に阿(おもね)り、不正や不合理を放置して社会を腐敗させる結果につながります。若い世代の保守化は、反抗の芽を摘み取ることで社会の安定を求めてきた宿痾(しゅくあ)そのものの結果なのかもしれません。

（『講演録』一二月号）

二〇二〇年

映画雑感②

二〇一九年上半期の邦画から。まず『**凪待ち**』。元SMAPの香取慎吾が刑務所帰りの競輪依存症のダメ男に扮します。印刷屋で働き恋人もできますが、同僚から無理矢理誘われ、再びヤミ競輪にのめり込みます。賭博から抜け出せず、暴力行為に走りながらも、どこかに一途なものを秘めている主人公を香取が見事に造形し、新境地を開きました。

『**ファイナルファンタジーXIV光のお父さん**』は、ブログ日記から書籍化され、TVドラマ化もされた同名小説の劇場版映画。ゲーム好きの青年は幼い頃の行き違いから会話できない父親が、突然会社を辞めてTVゲームに没頭するようになったことから、オンラインゲームの中で仲間とともに父親を「光の戦士」に鍛え上げることを計画します。ゲームの世界とリアルの世界とを行き来しながら親子が心を通わせるまでを描きます。ゲームの高揚感をドラマ展開に見事に溶け込んでいます。

『新聞記者』の原作者である望月衣塑子さんには一〇月に講師としておいでいただきました。政治権力が自らの利益のために都合の悪い真実を隠蔽する巧妙かつ卑劣な仕組みが、ほとんど事実であると聞くと愕然とします。秋に公開された『**i－新聞記者ドキュメント－**』はその望月記者に密着した意欲作で、日本のジャーナリズムの現実とその抱える問題点を深く考えさせられました。

『**天気の子**』は、『君の名は。』を大ヒットさせた新海誠監督の新作。家出して上京し、怪しげなオカルト雑誌でライターとして働く少年が、雨の降り続く都会の片隅で天気を晴れに変える不思議な能力を持つ少女に出会います。危険を顧みずに前を向いて生きようとする彼らは、調和の崩れた現代社会に、なすすべもない大人たちへの強烈な批判が隠されているように思えます。

秀作『淵に立つ』の深田晃司監督と主演筒井真理子のコンビによる『**よこがお**』は、不条理な現実によって平穏な生活が崩壊に追い込まれる女性の姿を通じて現代社会の閉塞感を鋭く映像化しています。

『**台風家族**』は新井浩文が出演していたために公開が延び延びになっていましたが、やっと見ることができました。毎度のことですが、関係者が事件を起こしたからといって作品を抹殺するのは日本社会の悪です。それはともかく、市井昌秀監督の新作は、家族の葛藤をリアルに描いた辛口のブラックコメディーでした。両親が銀行強盗を働いて強奪した二〇〇〇万円とともに行方不明になってから一〇年が経ち、子どもたちの家族が昔の家に集まってきます。失踪宣告が成立して遺産を分配しようと長男が集合をかけたのですが、いずれも自分の都合を主張して話はまとまりません。それぞれの事情が次第に明らかになり、やがて四世帯は思いもよらない方向へ走り出します。強欲で自分勝手な長男を草彅剛が怪演。新井もいい味を出しています。

今年はこのほか『**楽園**』、『**ある船頭の話**』、『**真実**』、『**最初の晩餐**』、『**ひとよ**』、『**わたしは光をにぎっている**』などが心に残りました。

——**五輪狂騒曲の間に**

二〇二〇年の前半はきっと五輪協奏曲で騒がしいことになるのでしょう。金メダルの数を競って愛国心を掻き立てるオリンピック精神とは、無縁のアナクロニズムが横行することを思うと今からうんざりします。そして国民とメディアが浮かれている間にも日本の国力は低下を続け、経済の失速が忍び寄っているのではないでしょうか。

（『講演録』一月号）

映画雑感③

二〇一九年後半の邦画の続きです。まず俳優のオダギリジョーの長編映画初監督作品『**ある船頭の話**』。寒村の渡し船の船頭を柄本明が重厚に演じます。町と村を結ぶ橋の建設が進む中で、自らに与えられた生業を淡々とこなす主人公の前に瀕死（ひんし）の少女が流れ着きます。助けあげて、川べりの掘立小屋に住まわせたことで、主人公の運命が大きく変わっていきます。文明がもたらす負の側面や人間の在り方を根源から問い直す問題作。

吉田修一の短編集『犯罪小説集』を基に、瀬々利久監督が映画化した『**楽園**』は、日本の社会に色濃く巣くっている理不尽で愚かな悪意の恐ろしさを白日のもとにさらします。おびえながらも居場所を探す難民の青年を、まるで彼が現実に存在するかのよう造形し切った綾野剛は、いつもながら見事としか言いようがありません。

『**真実**』は、カンヌ国際映画祭で、最高賞のパルムドールに輝いた是枝裕和監督が、自らの脚本で国際的な俳優陣をキャスティングした国際共同製作作品。大女優の母が自伝を刊行したのを機に米国からやって来た娘一家。母と娘の確執が再燃します。母娘を演じるカトリーヌ・ドヌーブの貫禄とアカデミー賞女優ジュリエット・ビノシュが演ずる愛憎劇は、社会の底辺にうごめく人間模様を描いた前作とは、全く違った監督の力量を印象付けるものでした。

亡父の通夜の席で、母は仕出し料理をキャンセルして手料理の目玉焼きを振る舞います。次々と運ばれる手料理を通して過去の思い出やわだかまりが浮かび上がり、やがて寡黙（かもく）だった父の真情が明らかになります。長編初挑戦の常盤司朗監督の『**最初の晩餐**』は、個性豊かな俳優陣を得て心に染（し）みる秀作になりました。

子どもを守るために、暴力をふるう父親を殺害した母親が刑期を終えて一五年ぶりに帰宅します。しかし、周囲の冷たい視線の中で困難な日常に苦しんできた子どもたちの思いは複雑です。『**ひとよ**』は、白石和彌監督が、一筋の希望を見出す家族を描いた意欲作。

若手監督中川龍太郎の『**わたしは光をにぎっている**』は、田舎育ちの話下手な少女が、東京の下町で自分の居場所を見つけるまでを描いた成長物語。主演の松本穂香が、いつの間にか逞（たくま）しさを身につけていく田舎娘を好演。

オムニバス映画『**その瞬間、僕は泣きたくなった**』は、監督と主演を、三池崇史とAKIRA、井上博貴と佐藤大樹、松永大司と今市隆二、洞内広樹と佐野玲於、行定勲と小林直己がそれぞれ務めて、短編ながら鮮烈な印象で胸に突き刺さる寓話（ぐうわ）を紡ぎだしました。詩と音楽と映像を融合させるプロジェクトの第三弾ですが、もっと多くの人に知られていい試みです。

――公私混同の極み

「桜を見る会」の招待者名簿は官の記録そのものが存在しないことが明るみに出ました。この政権下で行われた公文書の改ざんや隠蔽の数々を考えれば、この政権が公文書の意義を蔑ろにしてきた事実は拭いようがありません。そしてIR法案を巡る贈収賄事件は、この法案の成立を強引に推し進めた与党議員の多くが、汚い金を懐に入れていた事実を明らかにしつつあります。また、麻生副総理による「日本は単一民族」発言も、およそ資質に欠ける人間が政府の中枢に居座っている現実を改めて浮き彫りにしました。そして何よりも恐ろしいのは、これほど明らかな民主政治の危機的状況にもかかわらず、内閣支持率が高止まりしていることです。

（『講演録』二月号）

――感染症対策に見る宿痾

昨年末に中国の武漢から始まった新型コロナウィルスによる感染症のまん延は、今年一月に入ってから日本でも大事件に発展しています。感染者の拡大を防ぐために政府が適切な対策を講じることは当然ですが、騒ぎを助長し、いたずらに危機感をあおって国民生活を混乱させる情報の流布は避けるべきでしょう。

この間の行政の対応で、最も疑問が残るのは、大型クルーズ船ダイヤモンド・プリンセス号の乗客乗員三七一一人に対する扱いです。一月二五日にすでに下船していた香港の乗客以外の感染が確認されたことから、厚生労働省は船を沖合に停泊させたまま検疫を実施。発熱などの症状があったり、感染者との濃厚接触があったりした乗客には感染の有無を検査。結果が陽性であれば、指定病院に搬送、それ以外の乗客は潜伏期間の最長と目される二週間は船内に止まることを要請しました。しかし、検査結果が判明するにつれて感染者数が膨れ上がり、当初の下船期日である二月一九日に至っても新たに七九人の感染が確認されています。

クルーズ船では、検査に時間がかかっている間に船内で感染が拡大した可能性は否定できません。しかも乗客の多くは高齢者で、持病を抱えた人たちも少なくありません。水際作戦にこだわるあまり、船内感染のリスクと乗客の健康維持が等閑視(とうかんし)された感は拭えません。

一方で感染経路の不明な感染者が各地で次々に見つかっています。検査体制が未整備なことを考えると感染が水面下で広がっている可能性があります。和歌山や神奈川の病院では院内感染も確認されています。医師や看護師、その家族にも感染が広がっています。感染の疑いが生じた時に、どう対応すべきかの指針も二転三転しています。

感染力がインフルエンザ等と比べて強く、潜伏期間が長い一方で、幸いなことに致死率は二%と低く、健常者であれば、自然治癒(ちゆ)が見込めることが報告されています。二〇一八年にインフルエンザで三〇〇〇人を超える死者が出ていることを考えると、悪戯(いたずら)に騒ぐのではなく、データに基づいて冷静に対処する必要があります。間違っても新たな差別を社会に生み出す言動は慎むべきでしょう。

感染の拡大を受けて、天皇誕生日の一般参賀の中止や東京マラソンの一般参加中止が決まりました。政府は感染の拡大の防止に向けて国民の協力を呼びかけています。不要不急のイベントや集会の自粛など、人が集まる機会を作らないことが望ましいということです。しかし、人間が社会生活を営む上で、他の人との接触は、人が人間である所以(ゆえん)です。過去に何度も繰り返されてきた熱に浮かされたような自粛(じしゅく)ムードの息苦しさは経済社会に大きな損害を与える結果になるでしょう。

(『講演録』三月号)

子どもを救える社会になる

両親から虐待されたり、ネグレクトされたりした子どもたちが死に追いやられる痛ましい事件が後を絶ちません。そうした結果に至った多くのケースで本来子どもたちの最後の砦になるべき児童相談所が機能していなかった事実が判明しています。最近の例では、午前三時に母親に家から追い出された小学六年生の少女が、詳しい事情も聞くこともなくインターホン越しに門前払いを食わされたケースがありました。少子化を嘆く前に、悲惨な状態に置かれた子どもたちを社会全体で保護し、育てる仕組みを作り上げることが必要でしょう。

（『講演録』三月号）

政策決定の透明性

二月末に突然安倍首相が表明した全国の小中高の一斉休校の要請は、この政権の抱える政策決定過程の危うさを改めて浮き彫りにしました。世論調査では、この要請に対して七割が理解を示しています。しかし、教育機関を所管する文部科学省も、医療・保健衛生を所管する厚生労働省も、前日までこの件を知らされておらず、全国の自治体を所管する総務省に至っては発表後でした。この時点で全国一律の休校が本当に必要だったのか。そして子どもが学校にいる間に働いている親への配慮や、給食をどうするのか。何よりも一カ月以上も子どもにどう過ごさせるのか。現場の意見や調整を一顧だにせず、首相と一部の側近だけで独断専行で決定されたその政策決定過程こそが問題なのです。

この決定は、スペイン風邪流行の際にいち早く同様の措置を断行して被害を最小限に食い止めた、セントルイスの事例に触発されたものだとされています。しかし、セントルイスはアメリカの一都市であり、市内の状況を市の担当者が十分に把握していたことは当然でしょう。まさしく地方自治の本分に基づく決定です。しかし、その経験を全国一律の政策に援用し、本来は相談に預かるべき関係省庁を無視して省みない独断は、この事例のみならず、多くの政策決定の正当性にも疑問を投げかけるものです。

新型コロナ騒ぎに隠れてしまいましたが、「桜を見る会」の前日に行われた安倍後援会の会合を巡る安倍晋三事務所の経理処理の問題や、東京高検検事長の定年延長問題など、明らかに安倍首相周辺の不適切かつ不透明な事案が頻発（ひんぱつ）しています。

検事長の定年延長問題では、森雅子法相の国会答弁が迷走して審議が度々中断。挙げ句の果てに、東日本大震災の際に「検察官が福島県いわき市から最初に逃げた。その時に身柄拘束している十数人を理由なく釈放した」との答弁が撤回に追い込まれました。安倍首相は森法相を厳重注意して一件落着の構えですが、もとはといえば、自らに近い官僚を重用するために法解釈を強引に変更したのが原因です。その意味では無理な答弁を余儀なくされた法相も被害者なのかもしれません。

三月一三日には新型コロナウィルスに対応する改正特別措置法が国会で成立しました。これにより、首相が非常事態を宣言すれば、外出や集会の禁止など国民の権利を制限する強制措置が可能になります。問題なのは、何が緊急事態に当たるのかの要件が極めて抽象的で曖昧なことです。改正前の新型インフルエンザ等対応特別措置法の成立時には、権利制限に対する不服申し立て制度の検討が、付帯決議されています。しかし、今回も検討は見送られたままです。「集会の自由」は、表現の自由を制限することが権力の暴走を許した過去を再来させないために、憲法に規定された民主体制の基本原則です。基本的人権の安易な侵害を曖昧な規定で許してしまう危うさを、もっと深刻に受け止めるべきでしょう。（『講演録』四月号）

マスク信仰への疑問

ＷＨＯ（世界保健機関）は二月二九日までに新型コロナウィルスの感染防止対策として、マスクなどの適切な使い方の指針を公表しました。「咳、くしゃみなどの症状のない人は、予防目的でマスクを着用する必要はない」として過度な着用を戒めています。すでに極度の供給不足から、医療や介護などマスクの着用が欠かせない現場からは悲鳴が上がっており、政府はこうした機関へのマスクの提供に乗り出していますが、完全に行き渡るかどうか疑問です。予防目的でマスクの着用を強要する企業も散見されますが、こうした行為は公共の利益を損なうものと言えるでしょう。

（『講演録』四月号）

政治の責任

新型コロナウィルスへの感染拡大を受けて、安倍首相は四月七日、改正新型インフルエンザ等対策特別措置法に基づく「緊急事態宣言」を発令しました。対象となった東京、埼玉、千葉、神奈川、大阪、兵庫、福岡の七都府県の知事は、住民に対して外出の自粛を要請できるほか、イベントの開催の制限や停止、ライブハウスやカラオケルーム、ナイトクラブやバーなどの休業を要請、支持できる権限を持つ身になります。

発令にあたっての記者会見で安倍首相は、「時間の猶予はないとの結論に至った」と述べ、有識者会議の見通しを踏まえて「人と人との接触を最低七割、極力八割削減できれば、二週間後には感染の拡大をピークアウトさせることができる」として、国民に協力を呼びかけました。

発令が「遅きに失した」との声が少なくありません。しかし、問題は発令後のもたつきです。緊急事態宣言は、地域の事業者や住民に対して要請・指示を行う権限を知事に与えるものです。しかし、発令後速やかに休業要請を行うべく用意していた東京都は、政府との調整に手間取り、四日間を空費することになりました。地域の実情に合わせて自治体が自主的に行う要請を緊急事態の中で政府が事細かく難癖をつける必要がどこにあるのでしょうか。

もう一つの疑問は「人と人との接触を八割減らす」ことの中身です。首相の説明では国民一人一人がそのように努力してほしいとの要請であるように聞こえました。実際、テレビ塔のメディアがそのように繰り返しており、多くの市民がどのように八割削減らせばよいのかと戸惑っています。しかし、専門家が求めたのは人と人との接触を全体として八割減することです。接触機会の多いイベントや店舗に休業を求めることこそがその対策であるべきで、国民に責任を転嫁するのはお門違いというものでしょう。

そもそも緊急事態宣言の発令が遅れたのは、経済対策の発表とセットで行うことにこだわったからだとされています。事実とすれば、本末転倒も甚だしい。とにかく感染の拡大を食い止めなくては、正常な事業活動や消費行動は戻ってきません。まず感染の防止と感染者の治療に専念し、その中で生ずる経済的不利益に最大限の保障を行うことで、何とか危機を乗り切らなくてはなりません。その後の経済復興政策は危機回避後の経済環境を見極めた上で適切に計画実行するべきものでしょう。

この政権は、「一億総活躍」や「働き方改革」など、本来は社会の制度を変えることで経済の活性化を促すべきところを国民や事業者の意識や行動の問題にすり替えてきました。世界の構造が大きく変化していく時代に、ひたすら安定最優先で凡庸な政治に寄りかかり続けることは、国民自身の不明なのかもしれません。

（『講演録』五月号）

――コロナ自粛の活用

コロナ騒ぎがもたらした自粛の日々をいかに有効に過ごすかが今後の日本人の在り方を決めるような気がしています。あり余る時間を古典や文化と芸術の再認識のために天から与えた休暇と考え、これまでの歴史をふりかえり、これからの社会や自らの生き方を考えるいい機会として活用したいものです。

（『講演録』五月号）

――コロナ禍の後

この文章が会員の皆様の目に留まる六月の初旬には、新型コロナウィルス感染症のための緊急事態宣言もおそらく解除されているでしょう。しかし、全てが元に戻るわけではありません。問題はいわゆる密を避けるための自粛がしばらくは続けられていくだろうといったことに留まらず、社会全体に残された深い傷跡の存在です。長期にわたる休業を強いられたサービス業や、文化、芸術、芸能、スポーツなどの活動に携わる人たちの多くは、もともと社会的に極めて不安定で弱い立場に置かれています。そうした人たちに必要なのは、何よりも自由に活動できる環境です。

コロナ禍で破壊された社会を再建するにあたって考えなくてはならないのは、われわれがどういう社会を目指すのかということでしょう。そして、そうした社会を実現するために、何が必要で何を避けなくてはならないかを新たに問い直す必要があります。専門家と称する人たちが提言し、政治と役人が推進した感染症対策についても、改めてその功罪を問い直さなくてはなりません。安倍首相は自粛要請について、「法的には強制できない」と繰り返し、事態の打開のために国民の自主的な協力を求めました。それは政府による公的な補償を回避し、強制力を求める国民の声を、憲法への緊急事態条項の追加に誘導する狙いがあるとの指摘もあります。いずれにしても、政府という権威が発した要請を、従順なメディアが増幅し、一般大衆は見事にそれを受け入れました。従わない一部の厄介者には、容赦のないバッシングや、いじめが殺到し、法的強制力以上の同調圧力がのしかかりました。

新型コロナウィルスの感染爆発による医療崩壊の危険が盛んに喧伝（けんでん）され、それが全国的な自粛につながりました。三密を避けるだけでなく、人との接触を区別するために、ステイ・ホームとソーシャル・ディスタンスが、新生活様式として半ば市民の義務として叫ばれました。しかし、人と人との触れ合いは人間社会にかかせないものです。そうした当たり前の生活を守る手立てを講じるのが、政治家や専門家の役割であるはずでしょう。

コロナ自粛の副産物でしょうか。インフルエンザによる死者は昨年よりも少ないようですが、それでもコロナと同程度には達しているようです。治療方法が確立し、ワクチンが開発された後は新型コロナウィルスへの過剰な恐怖を払拭（ふっしょく）し、コロナの特別扱いをやめ、社会生活を正常化すべきです。そして、あっけなく梯子（はしご）を外されたクール・ジャパンやインバウンドの再構築も責任をもって取り組まなくてはなりません。

（『講演録』六月号）

――目に余る権力の乱用

コロナ騒ぎのどさくさに紛れて検察庁法改正が強行されようとしています。政府は「他省庁の定年延長に合わせるため」と説明していますが、それならなぜ内閣や法務大臣の判断でさらに定年を延長できる規定が新たに盛り込まれたのか。もともと一月に、安倍首相に近いとされる黒川東京高検検事長の定年延長を閣議決定による法解釈変更で、強行したことへのつじつま合わせとしか言いようのない改正案です。行政から最も中立であるべき検察人事への介入は、権力の乱用以外の何物でもありません。

（『講演録』六月号）

映画雑感④

コロナ禍のお陰で、映画館に足を運んで映画を鑑賞する楽しみを奪われてしまいました。ビデオ鑑賞は可能ですが、その臨場感は全く別物です。楽しみにしていた音楽鑑賞も公演が延期になってしまいましたし、ささやかな自主活動も、会場の使用が禁止されて停止を余儀なくされています。新しい日常なるものは、決していつまでも許容できるものではないというのが率直な気持ちです。ということで今回は二カ月余りの空白がありましたが、昨年末から今年前半の邦画作品を取り上げます。

まず昨年公開の『**いのちスケッチ**』。九州の地方都市の小さな動物園を舞台に、漫画家になる夢をあきらめて帰京して、見習い飼育員として雇われた青年が、慣れない仕事に悪戦苦闘しながらも、福祉動物園という理想に共感して、特技である漫画の技術を仕事に生かすことで、職場に居場所を見つけていきます。

無声映画時代に、活動弁士を志す青年を周防正行監督が描くコメディ『**カツベン！**』。下積みの中で実力を蓄え、逆境に立ち向かう青年を初主演の成田凌が好演。見事な語り口で魅了します。

『**男はつらいよ　お帰り寅さん**』は、二二年ぶりに制作されたシリーズ五〇周年記念作品。今は亡き渥美清が名台詞とともにスクリーンに蘇り、シリーズ後半には寅さんに代わる実質的な主役だった吉岡秀隆演じる満男と、かつての恋人イズミの再開と別れが描かれますが、内容もさることながら往時の雰囲気を違和感なく再現した山田洋次監督の手腕はさすがです。

ドキュメンタリー『**尾崎豊を探して**』は、四〇〇時間に及ぶライブ映像やプライベート映像を再構成することで、伝説のシンガーソングライターの真実に迫ります。真っすぐにそしてひた向きに音楽と向き合い続けたその姿は、今なお根強い人気を誇る彼の魅力を再認識させてくれます。

岩井俊二監督の『**ラストレター**』は、行き違いから亡くなった姉のふりをして、かつての初恋の相手と文通をすることになった妹。現在と過去が交錯する中で、失われてしまった青春の輝きとともに残された現実の再生が描かれます。

『**記憶屋　あなたを忘れない**』は、日本ホラー小説大賞読者賞受賞作品の映画化として要領よくまとめられている反面、大団円に至るホラー的風味や、ヒロインや、死んでゆく自らの存在を消そうとする弁護士の哀しみがもたらす環境が、いささか損なわれた感は否めません。

『**AI崩壊**』は、人間の幸福に資するはずだったAIが突如暴走を始め、人間の選別と抹殺のための怪物に変身する恐怖を描いた近未来映画。極めて現代的テーマをうまく使って、権力の陰謀の怖さを描いています。久しぶりに映画に復帰した大沢たかおの熱演が最後まで映画を牽引（けんいん）します。

三月に見そびれたまま上映自粛明けにやっと出合えたのが『**弥生、三月**』。卒業間際に大切な友人を失った男女がお互いの秘めた思いを抱えたまま、三〇年後に、亡くなった友人の残したテープに背中を押されて新たな一歩を踏み出します。ひた向きで真っすぐな生き方を貫こうとするヒロインを演じた波留は、はまり役。理不尽な社会への怒りが散りばめられた、辛口のラブストーリーでした。

動画配信がスタート

コロナ禍による集会の自粛が長引き、この講演録が届くまで待てないという声に応えるため、講演後に動画配信で講師のお話を直接視聴できるシステムを導入しました。なお、講演後の質問は事務局長と理事長が行っております。会員の方が出席しているわけではありませんので誤解なきよう。皆さまに直接お会いできる日を千秋の思いで待っておりますが、現状ではいつ再開できるか、確たる見通しは得られていません。今しばらくご辛抱いただきたいと存じます。

（『講演録』七月号）

Ｇｏ Ｔｏキャンペーンの不明

政府は八月上旬からの実施を予定していた観光需要喚起策Ｇｏ Ｔｏキャンペーンを七月二二日から開始することを決定しました。これに対して七月に入ってから新型コロナウィルスの新規感染者が増加して過去最高を超えている東京、大阪の知事などから実施の延期を求める声が上がっています。政府は都市圏の感染者確認の増加がいわゆる「夜の街」関連の集中的な検査の実施に伴うものであること、医療機関の状況に緊急事態宣言時に比べて十分に余裕があることなどを理由に、方針を変えない構えでしたが、一八日になって東京都を除外しての実施に転換しました。一二〇〇万人の都民を置き去りにした事業では、全国民を対象とするはずの国の政策としての公平性が問われるだけでなく、政策の効果も大幅に減殺されることになるでしょう。

個人の旅行代金を政府が助成するこの事業はコロナ禍に直撃された経済を立て直す経済対策として二〇二〇年度第一次補正予算に盛り込まれた事業の一つです。事業規模一兆六七九四億円に対して事務委託費が三〇九五億円と巨額に上り、しかも入札前に、電通に十数回のヒアリングを行っていたことが判明して国会で追及されたいわく付きの案件です。所管の経済産業省は、持続化給付金事業でも委託先であるサービスデザイン推進協議会から電通への再委託が、身内への丸投げとして批判されたばかりでした。

Ｇｏ　Ｔｏキャンペーン事業について所管の梶山弘志経済産業大臣は参院予算委員会で「新型コロナウィルス感染拡大収束後の消費喚起」を狙う事業だと答弁しています。緊急事態宣言解除後の政府は、設定したスケジュールに沿って経済活動への制限を順次緩和してきましたが、七月に入ってから東京をはじめとした大都市圏で再び感染の拡大が続いています。七月中旬からは全国レベルでも感染の増加が目立ち始めています。こうした状況下で、知事が文句をつけた東京都だけを除外すれば済むという判断はあまりにも安易です。感染状況は心配しなくてもいいという明確な説明がなければ、観光需要は喚起できないでしょう。

命の洗濯である観光には、心の余裕が必要です。感染への懸念やよそ者への冷たい視線の下で、楽しみであるべき観光を満喫できる人がどれくらいいるでしょうか。こんな状況でキャンペーン効果が期待できると考えるのは、人の心をあまりにも知らない輩(やから)の世迷(まい)言です。

そもそも消費は消費者が自らの判断で自由に行うものです。限られた余暇をどのように使うかは、消費者個人に与えられた自由なのです。それを観光に誘導するのは、広告会社の仕事で国民全体にあっても、国民全体に奉仕しなければならない国家公務員の仕事ではないでしょう。好きな時に、好きな場所に出かけて、好きなものを食べ、ゆっくり買い物を楽しむ。そのために自分の金を使うのがまっとうな消費者の姿です。国民の払った税金で、国民の行動を思うように誘導するようなことを役人が考えるのは不遜であり、国民を愚弄するものです。

新型コロナウィルス感染拡大防止を最優先させた自粛が日本を覆っています。私たちは、そろそろ感染のもたらすリスクと、自粛や新生活様式がもたらすリスクとを冷静に比較検証しなければならない時期を迎えています。感染学者の言い分を全て受け入れるのではなく、そのことがもたらす健康への悪影響や経済社会に与える負の側面を、十分に考慮に入れたうえでコロナと共存する生活の在り方を選択すべきでしょう。

（『講演録』八月号）

「黒い雨」訴訟を考える

広島地裁は七月二九日に、広島への原爆投下後に降った放射性物質を含む「黒い雨」での健康被害を受けたとして、広島県と広島市に対して被爆者健康手帳の交付を求めた裁判で、原告八四人全員を被爆者と認め、県と市に手帳の交付を命じる判決を言い渡しました。これに対して被告である県と市は、八月一二日までに援護法を所管する厚生労働省との協議を踏まえて控訴することを決めました。

判決直後に県と市は厚生労働省に対して「控訴したくない」との意向を伝えていたとされます。しかし、国側はこれまで県と市が求めていた対象区域の拡大を、前向きに検討するとの姿勢を示すことで控訴決定を説得しました。県と市は対象区域拡大によって、今回の原告以外の被爆者の救済につながる可能性があることから、厚生労働省の説得に応ずることにしたとしています。しかし、今回の判決を受け入れた場合には、判決の趣旨を踏まえて対象区域を見直すことは、国の当然の責務となります。県と市は二〇〇八年に実施した調査を基に対象区域の拡大を要請してきた経緯があり、今回の判決はこれまでの県と市の要請を実現する大きな後押しになったはずです。そもそも国は対象区域の拡大が必要であると認めるのであれば、今回の控訴は自己矛盾そのものであり、原告に対する不当な仕打ちであると言わざるを得ません。

国は一九七六年に、爆心地の北西部にある楕円状の地域に大雨が降ったとする気象台の調査を基に、この区域を「健康診断特別区域」に指定し、この区域にいた人は被爆者に先んじて健康診断を受けることができ、一定の病気が判明すれば、被爆者健康手帳に切り替えられるという制度を導入しました。しかし、この指定区域を少しでも外れた市民に対しての手帳の交付は頑なに拒んできました。今回の判決では、国が区域指定の根拠としてきた気象台の調査について、「調査範囲やデータに限界がある」ことを指摘、その一方で、複数の専門家による聞き取り調査を基に「より広い範囲に黒い雨が降った事実を確実に認めることができる」と結論づけました。援護法を所管する厚生労働省の役割は援護法の目的を遂行するために、少しでも多くの被爆者の援護が行えるようにすることです。県や市からの新たな調査を基にした区域拡大の要請を拒み続け、司法の場でその正当性が否定されてもなお判決に異を唱える姿勢は、常識では理解できません。

決して自らの誤りを認めず、既定の方針の変更を拒む態度は多くの官僚にみられる悪弊です。社会の良識に照らして、こうした行政機構の頑迷さを打破するのが行政の責任者である政治の役割であり、責任です。大臣を指揮する総理大臣が、こうした時にこそ指揮権限をはっきりしなくてはならないのです。国民の側に立って官僚の姿勢を正すべき厚生労働大臣や首相はいったいどこで何をしていたのでしょうか。

（『講演録』九月号）

危険なマスク信仰

梅雨が長引いた後に例年を上回る猛暑が日本列島を覆っています。自粛とステイ・ホーム、そしてマスクの着用を強いられてきた国民の身体は暑さへの備えができていません。熱中症のリスクは昨年よりもはるかに高くなっています。多くの専門家がマスク着用によって熱中症のリスクが高まることを警告しています。熱中症による救急搬送は急角度で増え続け、重症者や死者も増えています。しかし、猛暑の中でもほとんどの人がマスクをして炎天下を歩いています。専門家に言わせると野外ですれ違ったぐらいでは感染しないということですが、強固なマスク信仰には抗するすべがありません。

（『講演録』九月号）

新政権への期待

七年八カ月に及んだ安倍政権は、病気を理由とした安倍前首相の突然の辞意表明によって終止符が打たれ、九月一六日に菅政権が発足しました。自民党の両院議員総会で行われた総裁選挙で安倍政権の継承を掲げて圧勝した菅氏について、多くのメディアは、理念に欠けるとか、ビジョンが見えないといった見出しで批判を投げかけました。しかし、果たしてそういう形で揶揄（やゆ）することが適切であるかどうか疑問です。

自民党総裁に選出された後の記者会見で菅氏は、縦割り行政、既得権益、悪しき前例主義を打破して規制改革を進めると宣言しました。アベノミクスが結局は短期のカンフル剤である金融財政政策に寄りかかり、第三の矢として掲げた成長戦略が実を結ばなかったのは、新たな成長機会を生みだす規制改革が中途半端に終わったためであることを、政権内部にいる立場で不本意だったのではないかと思われます。塩田潮さんによれば、菅氏が安倍さんを支えたのは、彼が改革派だからという理由によるならば総裁としてまずやると宣言した規制改革はまさに安倍政権が積み残してきた政策だと言えるでしょう。理想や理念を高く掲げるのではなく、今何をしなければならないかを明確に打ち出すことこそが優先されたのでした。

その意味で派閥均衡と揶揄された新内閣の布陣においても、「改革意欲のある人を起用する」とした菅首相の意図は明白に貫かれています。何といっても、その目玉は河野太郎行革担当相でしょう。河野氏は初めての入閣が行革担当でした。縦割り行政の弊害を打破するために現場の官僚にどう働きかければよいかについても熟知しています。当倶楽部の講演会にお招きした時にも、その具体的な事例を詳しく語っていらっしゃいました。首相の示唆した「縦割り一一〇番」をその日のうちに立ち上げるなど、行動力と発信力において、まさに新政権の推進力として機能するのではないでしょうか。

そしてもう一人の目玉が平井卓也デジタル担当省です。菅氏の打ち上げた「デジタル庁」は、すでに「骨太の方針」にも盛り込まれていたものだとメディアは指摘していますが、実は経済財政政策の基本方針として掲げられても実際には実効性のある政策に結び付けられた「方針」は枚挙にいとまがありません。その意味でスピード感のある果断な実行ができるかどうか、平井氏がどのような手腕を発揮するかが新内閣の試金石になります。

菅氏は総裁選に際して「自助、共助、公助」という考えを打ち出しています。立憲民主党の枝野幸男代表は「自助が第一に出てくる新自由主義的」と批判しましたが、国民の多くは好意的に受け止めているようです。福沢諭吉の「天は自ら助くる者を助く」や、J・F・ケネディの就任演説の「あなたの国があなたのために何ができるかを問うのではなく、あなたがあなたの国のために何ができるのかを問うてはしい」にも通じるものです。苦学生からのたたき上げで非世襲、無派閥の宰相に上りつめた菅氏ならではの信条といえるでしょう。

（『講演録』一〇月号）

コロナ自粛の副作用

今年八月の東京都の自殺者は前年を二四〇人上回り（一五・三％増）ました。倒産件数も前年を大幅に上回っています。しかし、自粛要請を徐々に緩和して感染防止と経済活動との両立を目指す政府に対しては、感染防止の専門家やメディアからは、経済偏重を懸念する苦言が呈されています。感染を恐れて家に閉じこもる高齢者は、運動不足による生活習慣病の悪化や人との接触が失われたことによる認知症のリスクにさらされています。一刻も早く行き過ぎた感染最優先から抜け出すべきでしょう。

（『講演録』一〇月号）

不都合な真実

「改革」を掲げて高支持率を背に順風満帆の船出をした菅政権が、日本学術会議の委員任命を巡る問題で厳しい逆風にさらされています。学術会議は三年に一回、委員の半数の一〇五人が改選になりますが、七月九日の臨時総会で一〇五人分の推薦名簿を承認し、八月末に首相宛てに名簿を提出しました。しかし、九月二六日に事務局に届いた名簿に九九人しか記載がなく、六人が任命されなかった理由について内閣府は何ら説明していません。

新政権のスタートが推薦名簿を受け取ってから任命名簿を送付する間に行われたことを考えると、菅首相自身がどこまでこの問題の内容を意識して決裁したかは疑問です。しかし、事実が判明した以上、決済の責任は免れませんし、六人を除外した理由を明らかにすることは最低限の義務です。公的組織である学術会議が総会での承認という手順を踏んで行った推薦を覆すのであれば、それ相当の覚悟と説明がなされるべきで、それは国民に対する義務である以前に人としての礼節に悖る(もと)ものです。すでに安倍政権下で官邸が推薦者についての事前報告を求めたり、候補の差し替えを要求したりした事実が報道されています。しかし、総会で正式承認した推薦者が実際に任命されなかったのは、今回が初めてです。今回の決定を主導したとされる杉田官房副長官の勇み足だったのかもしれません。しかし、これまでも森友・加計事件や厚生労働省の統計不正問題など、政権にとって不都合な事実を隠蔽するために、官邸から関係部署に対して指示が行われていたことが、多岐にわたって明るみに出ています。今回の事例は、前安倍政権が人事権を縦に官僚に対して行ってきた現場への直接介入の延長線上にあると言えるでしょう。

菅首相は「既得権益と悪しき前例主義を打破する」と宣言しました。しかし、なぜそうしなければならないのかを説明して理解を求める過程がなければ、悪しき強権国家に堕する危険を常にはらんでいます。官僚の抵抗を打破するために必要なのは人事を盾にした脅迫ではなく、積極的な協力を引き出す十分な説明です。「官」と「政」の関係について行政主導を引き出すことは簡単ですが、官僚の協力が得られなければ、行政は機能しません。

学術会議の委員は特別公務員ですが、実態は学者であって官僚ではありません。任命権限を振りかざせば全てが意のままになると勘違いしたのかもしれませんが、深い知識も高い見識もあるとは思えない官邸官僚が、日本の学術を代表する会議の人選に介入する根拠はどこにもありません。そもそも異論を認めない会議などになんの利点もないのです。

（『講演録』一一月号）

――いつまで恐怖をあおるのか

一一月に入ってから新型コロナウィルスの新規感染者が再び増加、全国レベルでは過去最多を更新しています。テレビ等のマスメディアでは第三波の襲来を盛んに報道、専門家と称する人たちが「このままでは大変なことになる」と警告し、社会経済活動の自粛を呼びかけ、政府の対応が手ぬるいとする批判も騒がしくなっています。しかし、新規感染者の拡大が今の日本でどれほど恐ろしい事態なのか、その冷静な分析は報道の片隅に追いやられています。それは大衆の恐怖に阿る政治家たちを無用な社会活動の沈滞につながる政策へと導くことになりかねません。それこそがウィルスよりも怖い災いを社会にもたらすことになるでしょう。

緊急事態宣言が発令された感染の第一派の時と比べて重症化する感染者や死亡する患者が大きく減少していることは、厚生労働省が発表する公的なデータから明らかです。その理由は、多くの臨床医が指摘しているように、複数の治療薬の有効性が確認され、症状に合わせた治療法が経験を積むことで確立されてきたからです。

現在、医療の現場では、体内に入ったウィルスの増殖を抑制する抗ウィルス薬のアビガン®、自己免疫暴走を抑制する吸入喘息薬（ステロイド剤）、重症化リスクの高い患者には抗ウィルス薬のレムデシビルなどが、症状に応じて早めに投与することで重症化を防ぐ治療方法が整備されてきているのです。

有効なワクチンが開発されるまではコロナ感染は終わらないと言われてきました。しかし、インフルエンザはすでにワクチンが開発され、使用されていますが、毎年多くの感染者を出しています。しかし、感染が拡大しても、人々が恐怖に陥ることがないのは、タミフル®等の治療薬が存在するからです。

新型コロナウィルスがエボラ出血熱やペスト等の指定感染症第二類に規定されていることが医療現場の負荷を増大させています。第五類に分類し直し、八割を超える軽症患者への対処は一般の医療機関に委ねて、専門医がCTで肺炎が確認された中等以上の重症患者の治療に専念できる体制になれば、医療崩壊のリスクは大幅に軽減されるはずです。

コロナ感染への恐怖はさまざまな副作用を生んでいます。外出の自粛や人との接触の回避は、運動不足による生活習慣病の悪化や認知症リスクの増大を確実にもたらしています。マスクの着用は心肺機能を低下させ、高齢者の健康を阻害するだけでなく、成長期の児童の健康に将来にわたる悪影響を残すことになるでしょう。社会的には、コロナへの恐怖が経済的損失のみならず、多くの差別を生み出していることをもっと深刻に受け止めるべきでしょう。

（『講演録』一二月号）

――生活を見つめ直す

今年も師走を迎えました。例年であれば出席する忘年会も全て中止となり、ひっそりと年を越すことになりそうです。コロナ禍の一年がこれまでの生活を見直し、リセットする機会になれば、無駄な一年ではなかったと言えるかもしれません。それは間違ってもお役所の言うところの新生活様式などではありません。感染防止に翻弄(ほんろう)されるのではなく、人生と社会の行く末を冷静に見つめ直す縁にしたいものです。

（『講演録』一二月号）

映画雑感⑤

緊急事態宣言明けの五月末、厳戒下の映画館は新作の公開が少なく、どこも閑散（かんさん）としていました。そんな中で出合ったのがドキュメンタリー映画**『なぜ君は総理大臣になれないのか』**です。映画『シアトリカル 唐十郎と劇団唐組の記録』やテレビ『情熱大陸』などで知られる大島新（おおしまあらた）監督が、三二歳で総務省を辞めて衆議院選に初挑戦した小川淳也氏の一七年間の苦闘を追い続けた記録です。真摯（しんし）に政治の理想を語り続ける姿は、しわが深く刻まれた一七年後も全く変わりませんが、それゆえに党内の出世もままなりません。そんな彼が統計不正問題を質（ただ）した国会質問場面はまさにこんな人が総理になってほしいと思わせました。

『ステップ』は、妻に先立たれた主人公が、男手一つで娘を育てた一〇年間を描いています。不器用だが一生懸命な主人公を演じた山田孝之（やまだたかゆき）がこれまでにない新境地を見せてくれました。

『アルプススタンドのはしの方』は、高校野球の応援に、強制的に借り出されたやる気のない生徒たちのおしゃべりが展開されます。次第に彼らのここに至る事情が明らかになっていきます。いったい何が起きているのか分からないまま、高校生たちのリアルな現実に引き込まれていきました。これは高校演劇の全国大会で最優秀に輝いた舞台劇の映画化作品。**『宇宙でいちばんあかるい屋根』**は、父親と血のつながらない母との間に子どもが生まれることになり、疎外感にとらわれた一四歳の少女が主人公。憩いの場である書道教室の屋上に突然派手な衣装の老婆が現れ、彼女の悩みを不思議な洞察力で解決に導いていきます。清原果耶（きよはらかや）の初々しい演技と老婆を演じた桃井かおりの自在な怪演が、見事なハーモニーを生み出しています。

『窮鼠はチーズの夢を見る』は、以前から秘（ひそ）かに恋していた先輩男性の不倫調査を担当することになり、調査結果をもとに強引に関係を迫ります。男にも女にも受け身で流されていく男を一途に追い求める若者を描いた見事な（？）恋愛映画でした。

『ミッドナイトスワン』では、母親の育児放棄で行き場のない少女を嫌々引き取ったトランスジェンダーの主人公が、やがてバレリーナを目指す少女を本気で応援するようになります。底辺で生きる主人公の切羽詰まった愛情を、リアルに演じ切った草彅剛（くさなぎつよし）の演技に脱帽です。

『星の子』では、両親が新興宗教にのめり込んだことで次第に困窮し、学校でも好奇の目にさらされる少女が、新任教師に恋心を抱くのですが、それも無残に打ち砕かれます。中学生に成長した芦田愛菜（あしだまな）の久々の主演映画。やはり抜群の存在感でした。

――お粗末な圧力

七月三〇日に内閣府の景気の山と谷を判定する有識者会議「景気動向指数研究会」は、景気の拡大が二〇一八年一〇月に終了し、後退局面に入ったと暫定的（ざんていてき）に認定しました。戦後最長記録を更新（こうしん）する二〇二〇年二月のかなり前から景気は後退していたことになります。データを基にした専門家の判定に対して、官邸からその時期を二〇二〇年二月まで繰り下げるように圧力がかかったそうです。幸いにもメンバー全員が辞任覚悟で反対して事なきを得ましたが、安倍政権の中枢部が極めて危険なご都合主義に毒されていた事実に唖然（あぜん）とします。菅政権がこうした体質を受け継がないこと、そして関係者が勇気をもって不当な圧力に屈しないことを願うものです。

（『講演録』同一月号）

——感染防止と人権

一月八日から二度目の緊急事態宣言が発出されました。その内容は限定的かつ集中的な対策となり、一度目の時のように街から人影が消えるようなことにはなっていないようです。特に午後八時以降の外出自粛と飲食店の営業自粛に対してそれ以前の時間帯の繁華街の人出が多いことに対して、専門家と称する人たちやマスコミの声高な批判の声が上がっています。こうした声に押されるように政府筋からは、「午後八時までは何をしてもいいと言っているわけではない」と言い訳めいた発言も飛び出しました。街では自治体の広報車が「不要不急の外出」を控えるように呼び掛けています。しかし、午後八時までは飲食店やショッピングセンターなどの通常営業が認められています。そこにお客が来なければ、店はやっていけません。

昨年来、「不要不急」という言葉が度々用いられていますが、その行動が不要で不急であるか否かを決めるのは、本人の主観でしかありません。外食やショッピングだけでなく、演劇、音楽、映画の鑑賞、スポーツ観戦、観光などは、「娯楽」として一括りにされがちですが、興味のない人たちに無用の長物でも、それを愛好する人たちには生きていくために欠かせないものです。

感染防止が最優先であるとして、思うように行動してくれない他者を声高に非難し恫喝（どうかつ）する人たちは、その全てが人権侵害であり、憲法が認める個人の自由を侵していることを自覚すべきでしょう。為政者が法律に基づいて国民に行動の制限を要請するのであれば、具体的に何を求めているのかを明確に示すべきです。

国会では特別措置法の改正が審議されており、罰則付きの行動制限が実現しようとしています。その内容はまさしく憲法違反です。感染防止の緊急避難として基本的人権の制限が許されるのはあくまでも人命の危機に直結するような重大な感染症に対処しなければいけない時です。新型コロナウィルス感染症を指定感染症第二類に分類し続ける是非を、早急に再検証しなければならない時期が来ています。

指定感染症の感染者を法律に基づいて隔離するのであれば、隔離先を用意し、発生した費用を全て負担するのは、行政の最低限の責任です。審議中の改正案では費用は自己負担とすると報道されていますが、まさに人権侵害の重みを知らない愚か者たちのなせる所業としか言いようがありません。指定感染者の収容先が不足しているために自宅での療養を指示している現状を無視して隔離患者の外出に罰金を科す法律を作ろうとする議員たちの鉄面皮ぶりにはあきれるばかりです。

（『講演録』二月号）

――驚くべき無理解

ＮＨＫ経営委員会（定数一二名）が二月末で任期が切れる森下俊三委員長を、続投させる方向で検討に入ったことが報道されました。政府自民党は、森下氏の再任を前提に人事を調整しており、衆参両院議員運営委員会理事会に森下氏再任と二月末に任期切れとなる四人の委員の人事案を提示しました。

森下氏といえば、委員長代行時代の二〇一八年に、かんぽ生命保険の不正販売問題を取り上げたNHKの報道番組『クローズアップ現代+(プラス)』について、「作り方に問題があった」として、当時の上田良一NHK会長への厳重注意を主導したとされています。放送法で禁じられている経営委員会による番組への介入を行った責任者をなぜ再任するのか。経営委員会や政府・自民党の報道の役割についての無理解にはあらためて愕然(がくぜん)とするばかりです。

NHKは、二〇一八年四月の番組放送後の七月に、続編制作に向けて情報提供を呼びかけるネット動画を二本公開しました。これに対して日本郵政グループは、上田会長に動画の削除を要求。番組責任者の「会長は制作に関与しない」との発言に対して日本郵政側は「編集権は会長にある」として、会長にガバナンスの説明を要求。NHKは続編制作を延期し、動画を削除、その後上田会長は日本郵政側に謝罪しました。

しかし、こうした一連の経緯の裏で、日本郵政からのガバナンス検証の要求を受けて経営委員会が上田会長を厳重注意していた事実が毎日新聞の報道で明らかになっています。

かんぽ生命の不正販売問題は長年にわたる底なしの不正が明るみに出て、募集人や郵便局長の大量処分や一年三カ月に及ぶ営業の自粛、そして経営陣の交代に発展しました。NHKの放送した番組はこうした日本郵政の不適切な営業とそれを放置した経営陣に警鐘(けいしょう)を鳴らす役割を果たすものでした。続編が放送されていれば、日本郵政が積年のウミを摘出し、顧客への被害を食い止める時期は早まったはずです。放送を中止に追い込むことで不正の告発を妨害した経営委員会は、まさしく不正に加担したに等しい行為を犯したのです。

報道の役割は、事実を掘り起こして社会の不正を正し、健全な社会を発展させることにあります。結果的に告発されるべき側に味方して不正の隠蔽に手を貸し、自らの組織を傷つけた経営委員メンバーの責任は極めて重いと言わざるを得ません。にわかには報道の役割を根底から否定するものです。関係者は自らの無知と無理解を恥じて自ら職を辞すべきです。

(『講演録』三月号)

――嘆かわしい過剰対応

大学入試の会場でマスクを鼻の下に下げていて注意された四〇代の受験生が、指示に従わなかったために退去を命じられ、トイレに立てこもったところを駆けつけた警官に逮捕されるという事件が起こりました。係員の過剰なマスク信仰と教条主義にはあきれるしかありません。恐怖と不寛容が日本社会を蝕(むしば)んでいます。健全な社会を築くことが為政者やマスコミの使命であるはずですが、現実はぎすぎすした人間味のない社会に変容しつつあります。

(『講演録』三月号)

――出生率の低下を嘆く前に

コロナ禍で、感染防止を最優先するために多くの正常な日常が失われ、社会の健全な維持が困難になりつつあります。治療法の確立やワクチンの普及を前提として、行き過ぎた自粛生活から正常な日常の復元を図り、日本の将来の発展につながる長期的な課題に取り組むことを真剣に考える時期が来ています。

例えば少子高齢化に歯止めをかけるために出生数の増加を図ることもその一つです。日本人の出生数は、二〇一八年の九一・八万人から二〇一九年には八六・五万人に減少しました。日本総研の推計では二〇二〇年は八四・七万人（前年比一・九％減）の見通しですが、問題は二〇二一年の動向です。二〇二〇年五月以降妊娠届け出数が大幅に減少しているため、二〇二一年は七八・四万人と七・九％の大幅減となる見通しです。六・三万人の減少がコロナの死者数と比べていかに大きいか。出生数の増加が優先のため課題の一つであるなら、コロナ禍でも出産を望む人たちの不安と不便を取り除くために、行政や医療機関がどれだけの手立てを講じたのか、甚だ疑問です。

子どもを産むか否かはあくまでも個人の自由です。しかし本来は、動物には種の保存の本能が埋め込まれており、そのために生殖活動に励むことになります。出産と子育てこそが優先される生物の営みなのです。しかし人間は、文明の複雑化によって、生きる目的や生き方が多様化し、出産や子育て以外を優先させる生き方が広がってきています。生き方の選択は個人の自由ですが、人間も動物であるという本来の姿を念頭に置く必要があるでしょう。

持続可能な社会を維持するために出生数の増加が望ましいとするならば、国や行政に求められるのは、出産や育児に関わる制度や環境を整え、出産を躊躇（ちゅうちょ）させている障害を取り除くことです。依然として結婚が出産の前提であり、婚外子への差別が残っていることや夫婦別姓がなかなか進まないことなど、先進国では珍しい保守的体質が出生数を低く留めていることを認識しなくてはなりません。

出生のもう一つの障害は経済的理由による人工中絶が広く認められていることです。女性の権利を守るという建前からこの問題は無視され続けてきました。しかし、これもまた先進国の中でも珍しい制度です。胎内（たいない）ですでに誕生している生命の生きる権利を親の経済的理由で簡単に奪っていいのか。国がもっと前面に出た養子縁組制度を整えるべきでしょう。

（『講演録』四月号）

れなければならないでしょう。

（『講演録』四月号）

――日本の医療の欠陥

国民皆保険制度は確かに日本の優れた制度です。しかし、今回のコロナ禍では、医療提供体制のお粗末な現状が明らかになりました。勤務医の過酷な日常の一方で、「発熱した患者は来ないでください」と平然と張り紙をする開業医。日本の医療制度の欠陥と、放置されてきた既得権益の問題に、もっとメスを入れなければならないでしょう。

――命の選別

厚生労働省は、妊婦の血液から胎児の染色体異常を推定する新型出生診断（ＮＩＰＴ）について、国が実施施設の在り方の基本方針を策定し、施設の認証にも関与することを柱とした厚生労働省案を月中にも決定する見通しです。ＮＩＰＴについては、日本産科婦人科学会（日産婦）が二〇一三年に専門家によるカウンセリングなどの要件を定めた指針を作成し、日本医科歯科大が要件を満たした施設を認定していま す。しかし、現実には、二〇一五年ころから営利目的の無認定施設が急増し、カウンセリングや検査結果についての正しい説明がないまま、妊婦が人工中絶などの選択を迫られる事例が後を絶たないとされています。その背景には一定の設備投資さえ行えば簡単に出生前診断に参入できるとあって、美容系などをはじめとした施設がこの市場に次々に参入、健康な子どもを授かることができるかどうかという妊婦の不安に付け込むような商売が展開され始めているのです。

そもそも出生前診断は妊婦に胎児の命の選択を迫る結果をもたらしかねない危険をはらむものです。受胎して胎内に宿った小さな命は誰が死においやることが許されるのか。それが許されるのはいかなる条件を満たした場合で、その最終的な決定権は誰にあるのか。出生前診断の普及を進めようとした妊産婦に対して、小児科学会などが異を唱えたことで、十分なカウンセリングの可能であることが施設の認定基準に盛り込まれた経緯があります。

しかし、結果は無認可施設の横行を許すことになりました。自主規制に委ねれば事足りると考えた厚生労働省の罪は大きいと言わざるを得ません。すでに多くの命が失われているのです。

生命倫理の軽視や障碍（しょうがい）に対する差別につながりかねない営利目的で行う無認定施設を野放しにしないよう、実効性のある制度の確立と運用がのぞまれます。

（『自由思想』四月号）

映画雑感⑥

昨年一〇月以降公開の邦画から。まず『**空に住む**』。突然両親を失い、叔父の提供してくれたタワーマンションに住むことになったヒロインは、ひょんなことから隣室に住む人気タレントと知り合います。といってもこれはラブストーリーではありません。喪失感を抱えながら出版社勤務を淡々とこなすヒロインと、人気者でも何か満たされない若者とが織りなす日常が、どこか愛おしい作品でした。

『**朝が来る**』は、子宝に恵まれず、養子縁組によって授かった幼児を大切に育てる夫婦のもとに突然実の母を名乗る若い女性が現れます。家族の愛情に恵まれず、家を出て悲惨な境遇に追い込まれていく少女が並行して描かれ、やがて二人の母が心を通わせる瞬間がやってきます。抑制された演出が光る一作。

『**罪の声**』は、グリコ・森永事件を下敷きにした意欲作。過去の事件の謎に挑む新聞記者と、何も知らぬ間に声を脅迫に使われた過去を掘り起こすテーラーの主人が出会い、やがて事件に巻き込まれたもう一つの家族の悲劇が明らかになります。社会の不条理と時代の空気がしみる作品。ちなみに、記者会見の会場に当倶楽部のホールが使われています。

黒沢清監督が第七七回ヴェネチア国際映画祭で銀獅子賞（最優秀監督賞）を受賞した『**スパイの妻**』は、満州事変前夜の中国で行われた陸軍の暴走を暴こうとする貿易商とその妻を、高橋一生と蒼井優が好演。国家権力に唯々諾々（いいだくだく）と従いがちな日本人の現状への警鐘でもあります。

『**ばるぼら**』は、故手塚治虫の大人向け漫画『ばるぼら』を息子である手塚眞監督が映画化。耽美小説家が新宿の街頭で酔いつぶれていた少女を自宅に連れ帰ります。実写化困難と言われた愛と狂気に彩られた幻想の世界が、主役の稲垣吾郎と二階堂ふみ、そして名手クリストファー・ドイルの撮影で見事に映像化されました。

『**ミセス・ノイズィ**』では、隣人同士の些細（ささい）な対立がSNSによって大事件へ発展します。当人同士のきちんとした対話がないままに、トラブルが社会に拡散していく悲喜劇がユーモラスに描かれ、結末にも好感がもてました。

『**おもいで写眞**』は、熊澤尚人監督によるオリジナルドラマ。夢破れて故郷の富山に帰ったヒロインは元カレの誘いで遺影撮影の臨時職員に雇われます。最初は誰も応じてくれなかった老人たちですが、やがて「思い出の写真を」という呼びかけに興味を示すようになります。老人たちと触れ合うことで人生の意味を見出していく主人公を通して、高齢化社会のさまざまな問題を考えさせられる佳作でした。

自粛の強要

「家から出ないでください」「旅行はキャンセルしてください」といったことを、小池都知事や医師会の幹部が相変わらず連日叫んでいます。しかし、どういうときに感染しやすいかという本質的なことを棚に上げた自粛要請は社会に対しても、市民一人ひとりに対しても深刻な副作用をもたらしかねません。そもそも自粛という行為は自ら考えて決めるもので、他人から指図されるものではないのです。国民が一丸となって立ち向かう時だとか、同調しない者を非難し排除する社会の空気は、まさしく戦時中そのままです。特に感染防止を最優先に市民をあおり、政府をけしかけるマスメディアは、まさに戦時を彷彿(ほうふつ)させます。

(『講演録』五月号)

恐るべき文化や知への無理解

新型コロナ感染拡大に伴う緊急事態宣言が五月十二日以降も月末まで延長されましたが、一二日から条件付きで再開が予定されていた国立の博物館や美術館などの文化施設が東京都からの強い要請で再開見送りに追い込まれました。当初、政府は、客が静かに鑑賞する施設は感染リスクが低いとして、人数制限などの条件付きで再開容認の方針でした。萩生田光一文部科学相は一一日朝の記者会見で、「芸術は心を癒し勇気づける」として、再開に強い意欲を示していましたが、「人の流れを止める」ことを最優先する東京都に押し切られました。

都は一〇〇〇平米以上の大型施設の休業を要請しており、やはり再開を熱望していた映画館も休業継続を余儀なくされています。しかし、その一方で、東京ドームなどでのスポーツは人数制限付きで容認しています。感染リスクが問題なのであれば、静かに鑑賞する美術館や映画館はしっかり換気さえできていれば問題がないはずです。人の流れを全て止めたいというのなら大勢の人が集まる施設やイベントは全て休業させなくてはなりません。いずれにしても東京都の対応には一貫性や合理性に欠け、何よりも文化や芸術への理解が全く感じられません。

最初の緊急事態宣言の時から疑問だったのは、図書館や教育機関がいち早く閉鎖されたことです。この時は政府との協議で書店への休業要請は撤回されましたが、今回は書店も休業が続いています。外出を自粛する生活で最も良質の時間の過ごし方が読書であることを否定する人はいないでしょう。静謐な知の拠点ともいうべき図書館の存在価値を一顧だにしない役人どもの浅はかさにはあきれ返るばかりです。

昨年の感染の拡大に際して専門家と称する人たちは「三密」が揃ったときに感染のリスクが高まるとの見解を示し、小池都知事も「三密」の回避を繰り返し呼びかけてきました。しかし、最近になって「三密」が揃わなくても感染するといった新説がささやかれるようになりました。そして今年に入って新たに登場したのが「人流」という奇妙な造語です。物流や血流は辞書にも載っていますが「人流」は載っていません。単に人の流れのことを言いたいのならそう言えば済むことです。やたらと意味のない新語や怪しげな横文字語を振り回すのは、知性のなさを天下に曝すものでしかありません。

行動の自由や移動の自由、そして集会の自由などは、いずれも日本国憲法が保証する基本的人権の一部です。緊急事態にあって一時的にそれを制限することは認められるとしても。それはそれが常態化すれば民主国家の土台を崩しかねません。自粛要請には、科学的根拠の説明責任が欠かせません。国民生活に必要なのは、「新しい日常」ではなく、「普通の日常」なのです。

（『講演録』五月号）

息苦しい社会

やっと一般国民へのワクチン接種が本格化してきました。行政の対応の遅れや不手際を非難する声は相変わらず高いようですが、ワクチンによって日本社会を覆っている不安の霧が晴れてくれればそれに越したことはありません。コロナ恐怖がまん延している中で昨年の日本人の死者の数は久しぶりに減少しました。そしてコロナ関連の死者の二倍以上の自殺者が出ています。恐怖をあおることでいかに息苦しい社会を作り上げてしまったのかに思いをはせるべきでしょう。

（『講演録』六月号）

一等国の責任とは

低調だった今国会の論戦の中で、唯一与野党間の争点になっていた入管法改正案「出入国管理及び難民認定法等の一部を改正する法律案」は、政府・与党側が会期中の成立を断念し、廃案の見通しとなりました。この改正案については、かねてから人権上の多くの問題が指摘されてきましたが、法案提出の直後に名古屋出入国在留管理局で収容中のスリランカ女性が病死したことで、反対の世論が高まったことが廃案の背景になりました。二〇一七年に英語教師の資格を取得するために来日した女性が、学費を支払えなくなったことで在留資格を失なって入管に収容され、長期収容の果てに死に至った経緯は、日本の入管政策と収容体制の在り方を再検討するために、全貌を明らかにすることが望まれます。

出入国在留管理庁の発表によると二〇二〇年、日本で難民認定を受けた外国人は前年比三人増の四七人に留まりました。認定率はわずか一・二％でした。認定率が前年の〇・四％から上昇しているのは、申請数がコロナ禍の影響で前年の一万三七五人から三九三六人へ大きく減少したためです。法務省は日本の認定数が低水準なのは、そもそも申請が少ないためだと強弁していますが、認定率が極端に低いことからしてもそれが詭弁(きべん)に過ぎないことは明らかです。

二〇一九年の認定数と認定率を主要先進国と比べてみると、ドイツ五万三九七三人、二九・六%、米国四万四六一四人、二九・六%、フランス三万五一一人、イギリス一万六六五一六人、四六・二%、カナダ二万七一六八人、五五・七%で、日本がいかに難民の受け入れに消極的であるかは歴然としています。

日本は一九七〇年代後半のインドシナ難民の漂着を契機に、八一年に難民条約に加盟しました。難民条約の目的はさまざまな要因から迫害され、命の危険にさらされている難民の命を救い、人権を守ることです。しかし、日本の政治家や行政は、その目的を実現するために国内法を整備するのではなく、難民の流入を抑制し厳格に管理することに専念してきたのです。それはこの問題に対する国民の意識の低さもあったと言えるかもしれません。

難民問題はしばしば独裁体制への抵抗や内戦の深刻化によって発生します。最も新しい事例はミャンマーでしょう。クーデターによって誕生した軍事政権に対する抗議運動は、軍事政権側の暴力的な制圧に対抗して武装化し、次第に内戦の様相を呈しつつあります。クーデター以来日本国内においても、ミャンマーからの技能実習生を含む在日ミャンマー人のグループの抗議活動が行われるようになりました。こうしたデモや抗議集会に対して、ネット上での心無い誹謗(ひぼう)中傷や雇用主からの圧力がかけられています。われわれは虐げられた者に手を差し伸べる度量こそが一等国の証しであることに思い至るべきではないでしょうか。

(『講演録』七月号)

熱中症リスクが増大

例年よりも早い梅雨入りが発表になりました。湿度が高くなれば、熱中症の危険は増すことになります。そしてマスクの着用によって体温が上昇すれば、リスクはさらに高くなります。他人との濃厚接触の可能性がない場所でのマスクの着用を控えて、熱中症で命を危険にさらすことのないようにお過ごしください。

（『講演録』七月号）

政治の無責任

コロナ騒ぎが始まってから一年半が経過しました。昨年九月に政権を引き継いだ菅首相は、政権の最優先課題としてコロナ対策を上げましたが、この一年間の成果には見るべきものがありません。頼みの綱であったワクチン接種も供給体制の不手際が続き、国民の六割近くがうまくいっていないと感じています。河野特命担当大臣は釈明のお詫び行脚に明け暮れていますが、肝心の厚生労働省はロジスティクスのいろはも知らず、現場を混乱させるような通達で足を引っ張る醜態をさらすばかりです。必要なのは、感染した患者が安心して重症化を防ぐ手当てを受けられるかどうかです。感染の拡大に何度も見舞われる中で、重症者の数は大きく増えることはなく、死者も目立って増えているわけではありません。医療崩壊の危険が繰り返し叫ばれ、大阪府のようにコロナ病床が不足する事態に追い込まれた例はありますが、近隣の県では病床は十分に余裕がありました。こうした状況を放置した政府の怠慢と無責任こそが問われるべきです。

政権当初は感染の拡大を防ぎながら経済を回していくことを宣言していた菅政権ですが、冬場の感染急拡大で看板政策のＧｏ Ｔｏキャンペーンが中止に追い込まれて以降は、ひたすらに国民に自粛を強いる緊急事態宣言に頼るようになりました。そのしわ寄せは小売りや外食などにのしかかり、個人消費の低迷によって日本のＧＤＰ成長率は先進国の中でも最も回復が遅れています。

一年半が経過して分かったことは、新型コロナウィルスがインフルエンザと同等程度の危険性しかないという厳然たる事実です。未知の感染症であった時には、第二類指定による隔離政策もやむを得なかったかもしれませんが、重症化を防ぐ手立てが次第に確立、致死率が低いことが明らかになった時点で第五類への指定変更を行うべきでした。できもしない隔離政策を続け、一部の病院だけに負担を押し付け、医療現場の疲弊(ひへい)と重症化する患者の安全を損なってきた愚は大いに責められてしかるべきでしょう。

度重なる緊急事態宣言によって、この自粛一本やりの政策が事態の解決になんの意味も持たないことが明らかになりつつあります。にもかかわらず、政府は強引に自粛の徹底を進めるべく自粛に応じない飲食店に対する酒類の提供を止めるように金融機関や卸売り事業者に圧力をかけようとしました。そのことをうっかりしゃべってしまった西村担当大臣に非難が集中していますが、実は官邸からの働きかけがあったことも報道されています。公明正大さのかけらも感じられない政権が信頼されないのは当然でしょう。

故渋沢栄一氏は満州事変が勃発した一九三一年にその生涯を閉じました。日本が世界の孤児になることを憂いた氏は最後まで日米戦争の回避のために尽力されましたが、満州事変以降の日本は戦争への道を突き進んでいきます。くしくも同じ年に誕生した経済倶楽部は正常な精神を失いつつあった日本に自由な言論の砦(とりで)を残すために設立されました。個人の自立こそが資本主義の発展の要であると考えた渋沢氏の精神を受け継いで今後も活動を続けたいと思います。

（『講演録』八月号）

映画雑感⑦

緊急事態宣言に伴う休館に見舞われた二〇二一年前半の映画から。『**すばらしき世界**』は、西川美和監督が佐木隆三の小説『身分帳』を原案に映画化。人生の大半を裏社会と刑務所で過ごしてきた男の再出発の日々が描かれます。不器用だがまっすぐな元殺人犯を役所広司が見事に造形。彼を取り巻く社会の現実にもリアリティーがあります。

『**けったいな町医者**』は、尼崎市の在宅医長尾和宏の診察の現場を記録したドキュメンタリー。かつて病院勤務医時代に、「家に帰りたい」と言う患者の自殺をきっかけに町医者に転じた主人公の壮絶な生きざまを通して現代医療の不毛が浮き彫りになります。続いて公開された長尾の著書を原作とした劇映画『**痛くない死に方**』もよくできた作品でした。

『**モンテッソーリ 子どもの家**』は、イタリアにある幼児教育施設のドキュメンタリー映画。米国のオバマ元大統領も学んだ子どもたちの創造性を引き出すメソッドは、最近の日本の早期教育とは全く違った真の教育の在り方を考えさせてくれます。

『**きまじめ楽隊のぼんやり戦争**』は、『山守クリップ工場の辺り』がロッテルダム国際映画祭とバンクーバー国際映画祭でグランプリを受賞するなど国際的に高く評価された池田暁監督の第四作。一切の演技を排したシニカルな演出が架空の町で展開される寓話(ぐうわ)的世界にいざない、物語に引き込んでいきます。映画の文法を超えた意欲作でした。

首都圏での映画館休業期間を挟んで一〇〇億円を超える興行収入を上げた今年最大の話題作。『**シン・**

エヴァンゲリオン劇場版』は、庵野秀明監督のヒットアニメシリーズの集大成ともいうべき完結編。活劇は最終的に神話的世界に昇華、困難な中で映画を鑑賞する人々の心をつかみました。

SF小説の古典的名作の映画化作品『**夏への扉**』も半年に及ぶ公開延期を経てやっと日の目を見ました。極めて現代的なストーリー展開が原作の力を感じさせます。ロボットを演じた藤木直人が秀逸。

山田洋次監督の『**キネマの神様**』は、主役の一方だった志村けんが撮影中にコロナ禍で急逝、急遽沢田研二を迎えてやっと完成した人情喜劇。青年時代を演ずる菅田将暉と永野芽郁、老年の夫婦役の沢田と宮本信子が全体として見事なハーモニーをうまく作り上げています。

『**映画 太陽の子**』は第二次世界大戦下の日本で原子核爆弾の開発に取り組んだ若き研究者たちの葛藤と彼らを取り巻く家族の姿を描きます。過剰な感情を排して、重いテーマを淡々と描き切った演出が光ります。特攻隊を志願して死ぬ主人公の弟を三浦春馬が好演。今年初めに公開された『**天外者**』の五代友厚役と合わせ、失われた才能に哀惜の念を禁じ得ません。

――失われる信頼

緊急事態宣言の拡大と延長が決まりました。多くの国民が行政と専門家と称する人たちの呼びかけに耳を貸さなくなっています。法的規制の強化を叫ぶ愚かな政治家もいますが、説得力も現実味もない対策を繰り返す政治と行政がもはや国民の信頼を失いつつあることを肝に銘じるべきでしょう。

（『講演録』九月号）

――行政の怠慢

警察庁がまとめた二〇二一年八月の医療機関以外で死亡した遺体のうちコロナ感染者は前月の三一人から二五〇人に急増しました。八月は新規感染者がピークに達した時期で、明らかに医療体制の欠陥がこの結果をもたらしたと言えるでしょう。テレビや新聞などのメディアでは自宅療養中に容体が急変し、救急車を呼んだけれども受け入れ先の病院がなかなか見つからないまま手遅れになった例や、九死に一生を得た例を大々的に取り上げています。しかし、その結論がもっと自粛を続け、国民が我慢を続けることだとする行政や専門家と称する人たちの言い分を垂れ流すのではと、あまりにもお粗末です。

救急搬送の受け入れ先がなかなか見つからず、患者が手遅れになってしまうのは、コロナ禍に始まったことではありません。救急隊員が何十回も電話をかけ続けて、何時間も貴重な時間を空費してしまうケースは後を絶たないのです。病床数も医師や看護師の数も世界最高水準の日本でなぜこのようなことが起きるのでしょうか。それは非常時や緊急時に、国民の安全を守る体制を整備する責任を負うべき地方自治体や厚生労働省が、知恵も工夫も発揮する能力や意欲に欠けているからです。

ＩＴ技術が進化した現在では、必要なリソースがどこに存在するかを集中管理することは決して難しいことではありません。救急隊員が思いつくままに電話をかけるのではなく、対応可能な医療機関に瞬時にアクセスできるデータベースがあればいいのです。

こういう話になると、なぜそれができないのかという言い訳がいくらでも出てくるでしょう。しかし、指定感染症第二類の感染者を自宅療養させ、容体が急変しても受け入れ先を速やかに用意できない現実を放置しているのは、まさに行政の怠慢以外の何物でもありません。

政府や自治体は、相変わらず医療体制の逼迫を理由に一般市民の行動制限を正当化しています。確かにコロナ診療に対応する病院や医療従事者は疲弊しているでしょう。しかし、対応を拒む医療機関やコロナ感染者のみならず発熱患者の来院をも拒む開業医は、果たして医者と呼べるのでしょうか。コロナ禍が始まって二年余り経った今になって、東京都知事と厚生労働大臣は要請に応じない医療機関名を法律に基づいて名前を公表すると大見栄を切りました。厚顔無恥の茶番としか言いようがありません。

医師の養成には、多額の国費が投入されてその結果医師免許が付与されます。しかし、社会が必要とする医療分野や地域にいかに医療従事者を配置するのかという最も重要な政策を行政は放棄しており、どんな医師になるかは医師本人の自由意思に委ねられています。そして技術と重要度に応じて配分されるべき診療報酬は日本医師会の意向を反映したいびつな体系になっているのです。圧力団体の意向に与せず、必要な改革を進める政権はいつになれば生まれるのでしょうか。

厚生労働省は、この冬のコロナ感染第六波で受け入れが必要な患者数を三万四〇〇〇人と推計し、不足する受け入れ病床数五〇〇〇の上積みを要請しました。第五波で受け入れができずに自宅で容体が急変する患者が多数出たことへの反省に基づくものでしょう。しかし、より広範な発症者を治療できるようにするには、開業医を含めた全ての医療機関が受け入れる指定感染症第五類への転換を急ぐべきでしょう。

（『講演録』一〇月号）

――不快な言葉

新型コロナウィルスの新規感染者は、政府の緊急事態宣言が解除された一〇月に入ってからも減り続けています。政府や東京都は、相変わらず感染の防止に努める行動を市民に呼びかけていますが、その科学的な根拠は極めて薄弱です。

昨年初めからのコロナ禍のもとで、行政当局は国民生活に大きな影響を及ぼすコロナ対策を打ち出し、国民にさまざまな行動制限を課してきました。民主国家における最も重要な基本的人権の一つである行動の自由を制限するのであれば、その根拠を明らかにする説明責任が行政当局にはあります。しかし、それをチェックしなければならない日本のメディアは、ひたすら行政当局の要請を無批判に繰り返すだけでなく、恐怖を最大限にあおり続け、疑問を呈する少数意見を封殺してきました。それを象徴するのが、マスメディアをにぎわしてきた「コロナ用語」です。最初の緊急事態宣言に際して政府当局が感染対策として国民に呼びかけたのが「新しい生活様式」です。それは衛生当局が考えた感染予防のために心掛けたいことを列挙したにすぎません。その内容が正しかったとしても、それは緊急事態下での注意事項でしかなく、これまでの生活様式に代わる「新しい生活様式」などであるはずがないのです。行政当局者が、国民の生活様式を支配することができると考えることこそが間違った思い上がりであり、それを無批判に拡散したメディアの罪は極めて重いと言わざるをえません。行政が目指すべき課題は国民の当たり前の日常を一刻も早く取り戻せるような環境を整えることです。

「ソーシャル・ディスタンス」、「パンデミック」「ロック・ダウン」といったカタカナ語が世情をにぎわしましたが、いずれも簡単で誰にでも理解できる日本語に読み替えることができます。それを片仮名でことさら分かりにくく表現する意図はどこにあるのでしょうか。「職安」を「ハローワーク」と言い換えることが失業者の便益を何ら向上させず、意識を変えることにもつながらないのと同様に、行政当局がカタカナ語を連発するのは、国民の理解を得ようとする気持ちを欠いている証しでしかありません。そしてここでもほとんどのメディアは愚かなお役人の言葉遣いに苦言を呈するどころか、それを拡散し、定着させる働きをしました。

そして最も不愉快極まりない言葉が「人流」です。そもそも人の流れがどこまで感染につながるのかも怪しいのですが、「人流」という言葉には、一人ひとりが他とは異なる「個」として存在している「ヒト」を、「モノ」としかとらえられない為政者や専門家と称する人たちの傲慢（ごうまん）と無知が如実に表れています。

（『講演録』一一月号）

――第五類移行を急げ

厚生労働省はこの冬のコロナ感染第六波で受け入れが必要な入院患者数を三万四〇〇〇人と推計し、不足する受け入れ病床数五〇〇〇の上積みを自治体に要請しました。第五波で受け入れができずに自宅で容体が急変し患者が多数出たことへの反省に基づくものでしょう。しかし、より広範な発症者を治療できるようにするには、開業医を含めた全ての医療機関が受け皿になる指定感染症第五類への転換を急ぐべきでしょう。

（『講演録』一一月号）

――民主政治の危機の本質

日本の議会制民主主義はさまざまな意味で危機に瀕しています。その最も大きな問題は選挙制度にあります。先の総選挙で与党が圧勝し、自民党は単独過半数の議席を獲得しました。しかし、実際は自民党が有権者の圧倒的な支持を得ているわけではありません。なぜなら投票率は有権者の半分を僅(わず)かに上回っているに過ぎません。小選挙区における選挙結果を見ても、当選議員が圧倒的多数で選ばれているわけではありません。各選挙区の有権者の三割程度の支持しか得ていないのです。先進国の中には得票率が有権者の一定率を超えなければ、再選挙となる制度を採用している国もあります。時間と費用がかかりすぎることは否めませんが、選挙が自らの国政への参加する最も重要な手段である以上、真の民意を問うことよりも効率を優先することが正しい選択であるとは言えないでしょう。議会で多数の支持を得て指名された総理大臣が内閣を組織して行政を担うことになりますが、行政行為はあくまでも法律に基づいて行われるものであり、議会が「法の支配」のもとで行政府を監視する役割を担っています。行政府は議会に対して全ての情報を公開したうえで十分な説明を行うことが求められています。そして議会に主権の一部を付託した国民も政府に情報の公開と説明を求める権利を持っています。透明性と説明責任こそが民主主義の基盤であることは論を待ちません。

国民に代わって、情報の公開と説明を求めるメディアの存在もまた民主主義に欠かせないものです。議会の多数派が国民の圧倒的な支持を得ているのではなく、現行の選挙制度のもとで限られた民意を代表しているに過ぎないことを考えると、議会やメディアを通じて国民の理解を求める真摯(しんし)な姿勢こそが政権の正当性を担保することになります。しかし、長期に及んだ安倍・菅政権は国会において、はぐらかしやすり替え、そして虚偽の答弁を繰り返してきました。記者会見においても自由な質問を封じて意に沿わない記者からの質問を排除する姿勢が日常化しています。そうした政権の在りようを許してきた責任は大手メディアにもあります。近年の記者会見は、政府の意向に沿った質問だけが続き、全くの御用機関に成り下がっているからです。既得権益にしがみつくだけの記者クラブは直ちに解散して出直すべきでしょう。

日本の記者クラブは、取材に応じようとしない明治政府に対抗するために有志の記者たちが国会開設を機に結成したのが始まりです。個人参加の自由でオープンな組織として運営されてきた記者クラブは、やがて太平洋戦争下の国家統制の中で大本営発表を忠実に伝える御用機関に堕していきます。そして戦後の民主化の中で再出発した記者クラブは新聞協会加盟各社の法人加盟による閉鎖的組織として、政府や行政機関から各種の便益を供与されてきました。かつて政府の言いなりになるだけでなく積極的に大陸進出の旗をふって国民を駆り立てた責任を痛感するなら少なくとも国家統制以前の姿に戻すべきでした。既得権益に胡坐（あぐら）をかいてきたマスメディアは、インターネット時代の到来によって沈みつつあります。自立した個人が責任ある発言をする言論空間の構築が民主主義の危機を救うカギになるでしょう。

（『講演録』一二月号）

――相も変わらぬバラマキ

あわただしく岸田政権がスタートしました。苦戦を予想された総選挙を自民党単独過半数確保で乗り切り、幹事長への茂木氏起用と外務大臣への林芳正氏起用で安倍離れを演出、案外この人は化けるのかもと思わせましたが、一方では現金給付で相も変わらぬバラマキが続きます。評価を下すのはまだ早いというところでしょう。

（『講演録』一二月号）

二〇二二年

映画雑感⑧

二〇二一年九月以降に封切られた邦画作品から。『**サマーフィルムにのって**』。時代劇が大好きな映画部の女子高生が、未来から来た少年を主役にチャンバラ映画を製作します。松本壮史監督の長編映画初作品。はちゃめちゃでも一途な青春の輝かしい一瞬が、見事に切り取られています。

『**先生、私の隣に座っていただけませんか?**』では、人気女性漫画家が描く新作漫画の世界と、アシスタントである夫と担当編集者の不倫とが複雑に絡み合います。虚実の入り混じった心理描写を黒木華と柄本祐が好演。

『**子供はわかってあげない**』は、行方知れずだった実父に会いに行く少女のひと夏の冒険を通して思春期の少女の自立を描きます。主人公と彼女に協力する少年の淡い恋がとても好ましくとらえられていました。

『**浜の朝日の嘘つきどもと**』は、福島県南相馬市に実在する映画館が舞台。閉館の決まった映画館を存続させるべく勝手に奔走する女性を、高畑充希(たかはたみつき)が生き生きと演じています。

『総理の夫』は、妻が突然総理に就任してしまった動物学者の夫が主人公。あたふたしながらも愛する妻を助けて奮闘する夫を描くコメディですが、百鬼夜行の政界で颯爽と信念を貫く女性総理を役の中谷美紀が本当に総理になってもらいたいと思わせるはまり役でした。

『護られなかった者たちへ』では、東日本大震災から九年後、宮城県内の都市部で、全身を縛られたまま放置され餓死させられるという凄惨な連続殺人事件の背後に、隠された悲しい出来事が浮かびあがります。虐げられた人たちへの偏見や無理解がはびこる社会に胸がふさがれます。

『そして、バトンは渡された』は、本屋大賞を受賞した瀬尾まい子のベストセラー小説の映画化。二人の母と四人の父を持つ女性が結婚するまでを描きます。実母と死別した少女の前に現れた二度目の母は、なぜ次々と夫を取り換え、なぜ突然いなくなったのか。謎が明かされると同時に感動が押し寄せる瀬尾マジックが堪能できました。

『劇場版　きのう何食べた?』テレビ東京の深夜枠で放送された人気ドラマの映画化。西島秀俊と内野聖陽が京都旅行に出かける同性カップルを楽しげに演じます。

『かそけきサンカヨウ』の主人公は、幼い頃に母が家を出て、父と二人暮らしの女子高生。父が再婚し、義母とその四歳の連れ子との四人暮らしが始まります。思春期の心の揺れと、周囲の温かい眼差しが繊細に描かれた好作品。

――自殺者急増に対策を

全国の自殺者数は七月以降五カ月連続で増加しています。一月から一一月までの累計では一万九一〇一人で前年同期比四二六人の増加です。自殺者は昨年まで一〇年連続で減少を続けていました。まさにコロナ対策としての新生活様式が自殺者急増をもたらしていることは疑いようがありません。命の大切さを声高に叫ぶのであれば、自殺者対策こそが全てに優先されるべきでしょう。

（『講演録』一月号）

――コロナ禍とメディアの責任

新型コロナウィルスの「蔓延防止重点措置」が一月二一日から一三都県に適用されることになりました。すでに適用されている三県と合わせて一六都県に適用が拡大されることになります。史上最多の文字が躍っています。テレビや新聞などのマスメディアでは連日感染の急拡大を大きく取り上げています。しかし、感染数を喧伝することにどれだけの意味があるのか、メディアは報道の責任をいつになったら自覚するのでしょうか。

昨年から世界で感染が急拡大している変異株オミクロン株については最初に確認された南アフリカでも感染力は強いが重症化しにくいことが報告されていました。日本よりも先行して爆発的に感染が拡大した欧米諸国においてもその事実は確認されています。重症化率や致死率は、インフルエンザ以下であることは専門家の間では共通理解になりつつあります。感染数の推移を追いかけることはもうやめるべきだという声は少なくないのです。

小池百合子都知事は、「蔓延防止重点措置」の適用を政府に要請するにあたって、都民に外出や県外への移動の自粛を呼びかけました。しかし、政府の新型コロナウィルス対策を議論する有識者会議「基本的対処方針分科会」の尾身茂会長は、適用方針を了承した分科会後、「渋谷の交差点がいくら混んでも感染しない」とこれまで強調してきた「人流の抑制」の必要性を否定しました。昨年九月の緊急事態宣言下で人出増加にもかかわらず感染が減り続けたことからも人流と感染の因果関係は否定されており、この間メディアが盛んに報道してきた「人流」がいかに科学的根拠のない妄言であったかが明白になったといえるでしょう。

メディアでは相変わらずオミクロン株に感染した若者が死んだといった特殊なケースをことさらに取り上げて恐怖をあおる報道が散見されます。しかし、今大事なのは、オミクロン株のリスクがどの程度のものであり、感染をどの程度怖れなくてはならないかを見極めて報じることです。

重症化を予防するワクチンの接種が進み、感染しても重症化を防ぐ飲み薬もすでに認可されています。今メディアが報道すべきは、いたずらに感染を怖れるのではなく、治療が必要な患者が安心して迅速に治療が受けられる体制がなぜ実現できないかを解き明かすことです。速やかに感染症第二類から第五類への指定を実現できないのはなぜなのか。そして開業医がこの程度の感染症の治療に当たらないという現実を正面から報じないメディア。日本の医療体制の欠陥はなぜ生まれるのか。メディアが追及しなければならないのは、感染の悲壮な数字を追うことではなく、崩壊寸前の医療体制の矛盾に立ち向かうことでしょう。

(『講演録』二月号)

――凡庸さを露呈

発足当初こそ自前の人事やオミクロン株の水際対策で機敏な動きを見せた岸田政権ですが、通常国会での論戦では新味のまったくない答弁でいかにも凡庸(ぼんよう)さを露呈しています。何よりも看板の「新しい資本主れです。

義」のどこが新しいのか。出てきた論文の中身は総花的な役人の作文としか思えず、まさしくタイトル倒

（『講演録』二月号）

自治とは何か

新型コロナウィルス感染の第六波が襲来し、感染の拡大が続く中で、緊急事態宣言の発出の目安とされてきたコロナ病床の床率が基準値を上回る事態になりました。東京都や大阪府は、重症患者用の病床にまだ余裕があることなどからすぐには発出の要請をしないとしましたが、愛知県の大村知事はすぐにも緊急事態宣言に移行すべきだと主張して対応が分かれました。結局、政府は蔓延防止措置の延長にとどめ、緊急事態宣言の発出は見送られました。

この間のテレビ報道を見ていて気になったのは、ニュース番組のコメンテーターの発言です。それは、自治体によって対応が割れたりするのは好ましくない、政府が明確な基準を自治体に示すべきだ、それを求めている自治体もある、といった内容でした。

そもそも緊急事態宣言の発出が、各都道府県知事からの要請に基づいて行われるように決められているのは、民間の経済活動や市民生活に甚大な影響を及ぼす決定が、地方の実情を無視して行われないようにするためです。全国一律の基準を国が示して地方自治体がそれに従うのであれば、地方自治は絵にかいた餅にすぎないことになります。自ら判断できない自治体の首長がいるなら、自らの能力と覚悟の欠如を恥じて即刻辞任すべきでしょう。

中央集権国家を目指した大日本帝国憲法に対して、戦後の民主化の中から生まれた日本国憲法は地方自

治を前面に押し出すものでした。特に九〇年代以降の地方分権の流れは、地方への権限の委譲が進められました。保健所の管轄が市区町村にゆだねられている結果、都道府県レベルでのデータの集約に手間どり、指示命令の迅速な遂行が困難であったことが指摘されています。また医療体制の過不足を都道府県の枠を超えた広域で調整することもできなかったことも問題視されています。しかし、こういったことを解決するために、国の権限を強化すべきだという結論に走るのは少し違うのではないでしょうか。

必要な情報を集約する仕組みや、近隣自治体との相互の協力体制の確立などは、現在の制度であってもやろうと思えばできることです。感染爆発という緊急事態に対する備えがなかったことは、国も自治体も同じです。平時から緊急時に何をしたらいいのかをシミュレーションしておけば混乱は防げたのでしょう。その中でどこまで国に権限をゆだねるのかは自ずから明らかになるはずです。

（『講演録』三月号）

――管理社会への危惧

事が起きた時に、全てを政府や行政に決めてもらおうとする態度こそが問題です。決まりごとは少なければ少ないほどいいのです。民間企業や市民が自発的に行動することでしか社会は活性化しません。コロナ危機の教訓が国家管理の強化につながるならば、日本の成長はこれまで以上に期待できないでしょう。

（『講演録』三月号）

――フランクリン自伝再読

トランプ前大統領の登場によってアメリカ合衆国の分断が深刻化したように言われます。しかし、アメリカ国民が一枚岩であったことは戦時を除けばほとんどないといっていいでしょう。そもそも「合衆国」という日本語は、国の成り立ちから言っても明らかに誤りで、United States は「合州国」と訳すべきで、その実態は連邦制国家だと考えるべきでしょう。それをあえて誤訳し、そのまま使い続けているのは、明治以来の中央集権体制に慣らされてきた日本人の思い込みがこの悲しい性が誤解を定着させているのではないでしょうか。

アメリカは一七七六年に八つの州の連合がイギリスからの独立を宣言し、八年に及ぶ独立戦争を経て生まれた国です。理不尽な課税など宗主国イギリスの専制支配から脱することを目指した独立戦争でしたが、そこに集った指導者たちは、国家間やものの考え方の異なる人たちであり、しばしば激しい対立が生まれました。そうしたときに対立する意見を調整し、独立という大義の実現へと導いたのがベンジャミン・フランクリンでした。彼は独立後の連邦政府で政治家として枢要な地位を占めることはありませんでしたが、その功績はまさしく「アメリカの父」と呼ばれるにふさわしいものでした。

岩波文庫に収められている『フランクリン自伝』は『福翁自伝』と共に、繰り返して紐解いた少年時代の愛読書でした。波乱万丈の人生を綴った血沸き肉躍る読み物としてだけでなく、社会に対する物の見方を教えてくれる生きた教科書でした。物事を合理的にとらえ、利害得失を考えて判断を下していくフランクリンの行動原理は、後代にプラグマティズムと名付けられた精神であり、前半生の事業家としての成功だけでなく、後半生の政治家、社会運動家、そして独立の闘士としての彼を支え続けたバックボーンでした。

独立後もアメリカは一般市民による自治を基盤とする社会であり続けています。連邦政府の権限を強める中央集権化の試みはほとんど成功しませんでした。革命がしばしば新しい独裁を生み出してきた近現代史において、アメリカがそうした専制支配からも免れているのは、イギリスの専制支配からの独立と自治を基盤とする建国の精神が受け継がれてきたからでしょう。兄の経営する印刷業の徒弟奉公から専制的な兄の支配を嫌って飛び出して以来、フランクリンは自らの才覚と合理精神を武器に道を切り開いていきました。その独立自尊の精神こそがアメリカそのものなのではないでしょうか。

（『講演録』四月号）

――核保有論議の不用意

ウクライナ戦争の勃発は、中国の海洋進出や北朝鮮の核ミサイル開発に悩まされている日本にとって決して対岸の火事ではありません。しかし、元首相による「日本も核保有を検討すべきだ」との発言には驚かされました。他国から簡単に侵略されないための自衛力の強化は当然必要ですし、特に海に囲まれた日本にとって今の海上警備体制はあまりに貧弱です。中国機やロシア機の接近に対する自衛隊機の緊急発進が増えている現実をもっと認識すべきでしょう。しかし、いきなり核の保有に言及することにどんな意味があるのでしょうか。日本は、核不拡散条約の下でアメリカの核の傘に入ることで抑止力を確保しています。不用意な核保有発言は、日本の安全を脅かすことにしかなりません。

（『講演録』四月号）

映画雑感⑨

二〇二二年一月から四月までに観た邦画から。三月に行われた米アカデミー賞授賞式で、日本の『ド

ライブ・マイ・カー』が国際長編映画賞を受賞しました。二〇〇八年の『おくりびと』以来一三年ぶりの受賞です。同作品はカンヌ国際映画賞やゴールデングローブ賞など数多くの賞を獲得、アカデミー賞では作品賞など四部門にノミネートされていました。海外での評価の高さにもかかわらず、日本では大手映画会社が製作に関与しなかったために、アカデミー賞の前評判が高まるまで一般の映画館では見ることができませんでした。小生は昨年七月の公開時に立川市のキノシネマで観ましたが、さすがに映画好きの選択眼は確かで狭い会場は満席でした。突然妻を病気で失った演出家が、演劇祭での指導を続けながら送迎の運転手や、演劇祭の関係者との交流を通して生きる意志を取り戻していく物語です。良質な映画がなかなか思うように映画館で鑑賞できない現実を、もう少し何とかできないのかと改めて感じました。

アカデミー賞騒ぎの余波なのでしょう。同じ濱口竜介監督の旧作『**偶然と想像**』が上映されていたのでありがたく鑑賞しました。三つのエピソードで構成されたオムニバス作品で、それぞれに少し辛口で洒落た味わいの大人の映画でした。発掘し、上映してくれたキネマシティの担当者に感謝です。

城定秀夫監督、今泉力哉脚本の『**愛なのに**』は、さえない古書店主に一方的に恋心を抱く女子高生のやり取りに、結婚間近だが相手に欲求不満の古書店主の元カノが割って入ってくる、一風変わったラブコメディ。古書店主役の瀬戸康史と女子高生役の河合優美の自然な演技が爽やかな後味を残した作品でした。

『**余命一〇年**』は、限られた命を懸命に生きる女性と、彼女を愛したことで人生の意味を見出した青年との一〇年間を描きます。二人を演じた小松菜奈と坂口健太郎は、感情過多にならない嫌みのない演技で定番のお涙頂戴に陥らずに済みました『**世の中にたえて桜のなかりせば**』は、今年三月に急逝した宝田明が企画製作し主役も務めた遺作。不登校の女子高生が、アルバイトをしている終活アドバイザーの事務所を、宝田明の演じる老人が訪れ、マニュアル棒読みの女子高生の助手に収まった二人は、女子高生の同級生の写真部員を手伝いに引き入れ、不思議な依頼を解決していく。映画初主演の乃木坂46の岩本蓮加(いわもとれんか)が、宝田のサポートを得てまっすぐな主人公を生き生きと演じています。

――独裁者の不明

簡単に制圧できると高をくくってドロ沼の戦争に身動きがとれなくなったロシアのプーチンと、ゼロコロナにこだわって大都市上海を混乱に導いた中国の習近平。いずれも自らの力を過信して社会を混乱に導いたところは共通しています。中国には漢民族とは異なる他民族を有する地域が周辺に存在し、漢民族の支配に苦しんでいます。人間の尊厳を認めない前時代的な強権支配がいつまで続くのか。われわれにできるのは自立した市民が主役となる民主国家の範となることでしょう。

(『講演録』五月号)

――危うい異論の排除

二月二四日に始まったロシア軍のウクライナ進行に対して日本政府は、「武力による現状変更は認められない」との基本姿勢に基づいて、先進諸国とともにロシアに対する経済制裁やウクライナ支援を進めています。そのことに異を唱えるものではありませんが、問題が長期化する中で気になるのは、この問題に対するメディアの一方的な報道姿勢と画一性です。

テレビのニュース番組やワイドショーでは、これまでのコロナ関連一辺倒からウクライナ問題中心に様変わりしました。現地での戦況やウクライナ各地での被害状況などが詳細に報道され、現地のウクライナ市民のロシア非難の声も次々に紹介され、全体のトーンはウクライナの側に立ってロシア軍の暴虐を追及する姿勢に貫かれています。多くの情報がカナダの戦争研究所の資料やデータに基づいており、ロシアが主張するウクライナにおけるネオナチ活動についての具体的検証はほとんどなされていません。

ソ連が崩壊して独立したウクライナは、ウクライナ語を話す人たちとロシア語を話す人たちが混在する多民族国家です。旧ソ連時代にはロシア語の使用が強制されましたが、独立後は逆にウクライナ語が公用語になり、ロシア語しか話せない市民はさまざまな不利益を被るようになりました。軍事侵攻までのウクライナで何が起きていたのかを公平にとらえることなく、ウクライナこそ善でロシアが悪だという物差しで全てを推し量る態度は決して公平とは言えないでしょう。

何よりも問題なのは、気に食わない相手の話は聞こうとしない態度です。G20において日本はロシアの出席を認めないように議長国インドネシアに求めましたが受け入れられませんでした。どんなに気に食わなくても相手の言い分には耳を傾ける態度こそが国際協調には不可欠です。報道においても、紛争の当事者の一方の主張だけを取り上げて他方の主張は切り捨てるのは、公平とは言えません。相反する動画が存在するなら、どちらの信憑性が高いのか、あるいは両方ともに事実なのか、それともどちらもフェイクなのか、IT技術の発展で見えている映像が真実とは限らない時代であるからこそ事実を検証して伝える報道の責任は重いのです。

政府はウクライナ支援の一環として、難民の受け入れを積極的に進めています。そのこと自体に反対する理由はありません。しかし、これまでクルド、ミャンマー、スリランカなどからの難民に対して極めて厳格な審査と非人道的扱いを繰り返してきた入管政策には手を付けず、ウクライナに関してだけは欧米先進国に追随する政府のご都合主義には呆れるほかありません。そして、その政府に安易に追随するメディアは、日本の社会の劣化を座視(ざし)する共犯者であるといえるでしょう。

(『講演録』六月号)

――及び腰の結果

夏本番を前に松野官房長官が、野外でのマスク着用は熱中症の危険を高めるので、人との距離が保てる場合にはむしろ控えてほしいとの趣旨を呼びかけました。一方で、児童のマスク生活が健康に有害であることが早くから指摘されているにもかかわらず、児童のマスク着用を推奨しないとする見解の表明に政府は最近まで及び腰でした。一部の専門家と称する人たちの見解にのみ従って、幅広い分野の専門家の総合的な判断を仰がなかった政府や行政の罪は、いずれ取り返しのつかない結果となって表れるでしょう。

(『講演録』六月号)

――迎合の果てに待つ地獄

急速な円安進行を受けて開催された日銀の政策決定会合は、ゼロ金利政策の継続を決定し、一段と円が売られる展開になっています。すでに先進国の地位に辛うじて踏み留まっているに過ぎない日本にとって、この通貨安は日本経済の凋落を決定づけるものになりかねません。資源価格の急騰に加えて円安に追い打ちされることで物価上昇が加速し、国民の生活に深刻な影響を及ぼすことになるでしょう。政府の対応は財政措置による影響の緩和に終始しており、野党やメディアの批判もそれを後押しする結果になっています。それは財政の悪化によって円の評価を一段と貶めることになるでしょう。

安倍・菅政権が八年間にわたって続けてきたアベノミクスは、超低金利政策と財政出動というカンフル注射を打ち続けることで何とかプラス成長を維持することはできましたが、民間企業の投資意欲の拡大にはつながらず、日本経済を新たな成長軌道に乗せることにはなりませんでした。金融市場はマーケットとしての機能をほとんど喪失し、証券市場も日銀のETF大量購入などによって歪んだ市場に変貌しています。

野党やメディアには相変わらず格差の拡大をもたらした市場原理主義の弊害を言い募る声に溢れています。しかし、市場機能を麻痺させ続けてきた結果が市場における競争を通じた資源の効率的な配分を阻害して経済の成長を損なってきたと考えるべきではないでしょうか。

医療・介護、教育、運輸、農業など規制と国家管理にゆだねられた分野には、膨大な不効率が積み重なり、不正がはびこっています。かつて堺屋太一氏はこれらの存在を暗黒大陸になぞらえましたが、何よりも問題なのは、そこで何が行われているかが国民の目から覆い隠されていることです。全ての情報を公開して実態を白日の下にさらさなくては、不効率と不正の温床を糾弾することすらできません。

二〇世紀末から二一世紀初頭の世界経済を牽引してきたのが、デジタルとインターネットの融合による新しい成長機会の出現によるものであったことは明らかです。この分野の新たな成長機会をとらえた新興企業は既成の概念と既存の秩序を破壊することで発展してきました。しかし、日本で同じような事業に取り組もうとした企業はことごとく規制の壁に跳ね返されて、アメリカや中国の先進企業を追う事すらできませんでした。

コロナ禍の日本においては、規制の強化と行政の介入を求める声をメディアが助長し続けてきました。国民の不満に対する手段はひたすらお金をばらまくことであり、こうした国民への迎合が、国家と国民の脆弱化を招くことを深刻に受け止めなくてはならないのです。

（『講演録』七月号）

──金融政策の転換が必要

為替相場は歴史的な円安局面に突入しています。米国が景気の過熱による資源価格の急騰へのインフレ対応で、急ピッチの利上げ策に動き、欧州各国も金融引き締めに動く中で、開かれた日銀の政策決定会合は、ゼロ金利政策の継続を決定。円安がさらに進行しています。日米金利差の拡大から考えても、円安には歯止めがかからない可能性が高く、日本の物価上昇もさらに深刻なものになるでしょう。日銀は低金利政策の継続の理由として景気改善に水を差すリスクを挙げていますが、そもそも低金利政策が経済の停滞に対して基本的に効果がなかった事実を無視し続けています。

（『講演録』七月号）

──円安がもたらす国民窮乏化

米国の政策金利引き上げをきっかけに始まった円安の進行は、ついに一ドル一四〇円台突入目前という状況に至っています。今号がお手元に届く頃には一四〇円台を突破しているでしょう。為替の変動要因としてはいくつかの要素が挙げられますが、今回の円安の場合は極めて明白です。米国が相次ぐ金利引き上げを行い、欧州各国など他の先進国がこれに追随する中で、一人金融緩和に固執する日本銀行（日銀）の金利政策の方向性が市場の円売りを加速させているのです。

日銀は金利を引き上げれば、日本経済の低迷を一段と深刻化させるリスクが高いからだと説明しています。しかし、先進国で最も強力に金融緩和政策を取り続けても、日本の経済成長は先進国の中で最低水準に留まってきました。アベノミクスの八年間が日本にもたらしたのは、円安株高によって輸出企業の収益が改善され、資産価格の底上げによって富裕層に恩恵をもたらしただけでした。低金利は企業の投資意欲を呼び戻す結果にはならず、企業はひたすら内部留保を積み上げ続けました。低金利政策だけでは経済の活性化につながっていないことは明らかなのに、これをやめれば景気が悪くなると言い張るのは笑止千万です。むしろ正常な金利を支払っても、成り立つ事業にのみお金が回る経済に戻し、企業淘汰を進めて経済全体の効率を高めることを考えるべきでしょう。

中央銀行の本来の仕事は、金利政策によってインフレを防ぐことです。デフレ脱却を掲げたアベノミクスは二％インフレの達成まで金融緩和政策を続けるというミッションを日銀に課し、黒田日銀総裁はそれを十二分に実行してきました。しかし、景気の過熱や資源価格の高騰によって急速に進むインフレに対して、日本以外の中央銀行は次々に本来の役割に立ち返っています。低成長に甘んじてきた日本経済にとって金利上昇はつらい選択かもしれませんが、もはや選択肢は残されていません。

低金利政策に固執し続ければ、一層の円安を呼び込むことになります。円の購買力の低下は、企業のコストを圧迫し、国民の消費を直撃することになるでしょう。円安の急激な進行は、可処分所得が伸びず、将来の生活に不安を抱えながら、なんとかやりくりしてきた国民生活を根底から揺るがすことになります。円安の進行に歯止めをかけることこそが金利政策の急務なのです。

円安が、日本経済の実力の反映であるのなら受け入れるしかありません。しかし、世界の潮流に背を向けた金利政策の結果であるのなら、その政策を変更すべきです。国民生活の窮乏化につながる円安誘導に終止符を打ち、世界の潮流に背を向け続ける愚に訣別する勇気を持つべきです。本来の政策に立ち返る代わりに、国債の増発によるバラマキを続けることは日本経済の基盤を蝕み、将来を危ういものにする行為でしかありません。

（『講演録』八月号）

――煮え切らない対応

巷では新型コロナウィルスの感染が急拡大し、第七波に見舞われていることが大きく報じられています。今のところ、政府は行動制限を伴う感染防止対策には否定的ですが、その一方で欧米諸国のようなマスク着用もいらない日常への復帰にも踏み切れないでいます。新たな変異株は感染力が強まる一方で毒性が薄まっている現状を踏まえれば、一刻も早く第二類相当から第五類への変更に踏み切るべきです。政府の優柔不断は、経済の停滞と財政の悪化によって日本の国力を一段と弱めることになるでしょう。

（『講演録』八月号）

映画雑感⑩

『**劇場版 ラジエーションハウス**』は、人気TVドラマの映画版ですが、コロナ禍の観客を意識した設定が結構はまって真実味が感じられる作品でした。正体不明の感染症に立ち向かうために、あえてリスクを冒す検査チームの姿にコロナ感染を怖れて患者の来院を拒む医療の現実に、つい思いを馳せていました。

『**ツユクサ**』は、ひなびた港町を舞台に、過去の事情を抱えながらも、明るく毎日を過ごす五〇歳の女性に訪れる小さな奇跡が描かれます。小林聡美（さとみ）や松重豊（まつしげゆたか）、江口のりこなど芸達者な俳優陣を得て、嫌みのない小品に仕上がっています。

『**マイスモールランド**』は、突然在留資格を失ったクルド難民の少女の苦難の日々が始まります。厳しい日本の難民政策の理不尽が、少女の身に襲いかかる現実がリアルに描かれます。ウクライナ難民のみを特別扱いして国際アピールに余念のない政府と、それに迎合するメディア関係者に見てもらいたい映画です。五カ国のマルチルーツを持つ嵐莉菜（あらしりな）が一七歳のヒロインを見事に造形。娘の幸福を願う父親の選択は、平和呆けの日本人を粛然とさせる結末でした。

『**流浪の月**』は、二〇二〇年度本屋大賞を受賞した同名小説の映画化作品。力作ですが、ヒロインの元恋人がストーカーと化す下りが前面に出すぎたことで、映画としてのバランスが崩れ、肝心の主人公二人の社会の理不尽に向き合う覚悟が、いささかぼやけてしまったように感じました

『**シン・ウルトラマン**』は、『シン・ゴジラ』をヒットさせた庵野秀明（あんのひであき）と樋口真嗣（ひぐちしんじ）のコンビが手掛け

た特撮ヒーローのリメイク第二弾。ウルトラマンがなぜ地球に出現したのか。映画は、人類の存在そのものを問うものに発展していきます。斎藤工が、カメレオン俳優の面目通りの活躍を見せます。

俳優の水谷豊が監督を務めた『**太陽とボレロ**』は、資金難から解散目前の市民オーケストラが最後の演奏会を実現させるまでを描きます。冒頭若手団員二人が駆け付けた一流楽団の演奏で映画は幕を開けますが、西本智美の指揮が実に見事。トラブルを乗り越えて大団円にたどり着きますが、そうなるかなと秘かに期待した結末に出合えて満足しました。

七五歳を越えると安楽死を選択できる法律が制定された近未来の日本。『**PLAN75**』は、失職した末にこの制度を申請する女性や申請窓口の市職員などの日常を淡々と描き、生と死の問題に向き合う時間を与えてくれました。賠償千恵子の存在感はさすがです。

『**メタモルフォーゼの縁側**』は、一人暮らしの七五歳の老婦人と一七歳の女子高生とがボーイズラブ漫画を通して親友になっていくお話です。かつて祖母と孫娘の役で共演したことのある宮本信子と芦田愛菜が息の合った演技で楽しませてくれました。

――旧統一教会問題の矮小化

安倍前首相の暗殺は、旧統一教会と自民党との長年にわたるただならぬ関係をあぶりだす結果になりました。この問題への対処を議員個人個人の問題として矮小化した岸田首相には、党首としての自覚と責任が微塵も感じられません。案の定、内閣支持率は急落しました。上から下までこの問題に真摯に向き合おうとする動きが全く見えないところに、自民党の衰弱の深刻さが窺えます。

（『講演録』九月号）

――政治の劣化

参院選を乗り切れば、新しい政治課題に向けて一歩踏み出すのではないかという期待を抱かせていた岸田政権ですが、夏以降は逆に迷走ぶりが際立っています。一つは旧統一教会問題への対処であり、もう一つは安倍元首相の国葬問題です。昨年秋の首相就任以来、閣僚人事や党役員人事で、「安倍離れ」を思わせる動きを鮮明にしてきた岸田首相ですが、本格政権を始動するはずだった参院選後にかえって、元首相の亡霊に悩ませられる展開になりました。

安倍元首相の暗殺事件は、旧統一教会への恨みを抱く信者家族によるものだったことは早くから明らかになっていました。教会幹部の狙撃に失敗した犯人が、代わりに狙ったのが安倍氏だったということから、最初はとんだとばっちりであるかに見えましたが、その後次第に明らかになった安倍氏と旧統一教会の関わりは、犯人の狙いがあながち的外れでなかったことを示しています。安倍氏が所属していた清和会は、安倍氏の祖父である岸信介の時代から、旧統一教会の政治団体である国際勝共連合と、「反共」という志を同じくする同志として深いつながりを持ってきたのです。選挙で苦戦している候補への票の割り振り、電話かけやビラ貼り等の選挙支援を受ける一方、当選議員には教会の集会への出席や挨拶などが求められました。

旧統一教会とのつながりが次々と具体的に報道される中で、岸田首相は自民属議員に対して、これまでの関係を点検して今後は適切に対応することを求めましたが、党としての対応が不十分だとの厳しい世論が巻き起こると全党員へのアンケート調査とその結果の公表、そして今後は関係を断つことに踏み切りました。しかし、党として調査を行う気配はなく、政治組織の指導者としての責任に対する自覚を全く欠くことが露呈しました。民間であれば弁護士などの第三者による調査チームが立ち上げられ、その報告を受けて関係者の処分や組織、再発防止策が決定されるのが常識です。政権を預かる政党には民間企業よりもはるかに重い国民に対する責任があるはずなのに、そんなことはまるで自覚していないようです。

参院選後のもう一つの失敗は、安倍元首相の「国葬」問題です。安倍氏の盟友だった麻生副総理や清和会幹部からの強い進言があったとはいえ、法的根拠のない「国葬」を「国葬儀」と言いくるめて閣議決定で押し通す必要がどこにあるのでしょうか。安倍氏の葬儀はすでに行われており、いまから内閣や自民党が特別に弔意を示す場を作りたいのであれば、内閣と自民党の共催によるお別れの会を催せばよいのです。それが社会の常識というものです。

（『講演録』一〇月号）

――日銀は景気の番人なのか

岸田政権が今直面している最大の課題は、物価の急騰への対処です。すでに消費者物価は、超金融緩和政策解除の目安である二％を大きく超えています。先進国で唯一金融緩和政策に固執する理由を黒田日銀総裁は、景気回復の足を引っ張ることになると主張していますが、日銀はいつから物価の番人から景気の番人に宗旨替え（しゅうしがえ）したのでしょうか。物価の上昇の大きな要因として海外の資源価格急騰に加えて、三一年ぶりの円安が響いていることは明らかです。円安は先進国で唯一金融政策を転換しようとしない日本だけの現象です。岸田首相は安倍氏の遺産であるアベノミクスに一刻も早く訣別（けつべつ）すべきです。

（『講演録』一〇月号）

――「法の支配」ということ

安倍元首相は積極外交を展開する中で、好んで「民主国家」としての理念を共有する諸国との連携を口にしてきました。その民主国家の条件の一つとして語られたのが、「法の支配」が成立していることでした。岸田首相も、香港や新疆ウイグルに関する発言でこの言葉を持ち出しています。

民主国家において為政者が、「法の支配」を尊重することは当然のことです。しかし、日本において政治家や行政の担当者がどこまでこの言葉の本質を理解しているのか、甚だ心もとないものがあります。そして本来この大原則によって守られるべき国民の側も、その意味を十分理解しているとは到底思えないのが現実です。

「法の支配」は、もともと封建社会の王侯貴族などの支配者の専横から、市民を守るために掲げられたものでした。これは義務教育の中で日本国民が等しく学習する常識です。この大原則をおろそかにすることは民主国家の形骸化を招き、独裁体制への道を開く危険をはらんでいます。

現実の日本では、法の主旨を平気で捻じ曲げる政府とそれに唯々諾々と従う大衆、そして利己的な理由から政治を利用する輩が闊歩しています。その最も身近な例がコロナ対策です。新型コロナウィルス感染症が第二類相当の感染症であるなら、行政はしかるべき施設と医療体制を用意して感染者を隔離しなければなりません。それは強毒性のウィルスの蔓延で社会が破滅的な状況に陥ることを防ぐためです。しかし、ウィルスは変異を重ねることによって弱毒化する一方で予防薬や治療方法も整備されて、もはや未知の恐ろしい感染症ではなくなっています。感染力が強まることで感染のピークが高くなり、隔離施設の確保が困難になって自宅療養が大幅に増加、保健所や関連医療機関の疲弊が明らかになり、政府は感染者の取り扱いや感染者の全数把握などを見直し、なし崩しで法律の求める範囲を逸脱しつつあります。法律上の指定が現実に合わなくなれば、まず指定を改めればよいのです。政府や厚生労働省は法の精神を踏みにじり、「法の支配」を無視しつづけているのです。

最近の政府によるもう一つの「法の支配」からの逸脱は安倍元首相の国葬問題です。法的根拠が消滅しているにもかかわらず、法の定める内閣の決定権を拡大解釈して国葬を強行しました。こんな解釈が許されるなら内閣はやりたいことを何でもできることになります。このことは憲法解釈を捻じ曲げて内閣総理大臣の解散権を容認してきた国会やマスメディアが、「法の支配」の本質をないがしろにしてきたことと共通しています。

(『講演録』一一月号)

――なし崩しという無責任

水際対策が大幅に緩和され、全国旅行支援が開始されるなど社会経済活動の制限が解除される中で町には賑わいが戻りつつあります。政府は野外でのマスクの着用は必要ないと度々呼びかけていますが、まだ七割近い国民がマスクを野外で着用し続けています。ある韓国ジャーナリストは、「同調マスク」と揶揄(やゆ)していますが、先進国では唯一の異常なマスク執着ぶりと言えます。第五類への変更をためらう政府に問題がありますが、一つには、相変わらず感染者数や感染した死者数を報道し続けて恐怖をあおるメディアにも責任があります。

(『講演録』一一月号)

──コロナ政策の大転換を

一一月に入って新型コロナウィルスの新規感染者が再び増加に転じています。東京では一五日に一日の新規感染者が一万人台に乗り、感染の第八波が始まっていることが鮮明になりました、空気が乾燥する冬場は流行の再燃が予想されていましたが、今年は冬の訪れが例年よりも早く空気の乾燥が進むにつれて感染は予想を上回るスピードで拡大することになりました。政府は、全国旅行支援の実施や海外からの観光客の受け入れの自由化に踏み切っており、ウィズコロナ政策に舵を切っています。「今さら行動制限には戻れない」と発言した政府関係者がいましたが、国民が聞きたいのは、「今回は行動制限の必要はない」という明言でしょう。なぜ必要がないのかを分かりやすく説明して、感染が判明しても万全の医療体制が用意されていると胸を張ってもらわなければ困るのです。度重なる混乱にもかかわらず体制の整備が不十分であるなら、それは行政の怠慢以外の何物でもありません。

今年の夏の第七波では、重症化懸念が高い患者の受け入れ先がなかなか見つからなかったり、容体が急変した自宅療養患者への対応が遅れたりする事例が多発しました。その一方でコロナ治療に当たる医療従事者や感染者と医療機関の橋渡しを担当する保健所の職員は激務で疲労困憊し、その悲痛な訴えが表面化することになりました。これに対する政府の対応は全数の見直しなど小手先の弥縫策に終始し、感染症第五類への変更といった根本的なウィズコロナ時代への転換には至っていません。

これまで何度も指摘してきたように、ワクチンが普及して重症化リスクが低下する一方で、治療薬や治療法の開発が進んでいる現時点で、感染の拡大防止を最優先する隔離政策を続ける合理性は完全に失われています。官僚が動かないのであれば、政治が決断すべきです。なし崩しで運用の緩和を加速させながら、前提となる法的な枠組みには手を付けようとしない岸田首相の盆暗ぶりには怒りさえ禁じ得ません。

感染が疑われる時は身近な開業医に相談して検査してもらい、結果が陽性ならしかるべき処置をしてもらい、重症化の懸念があれば専門の医療機関を紹介してもらう。そうした当たり前の医療が提供されるようになれば、患者の不安も専門病院や保健所の疲弊も解消され、滞っているコロナ以外の疾病の治療もスムーズに行えるようになるはずです。一刻も早い政府の決断を願うばかりです。

（『講演録』一二月号）

――日本買いのリスク

米国のインフレが減速したことから、FRB（連邦準備制度理事会）による利上げがペースダウンするとの見方が強まり、円が買い戻されました。しかし、金融政策の方向性の違いや日本経済のパフォーマンスの低さなど、円が再び売られる状況は基本的に変わっていません。景気の好転や金融政策の転換がなければ円安局面に大きな変化はないでしょう。記録的な円安は海外資本にとっては、日本買いのチャンスでもあります。企業、不動産から文化遺産まで、なけなしの大事な資産を失うリスクが高まっていることに真剣に向き合う必要があります。

（『講演録』一二月号）

二〇二三年

映画雑感⑪

二〇二二年半ばに公開された邦画作品から。『**サバカン**』は、八〇年代の長崎を舞台に、二人の少年が繰り広げるひと夏の冒険を描きます。小学5年生の久田は、ある日、貧しい同級生のみすぼらしい家にただ一人嘲笑うことをしなかったことから、その少年竹本からイルカを見に行く冒険旅行に誘われる。さまざまなトラブルに遭遇しながらも友情を育んでいきます。朴訥な演出が少年たちのみずみずしい青春の輝きを映し出して、好感が持てる作品でした。

『**TANGタング**』はイギリスの人気SF小説『ロボット・イン・ザ・ガーデン』を、二宮和也主演で映画化。若者向けの恋愛映画を手掛けてきた三木孝浩監督が、生きる気力をなくした青年の再生を小気味好く演出。二宮がポンコツロボットとのやり取りを楽しげに演じ、夫の立ち直りを待つ満島ひかりの颯爽としたたたずまいも見事でした。

『**さかなのこ**』は、人気タレントさかなクンの自伝的エッセイを、沖田修一監督が、のんを主役に迎えて映画化。ひたすら魚を愛する主人公の自由な生きざまは、がんじがらめにされた現代人へのアンチテーゼであり、性別を超越したのんの突き抜けた演技が光ります。

『**LOVE LIFE**』は、『淵に立つ』でカンヌ国際映画祭のある視点部門で、審査員賞を受賞した深田晃司監督が、矢野顕子同名楽曲をモチーフに、愛と人に向き合う夫婦を描きます。ある日、夫婦は悲しい出来事に襲われ、悲しみに沈む妻の前に、失踪した前の夫が戻ってきます。本当の気持ちや人生の選択に揺れる主人公を木村文乃が好演。

『**川っぺりムコリッタ**』は、『かもめ食堂』の荻上直子監督が自身の小説を自ら映画化。ムショ帰りの孤独な青年が、勤め先の人たちやアパートの住人との交流を通じてまっとうに生きる術を学んでいきます。淡々と描かれるリアルな日常が、ささやかな暮らしの大切さを訴えかけてきます。松山ケンイチが不器用で寡黙（かもく）な青年を好演。やかましくて図々しいムロツヨシもはまり役。

『**耳をすませば**』は、スタジオジブリの名作アニメ映画の原作である、柊あおいの人気漫画を実写映画化。原作漫画とアニメ映画になかった主人公二人の十年後を加えて、人生の苦さも描かれるのがミソ。

『**もっと超越した所へ。**』。劇作家の根本宗子が脚本・演出を手がけた同名舞台を、根本自ら脚本を担当して映画化。ダメ男を引き寄せる女たちの恋愛模様を、コミカルに描くシニカルで洒落（しゃれ）た味わいの大人の喜劇。

『**窓辺にて**』。今泉力哉監督がオリジナル脚本で撮ったラブストーリー。フリーライターの市川は、編集者である妻が担当している若手人気作家と浮気していることに気付いていたが、それを妻に言い出せない。一方で、浮気を知った時に自身の中に芽生えたある感情についても悩んでいた。そんなある日、文学賞の授賞式で高校生作家・久保に出会い、彼女の受賞作『ラ・フランス』の内容に惹かれ、その小説にモデルがいるのなら会わせてほしいと話す。主人公役の稲垣吾郎の自由な演技が難解なドラマを成立させています。

『**マイ・ブロークン・マリコ**』は、平庫ワカの同名コミックをタナダユキ監督のメガホンで映画化。鬱屈した日々を送っていたトモヨは、親友のマリコの死をテレビのニュースで知り、幼いころから父親から虐待を受けていた親友の魂を救うため、父親のもとから遺骨を強奪し逃亡します。永野芽郁が

持ち前の明るいキャラを消して新境地を開きました。

防衛予算増額の問題点

防衛費を五年間でGDPの二％まで増額する方針が明らかになったとたんに内閣支持率が急落しました。岸田首相はGDPの二％はいまやグローバルスタンダードだと言いますが、一国の予算編成は国家が独立国として何物にも侵されることのない政府権限であるはずです。国際情勢に鑑みて防衛費の増額が必要だという主張は理解しますが、まず二％ありきはいただけません。五年間で何をどう強化するのかが先で、それを賄うのに必要な予算はその後に来るべきものです。そうした議論を素通りしていきなり増税が出てくるのでは支持を失って当然でしょう。

（『講演録』一月号）

大きなお世話

お正月を迎えておせち料理で朝食をすませると年賀状をチェックするのが日課になっています。この年になると新しい知己は少ないので、大部分は親類か古い友人ということになります。叔父叔母はもう一人しか残っていませんし、小学校から大学までの恩師も全てお亡くなりになりました。仕事を通じての知り合いも櫛の歯が欠けるように減り、年下の友人の訃報に接するようになりました。

手書きの一言が添えられていなくとも、見慣れた宛名の書体を見るだけでかつての交友がよみがえってくるから不思議です。長く会わなかったとしても、一枚のはがきの向こうに確かに存在していることを確認するだけで気持ちが豊かになるように感じられます。

ところでここ数年とても気になっていることがあります。それは長年にわたって年賀状をやり取りしてきた相手から、突然、「勝手ながら本年を持ちまして賀状のご挨拶を遠慮させていただきます」という年賀状が届くようになったことです。何年か前に恩師の娘さんから「母の体調が悪くなり年賀状は失礼させていただきます」といった年賀状が届きましたが、その時は高齢の恩師を気遣いこそすれ、特に違和感は感じませんでした。しかし、今回は、その切り口上の物言いから長年の交誼を断ち切る縁切り状のようにも感じられました。中学時代から六十年にもわたって続いてきたやり取りが全て否定されたようにも感じられるものでした。あるいは相手の家人が体調の優れぬ本人に代わって書いたものかもしれないとも思いながら、砂をかむような後味の悪さは消えません。

書いた人の顔が見えない、取ってつけた慇懃無礼な常套句には、どうも例文が存在するのではないかと思って調べてみるとありました。最近はやりの「終活」の一環として「年賀状終い」を提唱する輩がいたのです。なんとそれが一枚120円で売られているから驚きです。

年賀状などというものはもともと最も個人的な気持ちの発露としてのあいさつです。もちろん仕事などその付き合いからくる義理だけのものもたくさんありますが、これは必要がなくなればおしまいになるだけです。「年賀状終い」の挨拶など必要がないのです。そして、個人的な知己とのやり取りも、気持ちがなくなればただやめればいいのです。決まり文句の挨拶状など失礼以外の何物でもないと私は思います。高齢の域に達すれば、人間いつこの世におさらばしてもおかしくありません。続けることが億劫になったら黙ってフェードアウトすればいいのです。

（『講演録』二月号）

西側一辺倒に危うさ

ロシアのウクライナ侵攻後の岸田政権の外交は、もっぱら西側先進国との共同歩調に終始しているように思われます。軍事的圧力を強める中国を念頭に敵基地攻撃能力を含めた防衛力の強化によって、中国に対する抑止力を高めることは東西冷戦が復活し、米国の軍事的優位に陰りが見られる現状を考えれば、一定の合理性があるのは確かです。しかし、海上警備の強化や防空体制の見直しなど、急がなければならない課題が山積する中で、敵基地攻撃能力だけが勇ましく語られる現状には違和感がぬぐえません。しかも西側諸国との一体感が強調される一方で、同じように中国の圧力に対峙している東南アジア諸国など、アジア域内の国々との対話や連携がおろそかにされている感は否めません。ただ西側諸国に追随するのではなく、アジア域内で友好国の輪をしっかり作り上げていく必要があります。

（『講演録』二月号）

自由を尊重しない社会

政府は、五月八日から新型コロナウィルスの感染症法の位置付けを、強制隔離が必要な第二類からインフルエンザと同等の第五類に引き下げます。これで行動制限を伴う規制はなくなることになります。また、これに先立って三月一三日からはマスク着用についても原則個人の自由意志となります。三年に及んだコロナ禍もやっと終息することになるでしょう。

第五類への引き下げは当初の政府案では四月一日でした。しかし、厚生労働省の有識者会議でいわゆる専門家と称する人たちは、致死率は下がっているが死者の絶対数は増えていると主張。結局引き下げは先送りされました。しかし、コロナに感染していた死者といってもその死因が全てコロナに起因するわけではありません。治療法が確立していなかった初期はともかく、二年目以降はコロナに起因する死者は極めて少ないとの調査結果もあります。そんな事実も無視してコロナへの大衆の恐怖をあおり、国民に不自由を強いるのは専門家とはいったい何者なのか。専門家と称する人たちの中枢には日本医師会の幹部が加わっていますが彼らは感染症の専門家ではなく、開業医にすぎません。団体の代表なのです。

マスクの着用を義務付ける法的な根拠はあるのでしょうか。米国ではマスクの着用を拒否した市民が裁判で勝っています。日本では、マスクを鼻の下にずり下げていたために試験が受けられなかったり、将棋の公式戦で失格になった棋士がいたりと、過剰な厳格さが求められています。マスクの長時間の着用が成長期の子どもたちの健康を将来にわたって損なうことは本当の専門家の間では常識です。その一方で、マスクの効果には科学的根拠が甚だ薄弱です。確かに咳やくしゃみの飛沫の防止には有効でしょうが、袖で鼻や口を覆う咳エチケットでも十分に防げます。一方、スギ花粉や細菌類に比べてはるかに微細なコロナウィルスにはほとんど役に立ちません。

日本の社会は奪われた自由に見合う結果を得られたのか、コロナ対策の功罪を検証すべきです。外出を自粛し、他人との接触を減らす暮らしは、高齢者の認知症や若者の自殺を増加させ、出生率の低下など、経済の落ち込みだけでなく、社会や個人の生活に深刻な傷痕を残します。国家が個人の自由を侵害し、それを自嘲するような社会は、多様性を尊重する社会とは正反対の同調社会でしかありません。

（『講演録』三月号）

―バラマキの大合唱

国会で審議中の新年度予算は史上最大の水膨れ予算ですが、与野党ともに身の丈に合わない赤字予算を批判する声はほとんどなく、ひたすらバラマキを求める声であふれています。赤字国債頼みの状況は続きますが、野放図(のほうず)な予算化の膨張を可能にしてきたのは、日銀の超金融緩和政策にもいずれ変化が起こると考えてよいでしょう。政府に対する独立性や金融市場の機能の回復が進めば、財政規律も徐々に回復に向かうことを期待したいものです。

(『講演録』三月号)

―捨ててみた

電気炊飯器を捨てて、信楽焼の陶器でできた「かまどさん」に替え、ガスコンロにかけて約一二分、炊き上がったご飯のおいしさは衝撃でした。もちろん炊飯器のような保温機能はありませんが、冷めてもおいしいし、蒸せば炊き上がりに近いおいしさで食べられます。買って間もない七万円台の炊飯器を捨てて、八〇〇〇円程度の「かまどさん」に替えて正解でした。

事の発端は社長時代に東京ガスの社長を表敬訪問した時でした。ちょうど築一〇年を過ぎた我が家の厨房機器を全面リニューアルした後で、私がガスコンロの機能と安全性の向上が素晴らしいと話すと、相手方が私の話にうなずきながら「もう〈かまどさん〉は使いましたか」と返してきたのです。土から造られる陶器製の窯(かま)は、製造面でも、消費エネルギーの点でも、そして壊れた後の廃棄物においても、まさに地球にやさしい製品です。そして間違いなく素材から全て国産一〇〇%の商品です。私はその日のうちにインターネットで注文して取りよせ、さっそく試してみました。結果は上々で、これまで長い間疑うことのなかった電化製品の有り難みに初めて別の選択肢があることに気づかされたのでした。

わたなべぽんさんというコミック・エッセイストが書いた『やめてみた』という本があります。「必要なものが見えてくる暮らし方・考え方」という副題の通り、なかなか含蓄のある本です。最初にわたなべさんがやめてみたのは電気掃除機。いわく、ほうきとクイックルワイパー®があれば大げさな機械などいらないと。その通りだと膝を打った私は、重くてうるさくて、微細なちりはとれても少し大きいごみは吸い込めず、糸や輪ゴムや髪の毛がからまるとすぐに動かなくなる厄介物を早々に粗大ごみに出してしまいました。ふと考えてみると、晩年の母はもっぱらほうきとダスキンのモップを愛用しており、電気掃除機は部屋の片隅でほこりをかぶっていました。

わたなべさんのやめてみたものが全てその通りだとは言いません。しかし、高度成長期以来の日本人が当たり前のように受け入れてきた機械文明が本当にわれわれの生活を豊かにしてきたのか。そろそろ立ち止まって考え直す時が来たのではないかと思う今日この頃です。

我が家には自動車がありません。一時期は妻の買った車がありましたが、それもずっと前に捨ててしまいました。どこへ行くのにも車で移動し、運動不足だと言われるとスポーツジムで機械に歩かされるような倒錯した生き方はまっぴらです。地球温暖化を防ぐためにＥＶでひたすら電力消費を増やすような方向を選ぶのはいかがなものでしょうか。生活そのもののスリム化が必要です。

（『講演録』四月号）

――やっと戻ってきた日常

今年は四年ぶりに茣蓙（ブルーシート？）を敷いたお花見が解禁になるようです。ただ、温暖化の影響で東京の桜は三月下旬には満開になる見通しで四月に入ると桜吹雪の中での宴会になるかもしれません。いずれにしても、正常な日常が戻ってくることは喜ばしい限りです。人と人とが親しく接して心置きなく会話を交わすことは、社会が円滑に行われていくための基本です。コロナ禍を経て、もう元には戻れない最もらしい言説をもてあそぶ輩がいますが、人間らしい振る舞いを取り戻すことをまず心したいものです。

（『講演録』四月号）

映画雑感⑫

二〇二二年秋以降の邦画作品から。まず『**ある男**』は、平野啓一郎の同名小説を『蜜蜂と遠雷』『愚行録』の石川慶監督が映画化。弁護士の城戸は、亡くなった夫・大祐の身元調査を依頼されます。事故で亡くなった再婚相手の夫が別人の戸籍を買っていたことや、そうせざるを得なかった悲しい人生が浮かび上がります。しかし、最後につかんだ幸福こそが最も重要なのだという結論は心に響く結末でした。本年度の日本アカデミー賞で作品賞、監督賞、主演男優賞、助演男優賞、助演女優賞などを総なめした作品。特に印象深いのは他人の人生を借りて、短くとも幸福な月日を獲得した男の姿を体現した窪田正孝の演技でした。

『**天間荘の三姉妹**』は、漫画家・高橋ツトムの代表作『スカイハイ』のスピンオフ作品『天間荘の三姉妹』を北村龍平監督が実写映画化。天界と地上の間にある街・三ツ瀬で、老舗旅館「天間荘」を舞台にしたファンタジー作品だが三姉妹を演じるのん、門脇麦、大島優子がそれぞれに好演し、作品にリアリティーを吹き込んでいます。脇を固める寺島しのぶ、永瀬正敏、柴咲コウが物語を支えました。のんが天衣無縫に映画を牽引、改めて稀有な才能を印象づけました。

『**土を喰らう十二カ月**』は、水上勉の晩年の料理エッセイを下敷きに、中江裕司監督が自ら脚本を手がけ、映画化。沢田研二が老作家をひょうひょうと演じて秀逸。日本の里山の豊かな自然が息づいている佳品。

『**月の満ち欠け**』は、直木賞を受賞した佐藤正午の同名小説を、廣木隆一監督が映画化。数十年の時を超えて明らかになる許されざる恋の物語。非現実的な話だが、そうした奇跡を、どこかで期待する人の琴線に触れる作品に仕上がっています。

『**ブラックナイトパレード**』は、中村光の同名漫画を、福田雄一監督が実写映画化。吉沢亮が、大人たちに翻弄されながら真のサンタに成長する主人公を好演。はちゃめちゃなのに妙につじつまの合った展開は笑えます。

『**ケイコ　目を澄ませて**』は、三宅唱監督が岸井ゆきのを主演に迎え、耳が聞こえない女性ボクサーの生きざまを見事に映像化。寡黙で目だけを光らせる主人公を、岸井がまさに生身の肉体で表現し、日本アカデミー賞の最優秀主演女優賞を獲得。作品としても本年随一の完成度でした。

『**シャイロックの子供たち**』は、ベストセラー作家池井戸潤原作の銀行ドラマ。とある支店を舞台に現金の紛失から始まった事件が支店全体を揺るがす事態に発展します。カッコイイヒーローが登場しない分、真実味のあるほろ苦い人間ドラマになっています。いつもながら阿部サダヲの自在な演技が画面を引き締めています。

日本を蝕む病巣

ゴールデンウィーク明けの五月八日から新型コロナウィルス感染症の法的な位置付けが第二類から第五類に変更されます。そのこと自体は当然のこととして歓迎すべきことですが、どうしても釈然としないのは、第五類相当の感染症であることが厚生労働省の内部でとっくに認識されていたにもかかわらず、なぜここまで変更が先送りされてきたのか腑に落ちないからです。医療体制の整備が間に合わないとか、感染の状況を見極める必要があるとか、医師会を中心とする勢力が慎重論を唱え続けてきましたが、そもそも第五類相当なら、全ての医療機関がインフルエンザと同じように粛々と治療に当たれば何の問題もないはずです。第五類への変更によって治療や検査、予防接種などの費用が有料になることをことさらに言い立てる人たちがいますが、医療費の一部を負担しなければならないのは当然のことです。全ての医療を国や保険制度で賄うことになれば、財政は破綻します。それでなくても、第五類への変更を遅らせたことは、財政の悪化に深刻な爪痕を残すことになりました。第二類の位置付けで利益を享受してきた厚顔と、第五類への変更に向かおうとする政府を「前のめり」などと揶揄したメディアの無恥こそが国を蝕む病巣なのではないでしょうか。

(『講演会五月号』)

バラマキ癖

本来は短期的な景気刺激策である超金融緩和を一〇年を超えて続けたことで、日本の経済社会は深刻な歪みを抱えることになりました。その最たるものはバラマキの常態化です。

コロナ禍の最初の緊急事態宣言が発出された頃に、当時の安倍政権は国民一人ひとりに一〇万円の給付金を支給しました。しかし、ほとんどの受給者がこの給付金を使わずに預金したことが預貯金の統計から明らかになっています。いったい何のための給付金だったのか、甚だ疑問の多い政策でした。

　その後もコロナ対策のさまざまな施策が実行に移され、繰り返し補正予算が組まれました。本予算も年々膨張し、財政収支の赤字も常態化しています。そしてその赤字額を補塡しているのが国債の発行です。日本銀行はマネーを大量に供給して量的緩和を担保するために大量の国債を購入し続けており、今や国債発行額の半分を日銀が保有するまでになっています。

　こうした状況も、時が経つにつれ当たり前の日常になります。政治家の多くが財政規律などは口にしなくなり、お金が足りないなら国債を発行すればいい、と嘯くまでになってしまいました。

　収支を均衡にさせるために歳出改革を徹底し、どうしても足りないなら増税を国民にお願いするというまっとうな努力を怠る政治を許してきた責任は、漫然とバラマキを受け入れてきた国民の側にもあります。新型コロナウィルスの感染症としての法的位置付けが第五類に変更されたときに治療費等が有料になることをマスメディアがことさらに喧伝しました。しかし、全ての費用を国が負担して隔離政策をしなくてはならないのは、それが危険な病気だからです。通常の医療体制の中で対応が可能なら保険診療の枠内で特に財政を圧迫することのない状態に速やかに移行するのは当然です。

　コロナ禍が去り、政治の焦点に浮上してきたのは少子化対策としての子育て支援です。子どもを産み育てやすい環境を整えることは必要です。しかし、カネさえバラまけば済むような単純な話ではないはずです。それなのに次々に打ち出されるのは、給食費などの付帯的な費用を含めた教育費の無償化、児童手当の支給など、とにかくお金にまつわることばかりです。テレビ番組で意見を求められた若いお母さんたちが塾や習い事で子育てにはお金がかかるのでと力説していましたが、子どものお受験にお金がかかるのはそうした選択をした自分持ちであるべきで、こんな声を取り上げる番組の良識が疑われます。

平気でバラマキ、平気で受け入れる社会は中から腐っていきます。それは少子化よりももっと恐ろしいことです。


（『講演録』六月号）

――余計なお世話

原稿を書くのにパソコンを使うようになって四半世紀を越えました。字句の修正や挿入など文章の編集が大変容易になり、しかも事実関係の確認などでグーグル検索を使うこともできるため、今やパソコンは原稿執筆に欠かせない道具になっています。

しかし、日常的に仕事で使う必需品であるだけに、使い方が開発者の都合で勝手に改変されることには、常々著しいストレスを感じてきました。例えばマイクロソフト社はバージョンアップと称して定期的に改良を加えた新しいソフトを市場に投入しますが、既存のユーザーに対しても新しいバージョンへの移行を促してきます。作業中の画面の上に有無を言わさず出現する選択画面に回答しなければ作業には戻ることができません。「後で」を選んでとりあえずスルーすることもできますが、折に触れて出現する勧誘画面に繰り返し邪魔されることになります。

根負けしてバージョンアップを実行したらどうなるのか。ソフトの書き換えにかなりの時間がかかり、急ぎの原稿が書けなくなって困り果てる羽目になりました。本格的なバージョンアップ以外にも細かい修正の適用を求める通知も頻繁（ひんぱん）にあります。うっかり適用して問題が発生しても後の祭りなので、そうならないために「詳細を見る」こともできますが、詳細を見ても意味不明の文章が長々と続き、中断した作業に戻る意欲まで失ってしまうことになりかねません。

最近では、「後で」の選択肢の代わりに「強制的に終了する」の選択しかないものがあり、この場合にはやりかけの作業を一からやり直すしかないことになります。

開発者が不断の努力によって、改良を重ねることによって、より使いやすいソフトに生まれ変わっていくのなら何の文句もありません。しかし、新しい機能が加われば加わるほどソフトは複雑になり、ユーザーは作業を進めることよりも新しい機能を習得することに精力を注ぐことになってしまいます。結局開発者がユーザーの利益よりも自らの利益を優先していることに問題の根源があるのだと考えてしまうのです。

こうしたITやインターネットの世界における市場独占が発展を続けるこの世界の歪(ゆが)みを拡大させ続けているように思われてなりません。

IT産業の発展に支えられている米国は知的財産権の保護を重視するあまり、独占禁止によるユーザーなどの重要性をなおざりにしています。パソコンやインターネットの利用によって蓄積されたビッグデータはそれを蓄積したプラットフォーマーの占有率ではなく、それを生み出したユーザーのものでもあるのです。

(『講演録』八月号)

映画雑感⑬

二〇二三年二月から七月公開の邦画作品から。『**エゴイスト**』は高山真の自伝的小説『エゴイスト』を、

『トイレのピエタ』の松永大司監督が映画化。一四歳の時に母を亡くした浩輔は、田舎町でゲイである本当の自分を押し殺して思春期を過ごし、現在は東京でファッション誌の編集者として働きつつ自由気ままな生活を送っています。ある日、彼は母を支えながら暮らすパーソナルトレーナーとお互いに惹かれ合うようになります。最近ＬＧＢＴを取り上げた映画やドラマがとても多くなりましたが、いささか作り手の思い入れの強さに息苦しさを覚えることもあります。この作品はドラマとしての完成度と主要な登場人物を演じた鈴木亮平、宮沢氷魚、阿川佐和子の三人の好演で気持ちの良い作品になっています。

『怪物』では、これまで自らのオリジナル脚本で映画を撮り続けてきた是枝裕和監督が、映画人気脚本家・坂元裕二とタッグを組んで新境地を開きました。二〇二三年三月に他界した作曲家・坂本龍一が音楽を手がけています。大きな湖のある郊外の町の小学校で子ども同士の事件が起き、一方が怪我を負います。息子を愛するあまりいじめを疑って学校にねじ込む母親に対して、ひたすら穏便に済ませることしか考えない学校の対応が事を大きくしてしまいます。単純な人情ドラマでも社会派ドラマでもなく、ある意味人間と社会の本質に迫る映画でした。中心となる二人の少年を演じる黒川想矢と柊木陽太が自然な演技で映画にリアリティを与えています。

『劇場版 ＴＯＫＹＯ ＭＥＲ 走る救急救命室』テレビドラマの映画化作品ですが予想外のロングヒットになりました。派手なストーリー展開もさることながら、人命救助にかける主人公の熱量が文句なしにカタルシスとして受け入れられているのでしょう。

『銀河鉄道の父』は、門井慶喜が直木賞を受賞した同名小説を成島出監督が映画化。岩手県で質屋を宮む宮沢政次郎の長男・賢治は家業を継ぐ立場でありながら、学校卒業後は農業大学への進学や人工宝石の製造、宗教への傾倒と我が道を突き進みます。厳格な父親からいつしか最大の応援団に変身していく父を役所広司が熱演。いささか強引なストーリー展開を、無理やり納得させられてしまいました。**『はざまに生きる、春』**は、宮沢氷魚が発達障がいを持つ主人公の画家の青年を見事に造形。屋内透としての成長を印象づけました。

『渇水』は、ハードな作風で知られる白石和彌監督が、初めてプロデュースを手がけた愛すべき一編です。水道料金を滞納した家の水道を止める仕事を、やり切れない思いで続けている若者の鬱屈とささやかな反乱を生田斗真が好演。相棒役の磯村勇斗も息がピッタリでした。

――本分を尽くさない人たち

本分を尽くすという言葉があります。本来の役割をまっとうするということです。ジャニーズの性加害問題では、男子児童に対する強制的な性行為を犯罪として取り締まる法律が日本にないことがそもそも問題であり、被害者の会も法整備を要請しています。カトリックの聖職者たちの男子児童への性加害が明るみに出て国際的に大きな問題になった時も、日本ではこの問題を対岸の火事として深刻には受け止めず、法整備は行われませんでした。法律の制定は立法府である国会の役割です。したって社会が必要とする法律を整備するために尽くすことこそが国会議員の本分であるはずです。これはジャニー・喜多川という特異な個人の問題に矮小化されるべき問題ではありません。軍隊や体育会系スポーツ団体など、閉鎖的で上下関係に厳しい社会に根深く存在するものです。内外の潮流にしっかりと目を凝らし、国民生活の向上に資するような立法を行うことが国会議員の本分なのです。

そして独り議員に留まらず、彼らに助言し、あるいは議論をリードする立場にある法曹界全体の責任でもあります。

日本の民法は、かなりの部分に明治憲法下で作られた家父長制時代の残滓が残されています。明らかに国民主権のもとに、基本的人権と男女平等をうたった日本国憲法とは相容れない内容が、戦後七八年を経た今も散見されるのは、法曹界が本分を全うする努力を怠ってきたからです。

自らの本分を忘れて、ジャニーズ事務所の言いなりだった放送局の制作担当者に至っては、情けないという一言に尽きます。いい番組を作るためにキャスティングが重要であることは言うまでもありません。今回の問題が表面化したあとに、いくつかの検証番組が作られましたが、番組制作の担当者がジャニーズ事務所の意向に沿うことが視聴率獲得のために当然の行動であったとの証言が少なからずありました。そこには自らの本分に対するプライドはかけらも見当たりません。視聴者のテレビ離れもむべなるかなと言わざるを得ません。

さて、報道の沈黙が被害の拡大をもたらしたと指摘されましたが、新聞は自らの本分をどう認識したのでしょうか。報道の責務を深刻に受け止めるならば、事務所の発表を漫然と伝え、有識者の見解を載せてお茶を濁すだけでなく、ジャニー・喜多川と事務所が何をしてきたのか、その被害はどれだけのものなのか、それを許してきた社会のどこに問題があったのかについて、自らの手と足で調査し、報道するのが報道機関の本分なのではないでしょうか。

権力との関係悪化を怖れて沈黙するなら、ジャーナリストを名乗る資格はありません。権力から発せられる情報をそのまま流すのではなく、隠された事実を発掘する努力こそが報道の本分なのです。

（『講演録』一〇月号）

――ジャニーズ問題の本質

大手芸能事務所の創始者であり、長く社長の座にあった故ジャニー・喜多川の性加害問題が世上を騒がせています。この間の報道やワイドショーなどで私が納得いかないのは、ほとんどの発言者が氏といった尊称を付け続けていることです。未成年者に対する性的虐待を取り締まる法律が日本では未整備であるために犯罪者として認定できないということかもしれません。しかし、ジャニーズ事務所が委託した外部の専門家による調査チームが長期にわたる広範な加害の実態を報告し、その提言を受けて社長に就任した東山氏が記者会見で「鬼畜の所業」とまで断じたにもかかわらず、漫然と尊称を付け続ける神経は、一人の人間としての当たり前の判断すらできないマスメディア関係者のお粗末さが透けて見えるのです。

そもそもこの問題が表面化したのは、被害者団体が声を上げたのをBBC（英国放送協会）が取り上げ、続いて国連人権理事会が取り上げてからです。日本の芸能界やメディアそして行政はほとんど動きませんでした。自浄能力を欠いていたのは日本社会そのものです。

しかも最近の広告企業のジャニーズ離れに対する報道を見ていると被害者救済と人権尊重さえ示せば一件落着の気配もうかがえます。

しかし、今必要なのは。今回の未曽有の事件を好機として日本の在り方を見直すことです。まず芸能界は特殊なしきたりや前近代的な使用習慣を捨てて、健全な社会の一員として認められる組織に生まれ変わるべきです。会社組織は社会の公器であり、常に透明性と説明責任が担保される開かれた組織を目指すべきでしょう。所属タレントとの関係はあくまでも契約に基づく対等の関係です。これまでこの業界で当たり前に行われてきたことですが、契約解消後に、元所属タレントの芸能活動を妨害するような行為は犯罪であることを肝に銘じなければなりません。

こうした不適切な習慣が横行してきたことについては、テレビ局の番組制作者にも大いに責任がありまず。性加害の史実を認定した調査チームはメディアの沈黙が加害の隠蔽を助けたと指摘しました。それに先立ってこの問題を特集したBBCも日本の報道機関が果たすべき役割を果たしてこなかったと指摘しています。そのことは全く正しいのですが、テレビ局においては報道局よりも力を持つ番組制作の部門が視聴率獲得のためにジャニーズの専横を許し、隠ぺいにも加担していたことを見逃すべきではありません。

メディアは報道の不在を反省するだけでなく、怪物を育ててしまったこれまでの経緯を検証し、自らも含めた芸能界を健全な姿に変えていく責任があります。事件発覚後に多くのメディアがコメントを発表しましたが、こうした責任について明確に発言したのは、朝日新聞の社説とNHKだけでした。NHKの検証番組では番組制作の現場がジャニーズに支配されていた状況の一端が捉えられていました。民放各局も反省を口にするなら自分の足元で何が行われていたかを自ら検証すべきです。

もう一つ今回の事件で見逃してはならないのは政治と行政の怠慢です。女子児童に対する性加害については法的に厳しく取り締まられていますが、男子児童については完全に野放しです。しかし国際的にはカトリック界における性加害が大スキャンダルになるなど大きな問題になってきました。偉そうにSDGsを唱えながら足元の人権侵害を無視してきた政治と行政もまた猛省し、遅ればせながら法整備を急がなくてはなりません。

（『講演録』一一月号）

――石橋湛山と私

私は一九七一年に東洋経済新報社に入社しました。大学卒業後は文章を書く仕事をしたいと考えていた私は、新聞社や出版社をいくつか受け、縁あって東洋経済に入ることになったのです。早稲田大学の経済学徒であったときに、小松雅雄教授が講義の中で『週刊東洋経済』の理論経済学シリーズを高く評価したことがありました。ちょうどゼミの自主研究のテーマが公害問題に決まったので、早速、『週刊東洋経済』の臨時増刊・公害特集号を買い求めました。初めて手に取った『週刊東洋経済』は、内容が具体的で分かりやすかったという印象があります。そしてこの特集号を読み込んでいたことが、入社試験の論文テーマの公害問題に適切に答えられる幸運につながり、無事入社に至りました。

さて私が入社した一九七一年は、石橋湛山（いしばしたんざん）全集の刊行が始まって間もなくでした。先輩たちの勧めで早速全集を買い求めました。早稲田大学出身の大先輩のジャーナリストであり、戦後は政界に転じて早稲田初の首相になったことは当然知っていました。東洋経済への入社が決まった後に『大正期の急進的自由主義』を読み、東洋経済の培ってきた自由主義と国際協調の精神についても一定の理解をしていたと思います。しかし、石橋湛山の言説に直接触れる機会はまだありませんでした。その最初の出合いは、入社してすぐ購入した石橋湛山全集を紐解（ひもと）いてからでした。

全集の第一巻を読み始めて最初に瞠目（どうもく）したのは、「愚かなるかな神宮建設の義」（『東洋持論』大正元年九月号）という文章です。その趣旨は前年に亡くなった先帝明治天皇の事績を記念して神宮を建設する運動を批判し、どうしても先帝を顕彰する事業を興したいのなら、世界の平和と科学技術の発展を支援する明治賞金を創設したらどうかと説くものでした。この中で湛山は、明治時代を日清・日露戦争の勝利によって版図を拡大した輝かしい時代として捉えるミリタリズム、帝国主義一点張りの考え方を排し、明治初年の五箇条の御誓文で示された「衆議を集めて万機公論に決すべし」をはじめ、度重なる詔勅によって進められてきたデモクラシーの発展こそが明治天皇のいまだ未完成の事業であり、その完成にまい進することこそが肝要であると説いたのでした。

加えて湛山は明治天皇の喪に服するために浅草の大衆芸能の興業が禁じられ、仏教界が提唱した殺生の一時停止を取り上げ、貧しい庶民の正業を侵害すると非難しています。昭和天皇の崩御や東日本大震災に際していわゆる歌舞音曲を伴う祭礼をはじめとするイベントが半ば強制的に自粛に追い込まれたことを百年を超えて受け継がれてきた日本社会の病弊として深刻に受け止める必要があります。そのことを今よりもはるかに勇気が必要だった時代に堂々と述べた湛山の姿勢は、ジャーナリスト一年生の私に強烈なインパクトを与えるものでした。

自由主義者としての湛山の数々の言論活動、特に帝国主義の高揚に毅然として異を唱えた、「一切を棄つるの覚悟」や「大日本主義の幻想」で提起された徹底した小日本主義の思想につながる主張や考え方の、この論文には極めて明確に示されています。明治という時代を帝国主義の成果としての版図の拡大という側面からとらえるのか、社会制度の整備や議会の創設といった民主国家の礎を作った側面からとらえるかによって、その後の日本の針路は大きく変わることになります。実際に大正期には日本のデモクラシーは大きな前進を遂げましたが、その後は海外の権益の獲得による国力の増大を目指す勢力が優勢になり、やがて軍部の独裁による無謀な戦争へのめり込んでいくことになります。神宮の建設という愚かな総括しかできなかった日本の社会のありように、近代日本の挫折の予兆を感じ取ったのがこの言説であったとも言えるのではないでしょうか。

そして敗戦後の再生への歩みを始めるにあたって、この問題の総括ともいうべき言説が「靖国神社廃止の議（昭和二〇年一〇月一三日号社説）」です。毎年八月一五日の終戦記念日が巡ってくるたびに内閣総理大臣や有力政治家の靖国参拝が取りざたされ、中国や韓国からの厳しい非難など物議をかもしてきました。メディアを通して繰り返されるさまざまな議論、特に保守勢力からの言い訳や開き直りを目にするたびに思い起こされるのが『週刊東洋経済』に掲載されたこの社説です。大日本帝国の発展の象徴である明治天皇を軍神として祀るのが明治神宮であるのに対して、戦死した日本兵を軍神として祀るのが靖国神社です。湛山はこの社説の前段で、いわば日本の軍国主義の象徴である靖国神社を存続させることが国際的にどう受け止められるかに懸念を表明し、後段では日本国民自身がこの神社とどう向き合うべきかを論じています。明治以降多数の戦死者の犠牲のもとで獲得してきた海外の権益はそれを守るために肥大化した軍部の暴走によって結局全て消滅することになりました。敗戦国日本の戦後は武力による国力の増大という考えを一切捨て去り、経済的発展を目指さなくてはなりませんが、それは戦死者を軍神として祀る靖国神社とは相容れないものです。特に日本を破滅に導いた満州事変以降に指導的立場にあった人たちを祀ることには遺族の間にも異論があるはずで、そのような神社は存続させるべきではないと説いたのです。大東亜戦争については国民等しく責任があるとしても、自ずから軽重があるとして、戦没者の誰を祀り、誰を祀るべきでないかに議論があるであろうし、その結果恨みの対象にもなるであろう神社は、とても靖国とは程遠い存在になってしまうと危惧したのです。

この危惧は、靖国神社が東京裁判のA級戦犯を合祀したときに表面化しました。首相や閣僚などの公式参拝に中国や韓国が激しく反発し、両国との関係悪化や国民感情の悪化がもたらされました。首相の公式参拝はその政治的信条によって強弱一様ではありませんが、最近では保守勢力に阿る様子も伺えます。中韓の国内事情から政治的に利用されたことも多かったと言えるでしょう。いずれにしても靖国神社の存続が災いのもとになったのは確かです。

日本国内においても、靖国神社はその靖国という名前とは裏腹に、むしろ国民分断の象徴として存在することになりました。そして敗戦という挫折を機に、靖国神社が担ってきた軍国の歴史をどう総括するのかという課題は果たされないままになりました。二〇一二年末の総選挙で大勝して首相に返り咲いた安倍晋三氏は、満州支配に辣腕を振るった過去を持つ岸信介元首相の孫であり、戦前・戦中の否定から出発した戦後民主主義の見直しを提唱しました。靖国神社を崇敬する保守勢力の期待の星であった安倍元首相は戦後レジームからの脱却を掲げて意気揚々と米国に乗り込みましたが、戦後民主主義の否定は同盟国である米国に到底受け入れてもらえるものではありませんでした。日本会議に連らなる政治家たちが引きずっているのは、大日本帝国の栄光の残滓にすぎませんが、明治神宮から靖国神社に至る帝国主義と軍国主義の歴史を自ら総括し得なかったことが現在の日本政治の停滞をもたらしているのではないでしょうか。

明治時代の日本の発展を帝国主義と軍国主義の成果としてとらえる考え方に異を唱えた湛山は、海外権益の拡大と保持のために膨張を続ける軍部に異を唱え続けることになります。

大正から昭和にかけての敗戦に至る時期の湛山の言論活動は、まさに帝国主義と軍国主義を体現した大日本主義との闘争でした。

明治時代に獲得した植民地や海外の権益に加えて、第一次世界大戦で得た漁夫の利やその後の中国やソ連に対する干渉（かんしょう）によって、守るべき海外の防衛線はさらに満州やシベリアへと拡大していきました。本土防衛のためなら軽微で済んだ軍備は膨張を続け、軍部の発言力は増大していきました。そうした流れに抗して書かれたのが、「一切を棄つるの覚悟（大正一〇年七月二三日号の社説）」とそれに続く「大日本主義の幻想」です。

それまで歴史書の中で満州事変から日支事変を経て大東亜戦争、さらには太平洋戦争へと、軍部が日本を破滅へと導いていった経緯は知っていました。そして国民の多くが植民地の獲得こそが国の発展の最善の方法であると信じ込み、軍部の満州への進出と軍備の拡張に喝采（かっさい）を送ったことも知っていました。しかし、入社して間もない頃の自分はこうして軍国主義に傾いていく日本で植民地や海外の権益の獲得に反対し、それを可能にする軍備の増強にも反対し続けたジャーナリストが存在したことには、恥ずかしながら無知でした。「愚かなるかな明治神宮建設の議」という論説に刮目（かつもく）し、その後に書かれた論説を読み進んでいくうちに、石橋湛山が軍国主義と帝国主義にのめり込んでいく国を押しとどめようとし続けた歩みを体感し、その粘り強く批判し続けた姿を目の当たりにすることになりました。一つ一つの問題について、現実を公平に分析したうえで自前の結論を導き出し、それを堂々と主張する。そうした記事は私が日常的に接している現実のマスメディアの世界ではほとんど目にすることのないものでした。すぐにそうした意味のある記事を書けるようになるとは思いませんでしたし、そうした機会もその頃はまだありませんでしたが、いつかはそうした記事を自在に書きたいと願うようになりました。

軍部の暴走によって日本は破滅への道を突き進んでいきますが、大衆はむしろそれを歓迎し、積極的に支持しました。それを後押ししたのは大新聞で、満蒙開拓の募集活動を競い合って展開することで販売部数の増加を図ったのです。

そうした中で植民地と海外の権益を自ら放棄することこそが日本の国益であると主張したのが湛山でした。世情は軍縮を進めようとした政治家が襲撃されるなど次第に物騒になり、やがて五・一五事件や二・二六事件を経て軍部独裁の戦時体制へと移行していきます。満州事変以降の湛山は受け入れがたい現実の中で少しでも許容できる改善策を探っていきます。それは思想的変節ではなく、現実と真摯に向き合って少しでもより良い道を探るものでした。

先に取り上げた敗戦直後に靖国神社の廃止を唱えた社説の中で、湛山は満州事変以後に指導的立場にあった人たちの責任に触れ、日本国民自身がそれをきちんと検証しなくてはならないと述べています。しかし、日本は一億総ざんげという安易な言葉で責任の軽重を検証することを回避しました。民主国家として再出発した日本が戦時体制下の制度や思想を完全に払拭できないままでいることも、そうした帝国時代の総括をなしえなかったことに起因しているのではないでしょうか。

私は東洋経済新報社の社長であった二〇一二年から経済倶楽部の理事長時代にかけて二〇二〇年までの九年間、毎年一月に開かれる賀詞交歓会に講師として招かれました。秋田県は東洋経済新報社の創設者である町田忠治の生誕の地であり、戦争末期に東洋経済と経済倶楽部が疎開していた横手市も秋田県にあります。初めて秋田を訪れた年、世話役の方の計らいで、横手市にある東洋経済ゆかりの場所を見て回る機会を作って頂きました。東洋経済が疎開していた印刷会社は今も当時のままの姿で印刷業が営まれており、店先には東洋経済の疎開の地であることを記した説明が掲げられています。

湛山はこの地で終戦の日を迎えました。その前日秋田市は激しい空襲に見舞われ、終戦の情報を事前に得ていたにもかかわらず、頭上を通過するB29の大編隊の轟音(ごうおん)に一抹の不安がよぎったことが日記には記されています。

戦争が終わって湛山が最初に書いた社説が、「更生日本の門出は前途洋々たり」です。湛山がこのように言い切れたのは平和国家として通商に生きるという国の本来あるべき姿が、敗戦によって実現したからにほかなりません。植民地と海外の権益の全てを失った日本は、軍事費のくびきから解き放たれ、経済の発展に専念することができます。勤勉で向学心に富んだ国民は必ずや焼野原から立ち上がれる。戦後の日本の経済成長は、まさしく湛山が予想した通りになりました。

湛山の言説の最大の特徴は一貫性です。奇しくも日本は敗戦によって小日本主義で生きていくしかなくなりました。湛山が確信したように、それが戦後の日本の発展をもたらしたのです。ただ一つの懸念は、それが自ら選び取ったものではないことです。国民を一つの思想のもとで管理した帝国主義の時代を肯定しようとする勢力は根強く残っていますし、何事も国に頼りバラマキを受け入れ、競争を忌み嫌う自立しない人たちも少なくありません。自ら物を考える精神こそが湛山の思想を受け継ぐ基礎になるのだと私は思います。

（『自由思想』一一月号）

―― 大衆迎合の不毛

岸田首相は年内の解散を見送り、経済対策に専心すると言明しています。その財政的な裏付けとなる補正予算案が閣議決定され、一一月二〇日から国会での審議が始まり、月内には与党案が成立することになるでしょう。

臨時国会の冒頭の所信表明で「経済、経済、経済」と連呼し、経済対策で人気回復を図ろうとしたのでしょうが、内閣支持率は三〇％割れと発足以来の最低水準が続いています。

補正予算案の中身を見ると、最もらしいタイトルが銘打たれていますが、要するに総額一三兆円を超える壮大なバラマキです。しかもその財源は国債の発行で過半数が賄われることになっています。

これまで、資源価格や円安の進行によってもたらされた電力料金の引き上げやガソリン価格の上昇に対して、もっぱら給付金や助成金の投入などの財政措置で値上がり幅の圧縮に努めてきました。しかし、一時的な期間限定の応急措置は、痛みを先延ばしするだけです。事実、今回の経済対策では軽減措置の継続に多額の資金が追加投入されています。地球温暖化に対応したエネルギー転換はよりコストの高い代替エネルギーへのシフトが続くことになります。

コロナ後の世界経済の回復によって、資源価格は高止まりが避けられないでしょう。しかも新しい価格体系への移行を受け入れて生活スタイルを変えていくしかないのです。

世界が物価上昇に対応して金利引き上げに走る中で、独り日本だけが超金融緩和政策を継続し、それが大幅な円安によって、さらに国内物価を押し上げる結果になっています。消費者物価を日銀が金融政策の転換を行う二％のインフレ率を大幅に上回る状況が続いている以上、日銀は物価の番人である本来の役割に立ち返って引き締めに転じるべきです。それが政府の野放図なバラマキを止めて日本経済を破滅から救う唯一の途です。

第二次安倍政権が推し進めた経済政策、いわゆるアベノミクスの本質は超金融緩和による円安の誘導と株高でした。円安は輸出企業の収益の改善と株高による資産効果をもたらし、景気の回復を実現したかのように見えましたが、企業の前向きな投資を呼び込むことはできず、内需主導の自律的な成長にもつながりませんでした。何よりも禍根を残したのは、政府と一体化した金融政策が日銀の独立性を損ない、国債の大量購入とＥＴＦの購入、そしてその後に導入されたイールドカーブコントロール（長短金利操作）政策が金融市場の市場機能を著しく歪めることになったことです。そして財政規律を無視したバラマキを可能にしたのです。

唯一の救いは岸田政権がいくらバラマキに血道をあげても支持率が上がらなくなったことです。国民はそこまで愚かではなかったということであればいいのですが。

（講演録一二月号）

二〇二四年

――神宮の森は誰のものか

明治神宮は、明治天皇の崩御の後にその遺勲を顕彰するために造営されました。建設の推進に際しては一大国民運動が展開され、神宮本体が鎮座する内苑の建設には国費が投入されましたが、外苑は民間からの寄進や労働奉仕によって建設されました。第二次世界大戦後の復興にあたっても民間の人たちの無償の協力が大きな力になりました。

こうした経緯から考えても、形は国営から民間の事業に変わっても、公共的な色彩のきわめて強い園池であることは疑いようがありません。神宮外苑には二つの野球場やラグビー場、記念館などが森に包み込まれるようにして散在していました。秩父宮ラグビー場や神宮球場はアマチュアスポーツの聖地として長く親しまれてきましたし、観光名所としても有名なイチョウ並木を含む神宮の森は大都市では貴重な緑豊かな公園として市民に親しまれてきました。都市における緑は温暖化によって激しさを増すヒートアイランド化を緩和するだけでなく、防災の役割も担っています。

昨年三月に着工した明治神宮外苑地区の再開発事業は、三井不動産、明治神宮、日本スポーツ振興会、伊藤忠商事が行う事業で、神宮球場と秩父宮ラグビー場を建て替え、超高層ビル二棟を新たに建設する計画です。ラグビー場を第二球場跡地に移設し、ラグビー場跡地に新球場を建設しますが、この建て替えにあたって高さ三メートル以上の中高木七四三本を伐採、新たに八八七本を植樹する計画でした。

この計画が公表された後、ユネスコの文化遺産審議会の下部組織である日本イコモスや亀井静香氏のグループなどから反対や見直しを求める声が上がりました。いったんは計画案を了承した東京都も九月に一四六本のイチョウ並木の保全策と伐採本数の削減を要請。事業者側が見直し案の作成を進めています。

かつて都市工学の権威として知られた伊藤滋氏が東京のヒートアイランド化の対策として樹木の枝葉の剪定を控えることを提言したことがあります。暑さ対策としても、そして深刻さを増す温暖化対策としても、今必要なのは、現に存在する緑を保全し、少しでも緑を増やすことです。大きく育った大木の価値が単なる本数以上に重要なのは言うまでもありません。

日本イコモスは、百年にわたって育まれてきた世界に類を見ない公園が破壊されようとしていることに警告を発しましたが、明治神宮はその歴史的経緯から考えても国民の共有財産です。それでも神宮の存続にこの事業が欠かせないと強弁するのなら経理を公開し収支計画を明らかにすべきでしょう。

明治神宮は明治天皇の遺勲を顕彰しようという国民運動の結果として造営された施設です。

（『講演録』一月号）

――失なわれた倫理

昨年末から政局を震撼させている政治資金規正法違反問題は年が明けてさらに広がりを見せています。政治資金集めのためのパーティー券の販売を巡り派閥のノルマを超えた分が議員側にキックバックされ、それが派閥と議員双方の資金報告書に記載されていなかったことが東京地検の捜査で明らかになっています。その裏金の額は最大派閥の安倍派が六億円超、次いで二階派が二億円超に上ります。

すでに地検特捜部は安倍派の派閥幹部五人衆や二階派会長の二階氏などに事情聴取を行い、関連する事務所の家宅捜査も行っています。また、最も巨額の裏金を手に入れたとみられる議員が逮捕されています。

こうした事件の広がりを受けて、岸田首相は安倍派所属の大臣、副大臣、政務官を更迭し、党役員からも交代させる人事を断行しました。皮肉なことに、これまで下がる一方だった内閣支持率は年が明けてわずかながら上昇しています。

政治資金規正法に違反した裏金作りを政権派閥であった安倍派が組織ぐるみで大々的に行ってきたことはもはや疑いようがありません。しかし、報道陣にそのことを問われた安倍派の政治家たちは、異口同音に、「捜査中の事案であり、発言はさし控えたい」と口を閉ざしています。捜査に支障が生じることを言い訳に口を閉ざす犯罪者は少なくありませんが、政治家が最優先で果たさなくてはならないのは国民に対する説明責任です。政治資金規制法は、政治家が自らの手で定めた法律です。「法に基づく支配」をことあるごとに世界に喧伝してきた安倍元首相が率いた派閥が違法な裏金作りを長年にわたって続けてきたのですから。政治家のなすべきことは、まず自らの知る事実を明らかにして国民に心からの謝罪と反省を述べることです。安倍派の幹部にそうした誠意のある政治家が一人として存在しないことがこの派閥の堕落を如実に物語っています。

七年八カ月に及んだ安倍政権の後半にはさまざまなスキャンダルが発生しました。森友学園や加計学園の問題は知人・友人への便宜供与や利益誘導、そして官僚の権力への忖度の問題でしたし、「桜を見る会」の招待者や旧統一教会の選挙支援は、もっぱら安倍派の利害にかかわる問題でした。広く国民の利益に奉仕するよりも自らと自らの組織の利益を優先する風土がこの組織を蝕んでいるのです。岸田首相が立ち上げた政治刷新本部の議論では罰則の強化や派閥の解消などを止める声が上がっています。しかし政治家に求められるのは、自派の利益の追求ではなく国民全体の利益に奉仕する姿勢であり、法の精神に照らして恥じることのない行動をとる政治家としての倫理です。

（『講演録二月号』）

――あるがままに

昨年一月に七五歳になりました。一つの大きな変化は三年間お世話になった健康保険組合を離れ、後期高齢者医療保険に加入したことです。これまで社保の担当者から毎年健康診断の案内を受け結構真面目に受けてきました。しかし、これからはあるがままに生きたいと思っています。

健康診断には重要な病気の早期発見に加えて、生活習慣病の予防という目的があります。そのため、一定の基準から外れた項目があると再検査や医師の診察を受けるように指示されます。私の場合四〇代になってから高脂血症（こうしけっしょう）として診断され、いつも呼び出しがかかってきました。最初は生真面目に医師の診察や栄養指導を受けました。当時はメバロチン（一般名：プラバスタチンナトリウム）が開発されて間もない頃でしたが、服用に少し逡巡（しゅんじゅん）すると医師が心筋梗塞（しんきんこうそく）などのリスクが高いのですよと半ば叱（しか）り付けるように言いました。

服用後しばらくしてコレステロール値はみるみる下がりました。何回目かの診察で別の医師から「そろそろやめましょう」と言われました。後から考えると、最初は副作用のない薬とされていたのに結構深刻な副作用が判明してきたからかもしれません。

結局、服用をやめるとコレステロール値は再び基準値を大きく上回るようになりました。当時はテレビ等でドロドロ血の恐ろしさが盛んに喧伝（けんでん）され、血管にコレストロールが付着して血流が悪くなったり、血管がもろくなったりすると言われていました。

しかしあれから三〇年、呼び出しには二度と応じずコレステロール値は高止まりしたままですが、何の問題もなくいたって元気に過ごしています。

何年か前に講演をお願いした大櫛先生によれば、破れた血管にLDLコレステロールが集まっていたために悪者にされましたが、実は修復のために集まっていたのです。コレステロール値が高いと血管が詰まると言われましたが私の血圧は低いままです。要するにコレステロール値は健康とは何の関係もないのです。

もう一つの重要な指標は血圧です。血圧が基準値を上回ると多くの医師は降圧剤を処方します。生活習慣病の予防によって将来の医療費が節減できると厚生労働省は、喧伝してきましたが、基準値の厳格化によって大量の高血圧症患者が作り出され、医療費の大幅な増加につながりました。

ヨーロッパではとりあえず降圧剤を出すのではなく、運動の実践が奨励されています。副作用のある降圧剤の処方には慎重な姿勢で臨んでいるわけです。しかし、アメリカでは再び基準が厳格化され降圧剤の積極的な使用が行われるようになっています。日本、アメリカの流れを踏襲しているようで、ある若い医師は「最近は降圧剤を積極的に使うのですよ」とのたまいました。

そもそも血圧は加齢によって上昇していくものです。年齢を無視して一律の基準を当てはめる態度はいかがなものでしょうか。

（『講演録』三月号）

「経済倶楽部誕生とその時代」

急遽私のできる範囲のことをお話しして、皆さんの時間を無駄にしたということのないようにしたいと思います。

記者・編集者の次にデータ事業を担当

演題も急遽作りましたので、話の出だしはその話からいたします。私のプロフィールは申し上げる必要もないかと思いますが、昭和四六年、一九七一年に早稲田大学を出て東洋経済新報社に入社いたしました。会社、産業の取材、執筆を約八年から九年いたしまして、その後、編集部に入り、編集のアシスタントをする。それから関西支社へ行き、約三年勤務いたしました。その後帰りまして、今はなくなってしまいましたが、『オール投資』という投資雑誌の副編集長、さらに『会社四季報』の編集長、それから『オール投資』の編集長と『週刊東洋経済』の編集長などをいたしました。その後、私ども会社の記者は会社を辞めるまで記者をやりたいという人が多いのですけれども、第二編集局と当時言っておりましたが、データベースを作っております部隊にぜひ来てほしいということで、ここで企業情報の整備を進めることになりました。その後、いったん雑誌編集に戻り、もう一度、第二編集局で本腰を入れてデータバンクの仕事をしました。

今から考えると、東洋経済が皆さんのご存じのような出版や雑誌の世界ではなく、データの整備、それからこれをオンラインに乗せてデイリーで証券会社をはじめとした金融機関に送るということが始まった時代でした。ここにおいでの方は銀行関係の方も多いかと思いますが、まず金融機関がこういったメインストリームを使ったデータの整備、それからそれを使ったサービスというふうに展開をしたわけです。九〇年代にダウンサイジングが始まり、その後、われわれの会社も『四季報』の制作等がその都度データや文章を書き換えるだけではなく、データの整備を毎日行って、それを使うというふうに転換していきました。ある意味では日経が会社情報でわれわれの市場に入ってまいりまして、それに対抗するためにわれわれも新しい作り方に挑戦せざるを得なかったということもありますし、それから金融機関、特に証券会社に提供している情報が『四季報』だけではなくて、毎日新しいデータを送るというサービスがあるということをわれわれも理解して、そこに入っていったわけです。

そういうことで思い返すと、九〇年代から二〇〇〇年代にかけて東洋経済は出版社であるだけでなく、次第にデータビジネスを広げていくことで新しい時代に入っていったという気がいたします。これが私の第二の人生になったわけで、その後、九〇年代は皆さんもご存じのようにインターネットが普及し始め、二〇〇〇年代はＩＴの時代になりました。その中で、二〇〇〇年を越えてきますと、われわれも雑誌や出版のビジネスではなく、データビジネスが実は事業収支で一番大きな部隊になりつつあったわけです。その中から東洋経済はある意味でオンラインとネットの世界で生き残りを図るというような時代に入っていきました。私はたまたまその第一線におりましたので、インターネットを使った情報提供をしないとわれわれわれは法人向けだけの会社になってしまう。それが当時の私が一番危惧したことでした。皆さまから取材をして情報を得ても、一部の大手金融機関だけに提供するということではわれわれのメディアとしての義務が果たせないと感じたものですから、当時まだ芽しかありませんでしたが、インターネットのサービスをとりあえず始めるということを決心いたしました。それが私の最後の仕事になりました。

これは社内では今でもそうですけれども、編集記者をしていた人たちはこういったビジネスにはあまりシンパシーがありません。毎日短い記事を書いて出すなんていうことは嫌だと言う人が多いものですから、私が現場で説得をしたときもおよそ九割は反対でした。組合も反対するし、役員会でもほんの数人しか支持はありませんでしたが、何とかインターネットをスタートさせて、いろいろトラブルもありましたが、これが現在ではある意味でうちの主力商品になりつつあるということです。先輩のある人たちからはおまえは雑誌を潰す気かと言われたんですが、私は毛頭そんなことは考えておらず、雑誌はもちろん続けるけれども、インターネットで東洋経済の情報を見たい人がいれば出すのは当たり前だと。どちらが重要かということではなくて、これはどんなビジネスでもそうですけれども、サービスを決めるのは利用者であって、われわれ自身が好きでこちらだけでやるとか、そういう問題ではないだろうと当時いろいろ申し上げたわけです。

話はちょっと先へ進んでしまいましたが、そういうことで私がデータの責任者として役員になり、その後社長になり、インターネットのサービスを何とか軌道に乗せたわけです。しかし、当時はまだ利益を生む事業ではございませんでした。私の後、二代にわたってこういったデータとインターネットのビジネスが花開いたわけでありまして、そういう意味では、メディアとしての東洋経済がかつてなかった幅広い方々に情報を提供する会社になったというふうに思っております。

経済倶楽部は「無形の東洋経済」

それで、今日のお話の取っかかりですが、私は八年ぐらい前、前任者から声をかけられましてこちらへ来いということで、社長を退任してすぐにこちらへ参りました。もちろん経済倶楽部の存在は知っていたわけですし、時々はのぞいたりしておりましたが、改めて当時の状況等を調べる機会がございました。一九三一年に経済倶楽部は誕生したわけです。一九三一年というのはわれわれの年代ですと昭和六年と言ったほうが適切かもしれません。これは満州事変が勃発した年であります。この翌年、一九三二年には五・一五事件が起きまして、犬養首相が襲撃されて暗殺される。さらに五年後の一九三六年には二・二六事件が起きました。クーデターは成功しませんでしたが、かなりの要人が暗殺されることになりました。その翌年の一九三七年には盧溝橋事件が起きます。これが日中戦争の始まりであります。日中戦争は日本では当時、北支事変とか、支那事変とか呼ばれましたが、宣戦布告なき戦争でありました。それで、一九四一年になってアメリカをはじめとする諸国に戦争を仕掛けることになります。ですから、一九三一年という年はある意味で日本が誤った方向に走り出すその入り口にあったわけです。

経済倶楽部の誕生ですが、当時、東洋経済新報社が新宿にあった本社を日本橋に移転して新しいビルを建てるということになりました。日銀の横で、日本橋区（現・中央区）では一番高いビルだったと言われております。しかし、一番上が空いてしまいまして、これを有効活用するために英国風の倶楽部を作ったらどうかという案が出ました。石橋湛山社長が当時を振り返って、これは「無形の東洋経済」であると。

つまり、有形である雑誌や出版の形で刊行物として皆さんに情報を提供するということだけではこれからは不足する。直接生の情報をコアな読者の方にきちんと提供していく。それをやっていくために講演会が必要であると考えたわけです。

一九三一年から一九四五年までを振り返ってみると、ここを起点として次第に言論の自由が失われ、報道の機会が減っていく。そして、大手メディアは全て政府に従って、政府の言いなりに報道するという時代に入っていったわけです。東洋経済はある意味ではそれに抵抗して、政府の方針に反するようなことを書き続けたわけですけれども、一方で紙の供給が減り、言論弾圧が行われ黒塗りの雑誌になるというような状況の中で、経済倶楽部という存在は東洋経済が掲げてきた自由主義の最後の砦（とりで）になるということだったと私は理解しております。

当時の記録を見ると、東京の講演会だけではなくて、全国各地をさまざまな人を動員して講演をして回ったわけです。それが終戦の時まで続きました。もちろん講演会も憲兵に停止を命じられたりすることもありましたが、とにかく少しでも生の情報を、当時の言葉で言えば権力の側に与（くみ）するような方たちも含めてきちんと伝えるという役割を果たしてきました。戦後、情報というものはむしろだんだんにさまざまな形で皆さんに提供される時代になっていきますから、ある意味で役割も変わっていったわけですけれども、とにかくわれわれが目指してきたものは政界、財界、学界、いろいろな第一級の方たちの生の情報を提供するということでありまして、この価値というものは今も変わっていないと私は思います。

一九三一年当時、財界の方に支援を仰ぎ、最初に募集した数はあっという間に埋まったと言われておりますが、法人主体の倶楽部であったと思います。しかし、現在は皆さまご存じのように企業は社会的あるいは一般的な話をするようなものが、社業にとってどの程度価値があるかということを世知辛く判断するようになってきたと思います。ですから、法人会員は徐々に減少し続け、一方、年を取っても勉強したいという方は引き続きむしろ増えていくというような状況の中で、何とかわれわれもこの会を維持しているわけであります。

東洋経済新報社の目指したもの

われわれが目指したものは何だったのかということを考えますと、先ほど申し上げたように一九三一年以降、日本は大正デモクラシーの後の高揚した民主主義の後、軍部独裁の国家管理の社会に変化していったわけです。今から考えてみると、当時の『週刊東洋経済』を中心に東洋経済が展開をしていたのは、日清・日露戦争以後の海外権益の獲得、そしてその権益を守るための武力の高揚、軍事費の拡大といったものを批判するということでした。ですから、よくご存じの「二一カ条の要求」というのがありましたが、これに真っ向から反対する。それから、ロンドンの軍縮条約や、その前のワシントン条約についても軍縮を積極的に進めるべきだという立場を取ったわけです。

これが一番激しい形で主張したのが「小日本主義」でありました。「小日本主義」と言ったときにピンとこない方もおられるかと思いますが、いわゆる帝国主義的な国の発展、植民地の獲得による国力の涵養といったことに対して、領土の拡張や海外権益の獲得ではなくて、通商、貿易を通じて国力の強化を図るべきだという考え方です。ですから、「大日本主義の幻想」というタイトルの「社説」の中では、全ての海外の権益を日本は放棄すべきであると。これを主張した石橋湛山のもとになった考え方というのは、前任者である三浦銕太郎という人が「小日本主義」の論文を初めて書いたわけですが、要するに、海外の権益を守るためには大きなコストが必要になる。しかも、本当の日本の領土ではありませんし、それぞれ現地の方たちがいるわけですから、そういったものを維持し、日本の進出を警戒する周辺の国家に対してもとにかく武力を強めて軍事費を拡大させる。そういったことが日本経済を蝕んでいく。つまり、必要な投資を行うのではなく、それが軍事費に注ぎ込まれていく。その一方で軍部が強大化し、軍部の専横を許すことになるという見解を持ったわけです。それがどういうことになったのかについては歴史的に皆さんがご存じの通りです。

太平洋戦争に至るメディアの責任

昨年(二〇二一年)一二月、NHKで『倫敦の山本五十六』というドラマが放映されました。私も興味があったので見ました。元SMAPのメンバーだった香取慎吾が山本五十六を演じるということでちょっと話題になりましたが、いわゆる軍神、英雄としての山本五十六ではなく、もっと若い頃に海軍上層部に命じられてロンドン条約の交渉に当たることになってロンドンに赴いた山本五十六が描かれています。彼や彼の友人たちの中には、海軍の膨張、ひたすら強大化を目指すということが米英との軋轢を生むと危惧する人たちがいたわけです。それもまた歴史的に知られていることですけれども、しかし一方で、ワシントン条約でアメリカ、イギリスに対して低い比率の軍備しか持てないというような約束をしたということが日本の軍部及び国民の憤懣を買った。ロンドン条約はそれを引き続き認めるかどうか、どういうふうな形にするかという交渉だったわけですが、海軍上層部は時間を稼ぐだけでいい、決裂していいからおまえはとにかく交渉をやれと。しかし、山本五十六は何とか条約をまとめて、軍事費の拡大が軍備拡大競争という形で国を損なうことを避けたい、という考えを持っていたというふうにドラマの中ではされております。このドラマの下敷きになっているのは最近になって発見された、山本五十六が本国の海軍省に送った、こういう形で妥協を成立させたいという機密文書です。その文書をもとにこのドラマができているわけですけれども、要するに、米英と同じ地位を獲得するためにとにかく条約は潰してしまうのか海軍中枢の考えだった。しかし、お互いに軍事費の際限のない拡張は経済を損なうという点では一致しているわけです。米英との関係が決裂すればいずれ戦争に発展するということも予想ができた。彼はそういうことで交渉を何とか続け、そして一定の妥協をしながらも日本の誇りも守る提案を本省に打電する。その記録が残っていたということです。しかし、それは本省の受け入れるところにならなかった。彼はやむなくそれを米英に伝えて帰国するわけですが、ある意味でそれが太平洋戦争の始まりに連なり、それが山本五十六のその後の生涯を決めてしまった。ドラマの中では、海軍にとっての満州事変がこのロンドン条約の破棄であったと言っています。確かにそれまで一定の段階で押さえられていた軍事費が無制限に拡大する素地となったわけです。武器の獲得がやがて戦争につながるということは、ある意味で歴史的な真実でして、満州国の設立に至る陸軍の暴走も同じようなことが言えると思います。

私がこの間の一連の動き中で気になるのは、こういった軍部の専横を許したのは、果たして誰であったのかということです。ワシントン条約の結果に対して暴動に近い形で抗議をした国民がいましたし、ロンドン条約を結果的に決裂に導いた山本五十六は、大変な喝采をもって迎えられた。彼の本意ではなかったけれども、これで日本は米英と肩を並べられるという国民の歓声をもって迎えられたということです。しかし、それはある意味で全体の状況、それから国の行く末、あるいは経済の行く末に対する国民の無知というものが背景にあるわけです。それをもたらしたものは何だったか。その大きな責任は当時のメディアにあったと私は思います。

満州事変のかなり前から満州への進出が日本に必要であるという空気を醸成し、満州国成立の後は満州への積極的な移民を行うことになり、これが戦後、引き揚げという形で国民の大変な辛苦を呼ぶことになりますが、これを積極的に宣伝し奨励したのは当時の大新聞です。満州へ行こうと言って国民をあおり続けた。決して、軍部が全て悪いということで済む問題ではないと思います。そのときに冷静な判断と冷静な理解というものがあって、国民の熱する心を冷ますのがメディアの本来の役割であったと思います。

東洋経済はある意味でそういったことを最後まで模索し続けたわけですけれども、なぜ東洋経済だけがそれができたのか。大メディアの人たちから言わせれば、東洋経済は小さかったからやれたんだというようなことを言います。しかし、私はそうではないと。つまり、二・二六事件、五・一五事件を経て軍部独裁に偏っていく中で、新聞はほとんど何も抵抗していません。当時の関係者はそんなことをしたら殺されてしまうと。つまり、自分の身の安全が最優先であったわけです。新聞がかつて「第三の権力」と言われたような力を与えられたのは、いざというときにきちんとした歯止めをするためにさまざまな報道の権利が与えられていると私はいろいろなところで教わってきました。けれども、実はそれは全く絵に描いた餅でしかなかったのです。

むのたけじ氏に見るメディアの在り方

東洋経済は戦争末期に横手という秋田の田舎町に疎開して、そこで終戦を迎えました。東京大空襲で焼け野原になりましたから、何とか事業を続けられたのはそこがあったからです。これは秋田の横手という町の有力者たちが印刷会社を何とか引き受けてほしいと頼みに来て、当時の石橋社長がそれに応じたことが一つの縁になったわけです。私も社長になってから、あるいはここの理事長になってからも何回か横手に行く機会がありました。コロナ禍の前、最後に横手に行ったとき、ちょうど『たいまつ』という手作りの新聞を出し続けたむのたけじさんという方が、もう新聞をやめるということが話題になりました。それから半年ぐらいして、むのさんはお亡くなりになりました。むのさんは、戦争中は東南アジアで「朝日新聞」の記者をしておりました。戦後、真実を伝えられなかったと自ら反省をし、新聞記者の職を降りる。それから、自分の見たもの、聞いたものしか書かないということで、『たいまつ』という新聞を始められたわけです。それが支持者たちに配られるということで、連綿と最後まで続いたわけですけれども、これがある意味で本当の記者としての身の処し方であったのだろうなと思います。

もう一つ私がメディアの責任を痛感するのは、一九四一年に戦時態勢に完全に入っていくわけで、そこで新聞は完全に政府の統制下に置かれる。そのために、それまで自主的な組織であった記者クラブというものが政府の御用機関になった。戦後、そういったことを反省して、記者クラブは解散すべきだとGHQから言われたようですけれども、そうはならなかった。それはある意味でGHQにとってもこういったものは有用なものであったということかもしれません。いずれにしても、メディアが過去を反省して、自主独立の自由な言論を取り戻すのであれば、少なくとも政府が御用機関にする前の姿に戻すべきだった。

どういうことかというと、記者クラブというのはもともと明治憲法が制定される時期に、国会開設を控えて、当時の新聞記者、雑誌記者などいろいろな記者たちが集まって自主的なクラブを作って、政府にいろいろな説明をするように求めた、それが始まりです。ですから、一九四一年に至るまでこれは個人の参加による自主的な組織であったということです。戦後はどうか。これは皆さんも今、新聞協会のサイトを見れば分かるように、戦後の再出発のところでは新聞協会加盟各社の組織になりました。個人が参加することはもとより加盟社以外の参加は認めないということです。その後、新聞がテレビに進出することでテレビがそれに加わったということになります。私は直接取材の現場で記者クラブとの軋轢(あつれき)をさまざま体験してきました。ですから、誰が何と言おうと、これは既得権を擁護するための、ある意味で仲間だけの利益を守る組織です。最近、記者クラブの会見をご覧になると、何というひどい状態かとたくさんの方がおっしゃいます。政府の言いなりで、ちょっと違うことを質問しようとしても排除される。こういったことなら解散して勝手にやったほうがましです。

本当のことを伝えない大新聞

そういったことを長年続けてきた結果が今の新聞の部数減、それからテレビも見ないといった状況を作り出している。確かに今若い人中心になっているインターネットというものは、まだ生まれてから歴史が浅い。それから、ルールも不十分で、成熟もしていませんから、さまざまな問題を起こしています。しかし、自由に物を言うということだけは確かで、それでは何が問題かということは、これは利用者がきちんと判断できる、そういったものにならなければ、恐らくちゃんとしたものにならないでしょう。インターネットをご覧になるときに重要なことは、誰がどういう責任で発言をしているかということです。SNS等で、匿名で発言されているものを私はいっさい信用しません。発言するのであれば、出所、それから書いた人の責任が明らかになるべきです。これも実は日本の大新聞がずっと忌避してきたことです。

新聞の作り方は、ここに関係者の方がいたら申し訳ないけれども、執筆者の責任がきわめて不明確です。現場の記者たちが記事を書いて送る。それを本社にいる編集者たちが自由に書き換えて、タイトルも付けて一つのものにするということで作られている。ですから、責任の所在は新聞社にあるかもしれませんが、個人個人の記者の書いたものと全く違ったものになるかもしれません。二十何年前になりますが、国際的なビジネスについての座談会を私が担当したことがあります。そのとき、出席者の一人に早房さんという朝日新聞のベテラン記者がおられました。彼はアメリカに何年か駐在して帰ってきた後で、その経験をもとに国際的ないろいろな考え方についての意見を述べたわけですが、彼がその中でお話ししたのは、新聞記者がアメリカに渡って何とか総局長というふうな立派な名前をもらって、さあアメリカの情報をきちんと取材して、いい記事を送るぞと最初は燃える。早房さんもそういうふうに燃えて、一生懸命自分で取材して記事を送った。しかし、ついにそれは全く新聞には載らなかった。本社のほうからはそんな記事は要らないと。こちらの必要な記事を送ってくれと。こちらの必要な記事って、日本にいる人たちにアメリカで何が起きているのかどうして分かるのでしょうかと。アメリカで起きていることをきちんと調べるために行っているわけで、それを送ったら、日本の読者にはこれは受け入れられないからやめろと言われて、現場の記者たちはやる気をなくして、アメリカの雑誌や新聞を見て安易な記事を送るようになる。彼はそうおっしゃっておりました。この話を実はそれから一〇年近くたって、やはり朝日新聞の非常に偉い記者に聞きましたら、彼も全くその通りだとおっしゃっていました。

こういうことですから、われわれは生の情報、本当の情報をきちんと新聞で受け取ることができない。これは何も新聞のことだけではありません。日本の皆さんの関わっていらっしゃったような大企業においても、本社の意向が全てで、現地が何を言っても聞いてくれないという話は山のようにあります。結局、日本はそういったような形でこの島国に閉じこもって、自分たちに都合のいい情報しか受け入れない。きちんとした情報の交流をしてこなかった。それが先ほど申し上げた戦争へ進んでいった一つの原因であったし、その伝統というものは実は日本は戦後も引き継がれているのではないかと私は思います。今の状況というものがまさしくそうではないかということです。

インターネット時代にどう向き合うか

それから、先ほどそういう意味で私のインターネットに関する経験を少しいたしました。今の状況を若干補足しておきたいと思います。いろいろな情報を漏れ聞いているかと思いますが、昨年、朝日新聞は（購読者数が）四〇〇万部を割り込んだという話があります。この落ち方が最近急激になっている。これはそもそも一九九七年頃インターネットが普及し始めた頃、そこが新聞や出版のピークでありました。書籍の事業はずっと減り続けた後、昨年はちょっと回復いたしました。これはなぜかと言えば、私が考えるに、コロナのおかげで皆さん家に閉じこもっていて、テレビを見ても同じことばかりしていますから、少し勉強する気になったのかなというような感じがいたします。書籍は町へ出て危ないところに行かなくても、今はインターネットで簡単に買うことができます。しかし一方、雑誌の売れ行きはどうかと言うと、相変わらず減り続けていますし、新聞も減り続けている。雑誌のほうはなぜかと言えば、これは皆さんが街に出なくなって会社に行かない人がかなり増えると、この界隈でもそうですけれども、雑誌というのは本屋の店頭で見て、面白そうだなと思うと買うものなのです。定期的に取っていらっしゃる方はもちろんいますし、それはベースになって今も変わっていませんが、たとえば駅の売店で買ったり、街の本屋さんで買ったりという層がかなり多かった。ところが、今、駅の売店はほとんどなくなりましたし、それから、本屋さんも小さい本屋さんで雑誌主体の本屋さんというのはほとんどありません。大型店にみんな変わってしまった。そういう中で雑誌の売れ行きはずっと落ち続けてきたということです。

それでは新聞はどういう打開をするのか。私も二〇〇〇年代以降、雑誌協会のいろいろな役員をしたりして、海外の状況をいろいろ教えてもらうことが増えました。二〇〇〇年代の中頃、ＩＴバブルが終わった後、雑誌、デジタルの将来を考えるシンポジウムを企画したことがございます。アメリカからも大手のメディアの方が何社も来られて、いろいろな講演をされました。そのとき既に彼らは、紙は将来性がない、これからは刊行物ではなくインターネットで生き残らなければいけないという大きな転換をしつつありました。ですから、たとえば紙ベースの編集部を半減させて、一気にインターネットの編集部を、それ以上の部隊に作り変えるというようなことを大胆にしていたわけです。幾つかの新聞がなくなり、インターネットに変わったり、それから『ビジネスウィーク』のように他のメディアに売られたり――これは通信会社が買ったわけですけれども、いろいろなことがその後どんどん起きている。そういった状況は二〇〇〇年代の中頃から二〇二一年まで続いているわけです。

ですから、インターネットというのは確かにアメリカではそうなっているし、日本もいずれそうなるかもしれない。けれども、日本ではまだ大丈夫だという空気が強かったし、少しでも抵抗して紙を守ろうとする考え方の人もたくさんいました。有力な雑誌の経営者が当時雑誌協会というところで私と一緒でしたが、安易にインターネットなんかに乗って、そこで面白いものを提供したりしたら雑誌が売れなくなるだろう、何をしているんだという話になりました。しかし、それは違うと思います。どちらが面白いか、どちらが便利かを考えるのは受け取る側であって、われわれ作り手ではない。これが私の一貫した考え方で、ある意味で東洋経済もそういう形で進んできたわけです。しかし、雑誌の世界でも日本の雑誌業界はインターネットに出遅れてしまったと思います。

出版界にもある既得権について

それから、書籍のほうもそうです。これは今でも東洋経済は大きく関わっているわけですから、あまり大きな声では言えませんが、日本では書籍取次から本屋さんを通じて本を売るという王道がありまして、そこから外れたことをすると業界でいろいろトラブルを起こすことになります。ですから、アマゾンが日本に参入して日本で本の通販を始めるとき、ここにどういう形で本を提供するのか、あるいはどういう価格体系になるのかといろいろなことが問題になりました。日本では書籍の再販制度がありますから、全て価格は一律で今も行っておりますが、アマゾンは徐々に直取引を増やしてまいりました。書籍流通のかなりの部分がアマゾンの直取引になりつつあると言ってもいいと思いますね。皆さんご存じのように日本橋界隈の本屋へ行って、専門書がなくて注文すると一週間から一〇日かかると言われることがあります。これは一定のルートをきちんと守っているからです。われわれは例えば紀伊國屋書店でこれこれの本が欲しいという人がいるけれども、取次経由では時間がかかるので直接持ってきてくれと言われれば持っていきます。ですから、東洋経済の営業マンは一〇冊、二〇冊抱えて特注品を持っていくわけですけれども、伝票は取次を通すということになります。そういうルールですから。しかし、これはあまり合理的なルールではありません。いずれ変化していくということの証しがすでに出てきている。特に全国で配本できないような中小の出版社は、取次を通すことに意味がありませんから、直接アマゾンに行ってしまう。そういった例を私も同業者から随分目にしてまいりました。もちろん全国に配送網を持つ配本してくれる取次の存在は大変ありがたいもので、われわれもそことけんかをすることは得策ではありませんから決していたしません。大事にしているわけですけれども、それだけでは生きていけない。

日本は皆さんがご存じないような、あるいは一般の人たちの目に見えないところでさまざまなしがらみと、既得権の固まりがそこら中に存在しているわけです。いろいろな先生方がここで生産性が低いというお話をいたしましたけれども、日本の生産性が低いのはそういった不合理なものがいっぱい残っているからです。そのことをきちんとわれわれが理解して、特にサービスを受ける側が声を上げないとこれは変わらないと思います。

渋沢栄一について考える

ちょっと話を戻しますと、一九三一年六月にこの倶楽部が誕生し、その年に満州事変が起きます。そして、一一月一一日に渋沢栄一がお亡くなりになりました。渋沢栄一は昨年（二〇二一年）の大河ドラマの主人公で、さまざまなことが放映され、昨年（二〇二一年）七月にはここでも鹿島茂さんに渋沢栄一のフランス体験についてお話しいただきました。テレビドラマでも取り上げられておりましたけれども、渋沢栄一は老年期に入って事業から手を引き、その後、さまざまな慈善活動や民間外交などに身を挺するになります。アメリカにおける日本移民の排斥、それから日米の緊張の高まり、日中のさまざまな問題に対して、渋沢栄一は民間人として民間人同士の友好関係が日本の将来のために必要であると考えたのでしょう。ある意味で老骨に鞭打つようにしてアメリカを縦断して講演をし、中国で災害が起きれば日本で寄付を募るための活動を、病を押していたしました。残念ながら世の中の方向は、彼の思いとは反対のほうに動いていきました。彼が多額の寄付を集めたお金は日本が支那に進出をするということを背景に受け取り拒否に遭うというようなことになり、それが日中戦争へとつながっていくわけです。渋沢栄一は一八九五年に東洋経済が誕生したときも多額の寄付をして支援しております。

彼が掲げたのは、民間の経済をきちんと育てることによって国力を作り上げ、世界と友好的な関係を持って通商を行うことが日本に必要であるということでした。それが一九三一年に亡くなる最後まで彼が全力を尽くしたことでありました。ある意味でそれは東洋経済の一九三一年前後から日本が進んでいく道に対して警告を発し続けてきたことと完全に一致しております。ですから、われわれはそのことを——もう過去のことだと思う方が多いかもしれませんが、私はそうではないと思います。われわれが正しいと思うことがなぜ世の中で通らないかという憤懣はいろいろありますが、そういったものがメディアや権力に沿う形で、あるいはそれを突き動かす力となって、ある意味では非常に偏った見方のほうに流れていくということがございます。

中国とはどう付き合うか

皆さんの中にも最近の中国の問題について憤懣をお持ちの方もたくさんいると思います。私も中国のやり方は全く問題にならないほどおかしいと思いますが、しかしそれは日本がそのために武力を強化し、中国の軍事力の拡大に対抗するというような方向に進むということではおそらくないと思います。中国は共産党になってから、ある意味で唯我独尊のいろいろな政策をしてきました。日中友好が成立した後も、さまざまな勝手な行動をして日本の企業を苦しめてきました。しかし、今や中国は日本最大の貿易相手国であって、日本経済に欠かすことのできないものであります。ですから、政治的、あるいは人権問題として許せないことは許せないとして、われわれは中国と関わりを止めるということができない。それはあらゆる国があらゆる意味で同一のものではありませんし、相手の立場を一定程度尊重して付き合うしかわれわれには手段がない。それをそうではないと、あたかも中国とすぐにでも戦争をすべきだみたいな議論をする人たちがいますが、そういったものに惑わされてはいけないと思います。アメリカはアメリカの事情があって、いろいろなことをしているわけですけれども、日本には日本の事情があるわけです。アメリカ軍のおかげでオミクロンが蔓延したといっても、それではすぐに出ていけというわけにはいかないでしょう。それはわれわれと相手国との間できちんと話をして、お互いにできることをしていくしか方法はないわけです。

われわれはある意味で世界のさまざまな国と交流をすることで成り立っている。それは明治時代も、昭和時代も、現在も変わっていないと思います。そういったベースに目をつぶって、事実やデータから目をそらして、感情的に物を考え、流されていくということが一番危険なことであり、それはメディアが一番してはならないことだと思います。われわれは誰かの言っていることを鵜呑みにするのではなく、きちんと自分で情報を集め、きちんとした知識に基づいて理解して、そして一定の行動を決めていかざるを得ない。これは東洋経済が創刊したときに創刊の辞で書いたことでありますけれども、健全な経済社会の発展は健全な個人の発達によるものであると。それを助けるためにわれわれは雑誌を作るんだということでありました。それは一〇〇年を越えて、今もなおわれわれの課題であります。どういう形であれ、われわれは正しい情報を提供し、それを理解するための正しい知識を提供する。それから、読者の方、あるいは利用者の方はそれを受けることで、自らの知識を高め、能力を高めることで社会の在り方に向き合うということになります。それを迂遠であってもやっていくしか、われわれはわれわれの現在の社会をよくする手段はないというのが私の考えであります。

第二章

日々烈々十年

二〇一三年

▼六月七日

ちょっと早めの梅雨入り宣言でしたが、直後に雨が降ったものの、その後はどちらかと言えば、晴天が続いていています。天気予報も、まず言い訳から入ることが多いようですね。ともあれ、六月に入って、夏到来です。晴れれば日差しも強く、熱中症の季節でもあります。どうか、十分にお気を付けください。先週もお知らせいたしましたが、五月二七日に開催された総会後の理事会で理事長に選出されました。講演会のさらなる充実はもとより、倶楽部の一段の活性化に取り組んでいく所存ですので、前任者同様よろしくご指導ご協力のほどをお願い申し上げます。

▼六月一四日

習近平体制発足後初めての米中首脳会談が行われました。日本のマスコミの関心は、もっぱら尖閣諸島(せんかくしょとう)の領有問題などで、米国がどこまで日本の立場に配慮してくれたのか、といったことに集中していますが、もとより米中の主要な論点がそういったテーマにあったはずはありません。これからの世界の秩序がどのように形成されていくのでしょうか。米中関係の帰趨(きすう)は、世界の平和と発展にとって、極て重要です。

▼六月二一日

アベノミクス効果で順調に船出した安倍政権ですが、五月の連休明け以降は株、為替(かわせ)共に調整局面入りし、不安定な動きが続いています。外交面で中韓を除く各国を精力的に訪問し、これまでとは異なる外交戦略を展開しています。今週は二度目となるG８に出席し、この間にプーチン・ロシア大統領との二度目の会談で、領土交渉の加速を確認したとされます。長い間進展が見られなかった北方領土問題は本当に解決に向かうのでしょうか。

▼六月二八日

インフレターゲット論やデフレ政策を巡る論争には、バブルが崩壊した一九九〇年代以来の長い歴史があります。戦後復興期から高度成長期に至る金融政策においては、日本銀行は常に「物価の番人」すなわちインフレとの闘いを自らの役割として行動してきました。しかし、東西冷戦の終焉に伴うグローバル市場の拡大と供給力の拡大や日本の潜在力成長力の低下は、新たな政策の登場を促していたと言えます。そしてさらに歴史をさかのぼれば、一九三〇年代の大恐慌時の金融政策は、まさに現在の日本と酷似した状況にありました。

▼七月五日

いよいよ参議院選挙が近づいてきました。今のところ自民党の優位は動かないとの見方がもっぱらです。衆参のねじれが解消するのは間違いのないところでしょう。しかし、民主党の予想を上回る退潮や、「日本維新の会」の思わぬつまずきの結果、健全な野党の存在が見えなくなりました。重要法案を党利党略で廃案に追い込んだ国会の現状は、日本の政治の衰弱を如実に示すものです。安倍政権は、経済運営においては、順調な滑り出しを見せていますが、金融政策を除けば、その真価はまだ見えていません。政権の内部には方向を異にする勢力が混在しているからです。

▼七月一二日

主要メディアは、アベノミクスを参院選の争点として喧伝していますが、金融政策の転換と財政の機動的出動に関しては、すでに結果が現れており、大きな争点にはならないでしょう。いわゆる成長戦略については、政府の打ち出している施策は、どうやら参院選を意識した部分的なものにすぎないようです。参院選を経て安倍政権が本格政権に生まれ変われば、やっと中長期的な成長戦略の全貌（ぜんぼう）が明らかになるでしょう。

▼七月一九日

失われた二〇年の原因と対策について、実にさまざまな議論がなされてきました。しかし、はっきりしていることは企業の活動が活発にならなければ、経済は活性化しないということです。先進国日本の企業に求められているのは、新しい価値を生み出し、新しい市場を創造することです。リストラクチュアリングやリエンジニアリングではなく、新しいものを生み出す力を取り戻さなくては、将来を切り開くことはできません。

▼七月二六日

参院選が与党の圧勝に終わり、ねじれ解消後の政策運営に期待が寄せられています。特に今月はいよいよ日本がＴＰＰ（環太平洋パートナーシップ協定）に正式参加して議論に加わります。その焦点の一つが、日本農業の扱いです。どこまで例外が認められるかにメディアの関心が集まっていますが、安倍政権の掲げる「攻めの農業への転換」の具体策が、いつ、どのような内容で打ち出されるかが重要です。既得権益の擁護に軸足を置く、党内勢力を、どこまで抑え込んで、農業革命を実現できるか。農業政策は成長戦略の要（かなめ）と言っていいでしょう。

▼九月六日

九月一日の防災の日が済んだばかりの二日、埼玉から千葉にかけての広い範囲を強い竜巻が襲いました。住宅の倒壊など被害は広範囲にわたりました。まさに想定外の出来事で、自然の驚異は、現代でもわれわれの身近に存在しています。巨大地震の発生も避けることのできない災害ですが、気象庁の緊急地震速報が誤報だったり、立川活断層のデータが間違いだったり、地震をめぐる専門家の言動には不信の声も上がっているのが現状です。

▼九月一三日

安倍政権が発足して一〇カ月が過ぎました。経済面ではアベノミクスの推進により、大きな成果を上げつつあります。外交面でも、活発な海外歴訪を重ねて日本の売り込みに余念がありませんが、中韓関係との正常化に関しては、あえて急がない方針のようです。これに対して中国も領土問題等について強硬姿勢を変えていません。経済的にも政治的にも国内に不安材料を抱える習金平体制はどうなっているのでしょうか。

▼九月二〇日

安倍政権は、オリンピック招致の成功などの後押しにも恵まれ、高い支持率を維持しています。内閣改造を見送るなど安全運転を続ける構えも変わっていません。しかし、成長戦略のカギを握る本格的な規制緩和（きせいかんわ）の推進に対しては、党内外の抵抗勢力との攻防も予想されます。安倍首相のリーダーシップが試される場面も増えてくるでしょう。

▼九月二七日

「暑さ寒さも彼岸まで」と言う通りの気候となりました。朝晩はめっきり冷え込む日が多くなり、油断すると風邪をひき込むことになります。くれぐれもご自愛のほどを。さて、安倍首相が満を持しての国連演説に臨みます。老婆心ながら調子に乗り過ぎないようにと願うのは私だけでしょうか。日本経済はまだやっとデフレ脱却の兆しが見え始めたところです。まずは自らの足元を固めて、世界の波乱要因にならないようにすること。そのうえで、よりよい世界にどう貢献できるか、とにかく謙虚でありたいものです。

▼一〇月四日

消費税率引き上げに対して、政府の最大の経済対策は法人税の実効税率引き下げとなりそうです。経済再生を最優先するとの安倍政権の政策運営が思惑通りに進むのかどうか。総理と副総理の間には微妙なずれが見え始めています。官邸主導の色彩が一段と強まる中、重要案件がめじろ押しの国会運営が本格政権への試金石となりそうです。金融政策の転換の効果が一巡した後、本格的な経済再生に進めるのかどうか。

▼一〇月一一日

やっと景気回復の軌道に乗り始めたかと思われたアメリカが、デフォルトの危機に直面しています。政府機関が一部閉鎖に追い込まれ、オバマ大統領の海外訪問が相次いでキャンセルされるなど、その影響は次第に深刻の度を増しています。「何も決められない政治」はこの間まで日本の代名詞でしたが、今やアメリカを意味する言葉になりました。事程左様に民主主義は時として不都合かつ不効率な体制に成り下がります。しかし、その制度への不満が間違っても独裁体制に発展しないように願いたいものです。

▼一〇月一八日

今月に入って強い台風の襲来が相次いでいます。海面の温度が上昇すると台風が発生しやすくなるとのことで、やはり地球温暖化が確実に進んでいると考えるべきでしょう。北極海の氷が解け始め、ロシアからは北極航路への誘いが来ています。海上輸送の変化は政治や経済の常識に大きな変化をもたらすはずです。ひところ騒がれたシェール・ガス革命もアメリカの経済を大きく変え始めていますが、日本経済も当然のことながらこの影響を大きく反映するはずです。大切なのは、過去の常識にとらわれることなく、新しい世界の流れを見通すことです。

▼一〇月二五日

いよいよ国会で成長戦略に関する議論が始まりました。これに先立つ自民党内の調整も予想通り難航しています。いったいどのような経済社会を目指すのか、そのために何を残し、何を変えなければならないのか、その骨太の議論がないままに、枝葉の部分のみが議論されるのでは、前向きの展開はとても期待できないでしょう。何よりも、それぞれの政策が全体の道筋の中で、どのような役割を果たすのでしょうか。

▼一一月一日

政権誕生以来、安倍首相は歴代の首相をはるかに上回るペースで、海外の国々を歴訪してきました。関係が冷却している中国や韓国との関係改善を急がず、これまでは関係の薄かった国々も含めて、友好関係の強化と経済関係の緊密化に努めてきたわけです。中国や韓国の対日強硬姿勢は、それぞれの国の国内事情の反映でもあります。中国に関しては、初めての首脳会談が実現するなど、変化の兆しも見え始めています。日本人はとかく自国の側からの目で外交を論じがちですが、外交は相手があってのもの。相手国の置かれている状況を知らなければ、正しい判断も不可能です。

▼一一月八日

経済の停滞と政治の混迷が、知らず知らずのうちに国民の意識を蝕(むしば)んでしまうことを、歴史は教えてくれます。ナチスの台頭を生んだワイマール体制下のドイツや、政権のたらい回しが軍部の跳梁につながった昭和初期の日本の教訓を、忘れてはならないでしょう。閉塞感を打ち破るために感情に走ることこそが、こうした危険な状況を呼び込むのです。幸いにして、経済は好循環に向かう兆しが見え始めています。良好な国際関係の存在こそが、日本の発展の基盤であることを、もう一度確認する必要がありそうです。

▼一一月一五日

経済優先の安倍政権にとって、規制改革こそが成長戦略の柱であったはずです。その本気度を占う試金石であった薬のネット販売では、既得権益の側への配慮が色濃くにじむ結果になりそうです。また、最高裁の違憲判決を受けた「婚外子」の差別撤廃でも、党内の抵抗にあって法案の提出が遅れています。必要な施策を一つ一つしっかりと片付けていくことによって政権の基盤は確立していくのではないでしょうか。筋の通らない反対に押し戻されるたびに、内閣の求心力は低下していきます。

▼一一月二二日

朝晩がかなり冷え込むようになりました。北国では例年より早く本格的な雪が降りました。その一方で、フィリピンは台風による大きな被害に苦しんでいます。東日本大震災の時にはアジアの貧しい人々が多くの支援を寄せてくれたことを考えると、政府だけでなく民間からも支援の手を差し伸べなければならないでしょう。さて、景気の回復は地方経済の景況感回復にまで及んできているようです。しかし、これは金融緩和の成果というよりも循環的な要素が大きいように思われます。ここから先は国内市場の活性化を強力に進めなければなりません。

▼一一月二九日

イランの政権交代に伴い、核問題に関する欧米諸国との関係修復の動きが現実のものになってきました。一方で、シリアの化学兵器使用問題は、軍事介入を回避することで、国際的な枠組みが作られました。しかし、中東をめぐる緊張は依然として緩和に向かっているとは言えません。エジプトを始めとして民主化の動きも決して平坦なものとは言えないようです。むしろ流動化によって混乱が深まるリスクも高まっています。

▼一二月六日

「成長戦略国会」がいつの間にか「秘密保持法国会」になってしまいました。そろそろ会期末が迫っているのに、経済活性化のための道筋はまだ開けていません。設備投資が上向き、賃金引き上げの動きが広がるなど、民間企業は景気回復を反映しつつありますが、肝心の国内需要の創出につながる施策は、相も変わらぬ既得権益擁護派によって阻まれています。となると、あとは金融政策に頼るしかないということでしょうか。マーケットはさらなる金融緩和に期待して円安・株高に振れています。日本銀行はこの状況をどう見ているのでしょうか。

▼一二月一三日

秘密保護法案の強行採決は、順調に走ってきた安倍政権に、どこまでダメージをもたらすのでしょうか。何よりも「経済最優先」を掲げていたはずの内閣が、安保政策に傾斜しているとのイメージは、もはや拭いがたいものになりました。未来に明るい希望を抱かせるようなビジョンは依然としてどこにもありません。成長戦略は来年回しになり、TPPの年内合意にも暗雲がかかっています。安倍政権は、国民の不信を払って前に進むことができるでしょうか。

▼**一二月二〇日**

本年は安倍政権の誕生を受けて円安株高が進み、市場環境が一変した年でした。そのどこまでがアベノミクスの効果で、どこまでが循環的なものなのか、判断の分かれるところですが、いずれにしても感覚的な議論や都合の良いところをつまみ食いした議論ではなく、総合的な観点からの経済分析が必要でしょう。グローバル化の進展で、特にマネーの動きが世界の経済情勢を揺り動かす時代になりました。

二〇一四年

▼**一月一〇日**

新年を迎えて景気回復への動きが次第に確かなものになり、マーケットも明るさを増しています。しかし、秘密保護法を巡る国会運営や年の暮れに突如行われた安倍首相の靖国神社参拝は、国論の深刻な分裂を招来しかねない危うさも内包しています。近隣諸国との関係が一向に改善せず、日米同盟の軋みが続く中で、国がどうあるべきかを改めて考え直さなくてはならないのではないでしょうか。

▼**一月一七日**

物議を醸した秘密保護法や靖国参拝を呑み込んで、安倍内閣は高支持率を維持しています。新年は再び経済優先を誇示するかのようにアフリカへ飛んで経済外交をアピールしました。都知事選での争点に突如浮上した細川・小泉連合の「脱原発」が政権にとって唯一の頭痛の種になりそうです。ひょっとすると迷走する野党陣営に新たな核が生まれるかもしれないからです。参院で否決されて衆院を解散した小泉政権下の郵政選挙を思い出します。

▼一月三一日

アメリカとヨーロッパの経済は回復の足取りが確かなものになりつつあります。その一方で、日本経済は、金融政策の大胆な転換を背景に円安株高が進み、堅調な消費と公共投資に支えられて好転の兆しが見えてきたものの、輸出や設備投資に転換するまでには至っていません。好転した企業収益を賃上げに結び付け、消費増税の影響を吸収することができるのか。それとも前回の消費増税の時のように再び景気が暗転するのか。二〇一四年は重要な岐路の年となりそうです。

▼二月七日

安倍政権の誕生から一年余りが経過しました。経済面では金融政策の転換によって回復への動きが鮮明になりましたが、懸案の日中・日韓関係の改善は遅々として進んでいません。日本版NSC（国家安全保障会議）の創設や秘密保護法案の成立、集団自衛権行使容認への取り組みなど、安全保障強化が安倍政権の特色となっていますが最大の同盟国であるアメリカとの関係には不協和音が目立ちます。予定されているオバマ訪日は果たして実現するのでしょうか。

▼二月一四日

「失われた二〇年」は、日本人のメンタリティを内向きにするという後遺症を残したように思います。日本の近代化は、外に目を向けることから始まりました。そして日本の発展の基盤は、日本人が自らの文化を守りながらも、国際社会からあらゆる面で多くの資源を引き出してきたことに依拠（いきょ）しています。本日はアジア平和貢献センターとの共催で、「国際社会の中の日本」を改めて問い直します。前半の基調講演では、社会、文化、政治の各分野を代表する碩学のお話を伺います。

▼二月二一日

消費税率引き上げが迫ってきました。自動車や住宅の販売には駆け込み需要が見られますが、世論調査や各種意識調査の結果からは消費意欲はむしろ慎重さを増しているようです。輸出の伸び悩みが続いており、貿易収支はすっかり赤字が定着してきました。安倍政権誕生から一年が過ぎ、先行きへの懸念が期待を上回るような雰囲気もあります。長い停滞の中で後ろ向きに物事を考える習慣から脱し切れていないのかもしれません。

▼二月二八日

集団自衛権を巡る議論や日米関係のきしみが報じられる一方で、ＴＰＰの合意見送りが続くなど経済政策では新たな前進が見られません。金融財政政策によって景気は上向いてきましたが、消費増税の関門も控えています。新たな成長に向けた力強いビジョンを描けなければ、日本は増え続ける社会保障負担によって押し潰されかねません。日本が培ってきた潜在的な能力と資産をフルに活用して経済を再生するために何をしなければならないのでしょうか。

▼三月七日

アベノミクスが始まってから、海外投資家の日本に対する評価が大きく変わったことは明らかです。日本株の上昇は外国人投資家の買い越しに支えられてきました。金融財政政策の大胆な転換がその第一幕とすれば、第二幕の成否は民間活力の活性化につながる大胆な制度改革がきちんと行われるかどうかにかかっています。それが期待できないと判断すれば、日本買いは、日本売りに変わってしまうでしょう。日本の近代化は世界に国を開き、世界の常識を取り込むことで実現しました。真に開かれた国になる最高の機会が東京オリンピックです。

▼三月一四日

医療は、人間が人間らしく生きるためにこそ存在します。近年「クォリティ・オブ・ライフ」（QOL）という考え方を頻繁に耳にするようになってきました。医療に関する選択を迫られたときに、このQOLの考え方が非常に有効であることは間違いありません。しかし、生きている者は、いつかは死を迎えます。いかに人間らしく死ぬことができるか。それは、本人のみならず、家族や社会への責任としても、深く考えておくべきでしょう。

▼三月二八日

寒波が去ったと思ったら、一気に本格的な春到来となりました。東京の桜の名所ではお花見のための準備も始まっています。のどかな日常の風景の一方で、ストーカー事件や振り込め詐欺事件が後を絶ちません。高齢化社会は地方都市が先行する形で加速していますが、大都市では、地域コミュニティーから切り離された「都市難民」が増え続けています。日本における近代化と高度産業化は、「市民社会」を実現させるのではなく、孤立した市民を生み出し続けてきました。社会の在り方を根本から問い直す必要がありそうです。

▼四月四日

新年度予算が早期に成立し、いよいよアベノミクスも第二幕となります。誰もが気になるのは、今後の日本経済の発展のカギとなる成長戦略の行方でしょう。どんなにマネーが潤沢に供給されても、民間企業が活力を取り戻し、民間投資が拡大しなければ、第一幕の成功はマネーゲームに終わってしまいます。従来からある市場の拡大ではなく、新しい市場、新しい付加価値を生み出す機会が生まれなければ、日本経済の新たな発展も期待できないでしょう。四月から消費税率引き上げが実施される一方で、国会では集団的自衛権を巡る議論が本格化しています。中韓との軋轢に改善の糸口が見えない中で、日本の将来に何が必要で何が必要でないのか。政治家任せでない国民的議論が不可欠でしょう。ウクライナを巡るロシアと欧米諸国の対立も帰趨がなかなか見通せません。世界は平和と安定に向かうのではなく、新しい秩序に至る混沌が一段と深まる様相を呈しています。感情論に流されるのではなく、合理的な判断を下す知恵が求められています。

▼四月一八日

　われわれは隣人を選ぶことができない――。日中国交回復に至った戦後の日中関係を前に進めたのは、そうした信念でした。今、日中間は「反日」、「嫌中」のとげとげしい空気に包まれています。確かにメディアを通して聞こえてくる中国の言動には、理解しがたい理不尽さが含まれています。しかし、ことさらに嫌悪感をあおり、相手の欠点をあげつらうことからは何も生まれません。相手の置かれている政治的、あるいは経済的状況を冷静に見極め、隣人との関係を正常な姿に戻すことが何より重要でしょう。

▼四月二五日

　再選後のオバマ大統領はどうも精彩がありません。議会との「ねじれ」も一つの原因なのでしょうが、それにしてもその言動には明らかな失態が見られます。とはいえ国際秩序のあらゆる側面で、アメリカの存在は重要です。特にアジア最大の同盟国である日本にとって、政治的にも、経済的にも、アメリカとの緊密な協力関係が不可欠です。

日中、日韓の関係改善がなかなか進展しない中で、ふらついているアメリカとどう向き合い、何をすべきなのか。安倍外交の真価が問われます。

▼五月九日

大型連休が終わり、旅行客の動きは海外、国内ともに活況でした。消費税率引き上げの影響も、小売り販売額を見る限り、ほぼ「想定内」ということになりそうです。ただ、マーケットの動きからは日本経済の将来について海外の評価は昨年よりも厳しくなっています。安倍首相はＥＵ訪問中の講演で「経済再生、財政再建、社会保障改革の三つを同時に達成する」「私は改革を恐れない」と大見得を切りました。六月に発表される新たな成長戦略が今度こそ期待にかなうものであればよいのですが。

▼五月一六日

アベノミクス二年目に入ってからのマーケットの動きは一進一退を繰り返しています。他の先進国に後れを取っていた金融政策の転換によって劇的に進んだ株高ですが、ここから先は日本経済の成長性が試されることになります。バランスシート不況から完全に脱した日本企業が前向きの投資拡大に転ずることができるのか。そして企業の投資意欲の復活を後押しする政策は実現するのか。マーケットの動向を左右する外国人投資家は、安倍政権の改革への本気度を見極めようとしています。

▼五月二三日

集団的自衛権に関する与野党協議が大詰めを迎えています。具体的な事例を挙げての論議はいささか迷走気味です。同盟国である米国とどのような関係を維持していくのか、あるいは変更していくのか、という基本をそっちのけにして技術論に迷い込んではいないでしょうか。国の在り方にかかわる変更を、国民的な合意を追求せずに結果を性急に求めることは、将来に禍根（かこん）を残すのではないでしょうか。激動する国際社会において、日本の立ち位置をどう変えていくのでしょうか。

▼五月三〇日

安倍政権誕生から一年半が経過しました。外交面の課題であった、日中関係と日韓関係の改善はいっこうに進んでいません。これには安倍政権の体質の問題が響いている面もあるかもしれませんが、多分に相手国の国内事情か影響しているように見えます。そのこと以上に気になるのは、同盟国である米国との関係に不協和音が絶えないことです。日本にいると見えてきませんが、米国メディアの安倍政権を見る目は想像以上に厳しいものがあります。

▼六月六日

消費増税の影響は軽微にとどまる見通しですが、財政再建の道筋がこの増税で見えてくるわけではありません。それは来年に予定されている再引き上げ後も変わらないでしょう。社会保障費の削減か付加価値生産性の向上による成長率の引き上げがなければ、解決の糸口は見えてこないと考えるのが、大方の見方です。しかも、歳出削減は景気にマイナスに働き、ひいては税収の減少をもたらしかねないのも事実です。日本経済を袋小路から救い出す道は果たして存在するのでしょうか。

▼六月一三日

日本は集団自衛権を巡る議論に相変わらず明け暮れています。しかし、アメリカは強い経済の動きを背景に超金融緩和からの出口を探りつつあります。一方、ＥＵは金融危機が遠のき、経済のテコ入れに新たな金融緩和に踏み切りました。先進国の経済が大きく動きつつあるとすれば、日本経済の環境が大きく変化することは当然です。これまでの先入観を捨てて、日本経済の置かれている環境を見極めることが必要でしょう。

▼六月二〇日

安倍政権は、日中韓の関係改善が進展しない一方で、それ以外の国との関係緊密化を積極的に進めてきました。これほど多くの国に歴訪を重ねた首相はかつて存在しませんでした。その中でもロシアとの関係改善は政権の最大のテーマと見ることができるでしょう。ソチ五輪の開会式に出席したのも、その執念の表れと言えます。しかし、ウクライナ問題が、こうした安倍外交のさらなる進展に立ちふさがっています。ロシアはどこに行こうとしているのでしょうか。

▼六月二七日

集団的自衛権の行使を巡る議論ばかりが前面に出た国会でしたが、重要法案の多くは議論が盛り上がらないままに通過成立し、国会は予定通り閉会しました。焦点は内閣改造の行方に移ってきています。論功行賞内閣の色彩が強かった現体制から本当の意味で自前の政権に衣替え（ころもがえ）できるのかどうか。そして経済優先を掲げながら、お得意の安全保障にばかり光が当たる状況から脱して、構造改革に踏み出すための布陣を作り上げることができるのでしょうか。改造は、今後の安倍内閣の政策の行方を占う試金石になるでしょう。

▼七月四日

イラクにおける宗教紛争は「イスラム国」の建国宣言という思いもかけない方向に発展しました。宗教間対立と民族間対立は、少しも終息に向かう気配がありません。中東問題の根っこには第二次世界大戦後のイスラエル建国があり、その責任のかなりの部分が英国をはじめとした西側諸国にあることは否定できません。また、民族紛争や宗教紛争の背景に貧困問題があることも事実でしょう。そうした問題に縁が薄い日本人には、なかなか理解しがたいのが現実ですが、宗教に寛容である美徳を失いたくないものです。

▼七月一一日

消費増税後の景気はまずまずの立ち直りを見せているようですが、経済が力強い成長へ進めるかどうかは、やはり市場の拡大につながる改革が実行できるかどうかにかかっています。昨年とは異なるのは外国人投資家の動きです。高値更新に沸くニューヨーク株をよそに、日本株はいまだにリーマンショック前の水準を抜けずに一進一退を繰り返しています。国内市場の投資機会が拡大し、日本が投資先としての魅力を取り戻すことが不可欠です。昨年の期待感が失望に変わる前に具体的な改革の実現が求められます。

▼七月一八日

先進工業国のほとんどが超金融緩和による経済のテコ入れに四苦八苦しています。一時は小康状態にあったEUでも、突如ポルトガルの危機が浮上するなど、まだ火種が消えたわけではないことを改めて気付かされました。EU初のマイナス金利政策も所期の目的にはほど遠い結果に終わっているようです。超金融緩和が長引くことで、金融市場には市場機能が損なわれる懸念も顕在化しています。アベノミクスが二年目に入り、第一の矢である金融政策の有効性について、再度議論を深める必要がありそうです。

▼七月二五日

安倍政権も二年目に入り、内閣主導の政策運営が一段と鮮明になっています。野党に対してだけでなく、党内の異論に対しても、真剣に向き合う姿勢に欠けているように思われます。集団的自衛権を巡る国会論戦も、実りうる内容とは言えず、ここまで高水準を保ってきた内閣支持率は低下しました。梅雨明けとともに今年も暑い夏がやってきましたが、安倍首相は再び外遊に飛び回っています。海外諸国との親交を深めることは大切ですか、真の信頼関係を構築できるかどうかが重要でしょう。

▼九月五日

猛暑と豪雨に見舞われた夏も終わり、当倶楽部ホールの全面改装も無事に完了しました。心機一転、新たな気持ちで講演会を再開いたします。安倍改造内閣が発足し、改めて経済最優先が表明されましたが、消費増税後の景気回復は必ずしも順調とは言えません。消費再増税への決断を迫られる中でどのような政策が打ち出されるか。何よりも懸案事項の実行が重要でしょう。福田元首相と習近平氏との会談が明らかになるなど、日中関係の改善にも動きが見られます。

▼九月一二日

GDP（国内総生産）の下方修正によって円安が加速しています。輸出数量の回復がはかばかしくなく、国内需要もさえません。消費が消費増税の影響からの回復が遅れている上に設備投資も反落してしまいました。このままでは消費税率の再引き上げにも暗雲が垂れこめ、円に対する信認（しんにん）はさらに低下するでしょう。超金融緩和によってマネーは有り余っているはずです。しかし、民間の投資意欲が活発にならなければ、金融政策の効果は発現されません。何よりも民間の投資機会の拡大こそが求められているのです。国の歳出膨張の最大の要因である医療・介護の分野も民間の自由な発想と投資が最も必要な分野です。

▼九月一九日

日本の輸出の回復がはかばかしくない原因の一つが中国経済の減速です。かつての米国に代わって、中国向けの輸出は日本の輸出動向を左右する存在になっているからです。尖閣(せんかく)問題や安全保障問題にばかり目を奪われていると、この事実を忘れてしまいがちになります。存在感が大きくなる一方、知的所有権の問題や恣意(しい)的な政策の変更の問題など、中国とのビジネスには、さまざまな厄介事がついて回ります。

▼九月二六日

株価がやっとリーマンショック前の水準を回復しました。リーマン危機の原因となったサブプライムローンの影響が最も少なかった日本のマーケットの立ち直りがなぜここまで遅れたのでしょうか。その後に、日本は東日本大震災に見舞われ、しかも原発事故の発生を受けて全ての原発を停止させるという政治決断を余儀なくさせられました。エネルギーコストの上昇は生産拠点の海外移転を加速させ、輸出構造を大きく変えました。金融緩和の継続にもかかわらず、国内の投資は盛り上がりません。アベノミクスにも疑問の声が上がり始めています。過ちを繰り返すのか？　岐路に立つアベノミクス。

▼一〇月三日

多くの日本人にとって戦争は遠いものになってしまったように思われます。それゆえに日本人は平和であることのありがたみも忘れて暮らしていると言ってよいでしょう。しかし、現実の世界には死者を生み出す戦闘行為が絶え間なく起きています。世界は平和に向かっているというよりも、暴力を伴う解決のつかない争いに満ちているといっても過言ではありません。紛争の平和的な解決は政治家が常に口にする原則ですが、それが受け入れられることのない現実があります。なぜ人類は平和に向けた歩みを実現できないのでしょうか。

▼一〇月一〇日

安倍政権は九月に初めての内閣改造を行い、本格長期政権への基盤強化を着々と進めています。改めて経済最優先を掲げて来るべき消費税率引き上げに対処しようとしていますが、過去一年間の政権の重点は明らかに経済ではなく、安全保障問題に偏っていたといえるでしょう。今春の消費増税の影響がなお尾を引く中で、再増税への道筋を開くだけの景気の力強さが確認できるのかどうか。そして、何よりも国内の投資拡大につながる経済政策が打てるのでしょうか。

▼一〇月一七日

日中関係と日韓関係の悪化は、中国や韓国の国内事情も絡んでおり、日本側の努力だけでは簡単に解決しないことも事実です。しかし、政治的な駆け引きはともかくとして、嫌中、嫌韓感情のかつてない高まりは、何よりも憂慮しなければならない事態です。行き過ぎた自虐史観（じぎゃくしかん）は正さなくてはならないでしょうが、大陸進出を正当化し、破滅への途（みち）を歩んだ戦前・戦中の歴史への深い反省を否定することは、愚かな行為としか言いようがありません。ヘイト・スピーチがまかり通るようでは、とても一等国とは言えないでしょう。

▼一〇月二四日

国内投資を活発化させるための成長戦略がなんら成果を上げないまま、増税のみが粛々（しゅくしゅく）と進められています。増税の痛みを和らげるために再び財政が肥大し、財政のさらなる悪化を招くことになるでしょう。少子高齢化が進む中で、経済の弱体化と重税が後に残されることになりかねません。今必要なのは、日本経済の現実を冷静に見極めて実行可能な長期展望をしっかり描くことです。将来の展望を切り開くためには既得権益の岩盤を突き崩さなくてはなりませんが、その恩恵にあずかる勢力に国の将来を委ねるわけにはいきません。

▼一一月七日

日中・日韓の関係改善が進まない中で、安倍政権は集団的自衛権の容認に踏み切り、日米同盟の強化を急いでいます。かつてない諸外国歴訪により積極外交を進めてきた安倍外交をどう評価するのか。好き嫌いではなく、揺れ動く国際秩序の動向と、そこにおける日本のとるべき途を、冷静に見極める必要があるでしょう。安全保障政策を考えるためには、世界の現実と向き合い、日本の実力を正確に認識するところから始めなくてはなりません。

▼一一月一四日

景気の先行きが不透明な中で、次の消費増税の是非を決めるタイムリミットが近づいています。といっても、何もしなければ自動的に来年一〇月から税率が一〇%になることは法律で決められています。増税を延期するためには、来年度の予算編成作業に入る前に法改正をしなくてはなりません。増税が消費に悪影響を及ぼすことは間違いありませんが、かといって増税延期はいろんなところに影響を及ぼします。日銀の追加緩和によって円安株高が進行しましたが、それが実体経済のテコ入れにつながるものなのでしょうか。日中改善に成功した安倍政権は次の関門をどう乗り切るのでしょうか。

▼一一月二一日

日銀の追加緩和で円安株高が進んだのも束の間、景気の低迷を受けて消費税率引き上げ延期と衆議院解散へと局面は一気に急転しました。財政再建を急ぐ前に、景気の足取りを確かなものにしなければ財政再建の見通しが開けないことも事実です。しかし、安倍政権の二年間、経済の立て直しはデフレ政策のみで、中長期の潜在成長率引き上げにつながる成長戦略については見るべき成果はありませんでした。デフレ政策への過度の依存はさまざまな副作用も懸念されます。

▼一一月二八日

衆議院が解散され、総選挙が行われることになりました。争点はアベノミクスです。これまで二年間の政策運営を評価して、引き続き日本を安倍政権に委ねるのか。あるいは政策転換を求めるのか。金融政策と財政政策の限界が明らかになりつつある今、必要なのは、どのような経済社会を目指すのかという選択でしょう。誰にとってもハッピーな選択は存在しません。何かを求めるためには、何かを捨てなければならないのです。日本経済の置かれている状況を冷静に見つめるためには、見たくないものを見る覚悟が必要です。

▼一二月五日

曲がりなりにも首脳会談が実現した日中関係に対して、日韓関係はなかなか改善の糸口がつかめません。とにかく国民感情の悪化をどう解(ほぐ)していくのか。同じ民主国家として、あるいは隣人として、お互いの立場を尊重し、礼節をもって接する姿勢が必要でしょう。日韓国交正常化から今年は五〇年目の節目の年でした。この間に、相互の経済関係や人的交流は飛躍的な発展を遂げ、本来であれば、一層の相互理解に向けた前向きな試みがなされるはずでした。憎悪をむき出しにした非難の応酬からはいかなる建設的な関係も生まれません。

▼一二月一九日

突然の師走総選挙も終了し、安倍政権が改めて長期政権として新しい一歩を踏み出すことになります。アベノミクスが信任されたことで、二〇一五年はいよいよ経済改革に本格的に乗り出すことになるのか。それとも相変わらず、改革が進まない中で、憲法改正等の政治的野心が優先されるのか。新年は今後の日本の行く末を決める重要な年になりそうです。

二〇一五年

▼一月九日

米国の力が衰え、内向きになるにつれて、世界の秩序は不安定化しつつあります。イデオロギーの対立よりも民族間対立や宗教間の対立が激化し、武力行使に頼らない紛争の解決を目指してきた国際的な外交の枠組みは大きく揺らいでいます。そしてあらゆる紛争の背景には、貧困の問題が横たわっています。グローバルな市場の拡大により、新興国が次々に経済発展を遂げ、世界から紛争の種が消えていくとするバラ色の未来は、現実の混乱によってうち砕かれてしまいました。

▼一月一六日

安倍政権は年末の解散総選挙を経て三年目を迎

えました。新年の課題は何といっても、ここまで見るべき成果を上げてこなかったアベノミクスの第三の矢がどう具体化されるかでしょう。既得権益を守っている岩盤規制を打破して新しい市場を創造し、民間投資を呼び込むことができるのかどうか。二〇一五年は日本経済が再生への道筋をたどることができるでしょうか。

▼一月二三日

昨年末の総選挙で圧勝した自民党ですが、沖縄に続いて佐賀でも知事選で敗北を喫しました。これまでこと内政に関しては、見るべき改革の実績を残せないできた安倍政権は、果たして民間投資の拡大につながる岩盤規制の打破に踏み出すことができるのでしょうか。一強とはいっても、比例区における支持率は圧倒的なものとは言えません。一票の大きな格差が存在する中で、地方の保守層によりかかった政策を続ける限り、自民党の将来は衰退しかないでしょう。中道を掲げる新体制が発足した民主党の可能性を含め、今年の政局の行方を注視したいと思います。

▼一月三〇日

中東の危機的状況がついに日本に飛び火しました。米国に主導されたイラク・フセイン政権の打倒は、この地域に深刻な権力の不在をもたらし、その混乱が収束する見通しは全く立っていません。複雑に絡み合った民族と宗教のありようを丹念に読み解き、そこで起きている事態にどう対処すべきなのかを決めることは、決して容易ではありません。安易な軍事介入によって開けられてしまったパンドラの筐(はこ)は、今となっては、元に戻すことも蓋(ふた)をすることもできません。それでは解決の道筋は全く存在しないのでしょうか。

▼二月七日

雑誌の販売部数が減少し、テレビの視聴率も低下し続けています。特に三〇歳代までの若年層は紙媒体離れが顕著になりつつあります。一方では選挙のたびに投票率が低下し、若者が政治に無関心になっているように見えます。こうした状況は、一見平和で何事もなく過ぎているように見える日本社会において、民主主義の危機が静かに、そして深く進行しています。過去の遺産を引きずったまま何も変えることができない社会に、未来を期待できないと感ずることは当然かもしれません。

▼二月一三日

「イスラム国」の登場は、西欧諸国の民主主義と、国民国家の概念に対する挑戦と言えるでしょう。彼らの主張に与(くみ)するわけにはいきませんが、ここへきて第二次大戦後の国際秩序のはらんでいる矛盾が噴出している感は否めません。ウクライナにおけるロシアや尖閣(せんかく)・南シナ海における中国の行動もまたこれまでの国際秩序への明らかな挑戦です。こうした動きにわれわれはどう向き合っていけばよいのか。今日の「国」という枠組みはこれからどうなるのでしょうか。

▼二月二〇日

高齢化社会の到来によって今後も増大が見込まれているのが社会保障費、中でも医療費です。近年健康保険の料率は上昇の一途をたどっていますが、それでも国費の投入を補うためにさらなる民間の健康保険組合への負担増が計画されています。しかし、そもそも本当に増大する医療費は必要不可欠なものなのでしょうか。終末期医療における高額治療の問題や、厳し過ぎる健康診断基準が不必要な投薬を膨大に作り出している問題など、日本の医療には膨大な無駄が潜んでいます。

▼二月二七日

近年のグローバル化と急速な産業構造の変化に適応した労働市場の改革は、日本経済の再生と発展のために欠かせない要素です。その前提となるのは、市場が変化する中で、労働力の流動性と新しい時代に適合する能力の再開発の仕組みを再構築することでしょう。高度成長期の終身雇用制度を前提とした制度的な枠組みをそのままにして、労使関係や雇用制度を論じていては、企業にとっても、労働者にとっても、明るい未来を展望できないでしょう。

▼三月六日

戦後七〇年目を迎えて安倍首相の「談話」がどういうものになるのかが注目されています。一時は「村山談話」の見直しを示唆する発言で物議をかもしましたが、内外の反響の大きさにひとまず「継承」で落ち着いたという経緯もあります。過去の日本の在り方に対する無定見な郷愁からの発言は、常に周辺国の反発と、それにする国内の反発によって、相互の国民感情の悪化を招いてきました。「未来志向」を口にしながら、結果として国益を損ねる発言をどうしたら食い止められるのでしょうか。

▼三月一三日

年末の解散総選挙を経て再出発した安倍政権ですが、景気の回復が思い通りに進まない中で、相変わらずというか、憲法改正や集団的自衛権の行使等を巡る議論に話題が集中しています。消費増税の延期によって財務省との蜜月も終わったようで、これまでは一体だった官邸と官僚との関係も変わってくるかもしれません。政治の世界では一寸先は闇と言われます。

▼三月二〇日

三年目を迎えた安倍政権は、総選挙の洗礼も受けて、党内の反対勢力を封じ込め、弱体の野党にも支えられ（?）順調そのもののように見えます。「政治とカネ」を巡る支持率の低下も大きな痛手にはなりそうもありません。もたついていた景気回復も原油安と賃上げの効果が発現すれば、上向いてくるのではないかと言うのが大方の見方のようです。そもそも、アベノミクスの中身は大胆な金融緩和がほとんど全てであって、機動的な財政出動は旧態依然の公共投資も含めて少しも目新しい政策ではありません。第三の矢が見かけ倒しであることもはっきりしてきました。長期的な課題を先送りし短期的な景気と株価のテコ入れにうつつを抜かす政策がいつまで持つのでしょうか。

▼三月二七日

四月末から五月初めにかけて、安倍首相の訪米が本決まりになりました。今回は念願の議会演説も実現するようです。日米同盟の強化を旗印にしながらも、何かとオバマ政権との関係には不協和音が絶えなかったこれまでの経緯を考えると、本当の意味での友人関係が築けるかどうか、外交を売り物としてきた安倍政権の真価が問われる訪米となりそうです。一方、中間選挙の敗北後のオバマ政権は、レイムダック化が心配される中でどうなっているのか。そして次期大統領選挙はどのように展開していくのか。

▼四月三日

今年は桜の開花が早く、東京も満開の桜の下での新年度入りとなりました。平年よりもかなり暖かい、初夏を思わせる陽気が続いています。先進工業国として成功した日本が、プラザ合意以降、これまでの延長戦ではなく、新しい地平を切り開かなくてはならない立場に立たされてから、すでに三十年の歳月が過ぎ去りました。バブル崩壊によって国富が大きく毀損した後、明確な方向を定められないままに漂流を続けてきた日本は、膨大な公的債務を抱えて高齢化社会を迎える事態に立たされています。

▼四月一〇日

日本経済は消費増税後の落ち込みからの回復が思わしくなく、円安に伴う負の側面に注目が集まる中で、アベノミクスへ批判の声が高まりつつあります。超金融緩和と財政の肥大化によって巨大な公的債務の存在がのしかかっているにもかかわらず、肝心の民間投資は停滞したままで、潜在成長率も相変わらず低位に貼り付いたままです。需要拡大につながる成長戦略の突破口はいつ開くのか。国力の低下が次第に明らかになる中で、内向きの国民感情だけが充満する現状は甚だ嘆かわしいと言わざるを得ません。

▼四月一七日

四月に入って東証平均株価がついに二万円台にのせました。民主党時代の八〇〇〇円台から実に二倍を超える上昇を実現したわけです。この株価上昇が超金融緩和と財政出動による日本経済の新たな局面を反映していることは疑いようがありません。何よりも上場企業の業績の向上が株価を押し上げています。しかし、このことが日本経済全体の浮揚を表しているかどうかについては、異を唱える声も少なくありません。アベノミクスの恩恵は大企業のみにとどまり、中小企業や地方経済はむしろ疲弊（ひへい）しています。

▼四月二四日

春も深まってきましたが、寒暖の差がいつまでも大きく、不順な天候が続いています。景気の回復も依然としてもたついており、アベノミクスが目指したデフレからの脱却は、まだ確実なものになっていません。何よりも需要の拡大につながる企業の投資意欲や消費者心理が上向いてこないことが、もたつきの原因となっています。株式市場の活況も外国人投資家の買いに支えられたもので、国内の機関投資家は相変わらず慎重な姿勢を崩しておらず、個人投資家は売り続けています。国内景気の好転は果たして見込めるのか。株式市場の活況はどこまで続くのでしょうか。

▼五月八日

総選挙の洗礼を経て、安倍政権の長期政権への道のりが鮮明になりつつあります。現在の党内情勢からすれば、自民党総裁再選は確実でしょう。党の規約を変更してさらなる長期化を目指すという声もまことしやかにささやかれています。しかし、絶好調に見えるときは概してピークであるということも、過去のさまざまな事例が示しています。現在進められている安全保障関連の法整備と、その先にある憲法改正の野望に、安倍首相はどこまで、そしてどのようなスピードで、突き進むのか。その時に国民の支持はどう変わっていくのでしょうか。

▼五月一五日

デフレ脱却を旗印に掲げて華々しく登場したアベノミクスですが、三年目を迎えても成長軌道への復帰が思うように進んでいません。当初に喧伝(けんでん)された経済優先はどこへやら、安全保障関連の法整備が前面に出る昨今です。超金融緩和が続く中で、消費増税が先送りされ、財政再建の行方が危ぶまれる現状をどう考えたらいいのでしょうか。そして、現政権が狙う高めの成長による局面の打開は果たして可能なのでしょうか。

▼五月二二日

議会での支配権を共和党に握られたオバマ政権

をレイムダックと一言で片づけて、今後、遺された二年間は何もできないかのように言い切る論調を目にします。しかし、共和党の主導でＴＰＰの交渉権限を大統領に付与する動きが進められ、与党のはずの民主党が抵抗している現状を見ると、米国の政治を日本的感覚で語ることは大きな誤りであると気付かされます。弱体化したとはいえ、大統領が何もできないわけではありません。そして今後二年間の国際政治がアメリカ抜きで語れるはずもありません。好むと好まざるにかかわらず、わが国にとって最大の同盟国であるアメリカの外交政策が、これからどのように展開していくのでしょうか。

▼五月二九日

中国は経済の減速によって、これまで高度成長によって隠されてきた貧富の格差などさまざまな社会の矛盾が表面化しつつあります。中国社会に充満する不満をそらす反腐敗キャンペーンも、そろそろ限界まできているように思われます。経済における市場経済体制と政治における共産党の一党独裁体制は、そもそも基本的に相容れない性格のものでしょう。腐敗を生み出す根本原因は権力の集中にあります。そして減速する経済にとって重要な要素は、非効率な分野をどう効率化して、付加価値を生み出す産業育成できるかでしょう。

▼六月五日

一時は大騒ぎだったウクライナ問題ですが、最近はメディアの露出が減り、忘れられてしまったかのような今日この頃です。一方の当事者であるロシアは、依然として強硬姿勢を崩さず、中国との関係改善の動きも取り沙汰されています。「新冷戦」の時代が来たかのような言説も一部には見られますが、実態を冷静に分析することなく、こうした言葉をもてあそぶのはいかがなものかという気もします。こうした中で、一時は解決の道筋が見えたかに思われた日露関係の正常化はどこに行ったのか。プーチン大統領の来日の話が再びささやかれていています。

▼六月十二日

景気回復の兆しが見えてきたEU経済ですが、ギリシャ問題が依然として重くのしかかっていいます。緊縮政策からの転換を掲げて登場した現政権とEUとのせめぎ合いは、デフォルトの危険やEU離脱のリスクを抱えながら続けられています。一方では、イギリスのEU離脱問題もくすぶっています。そして、ウクライナを巡るロシアとの対立も重しとなっています。その中で相変わらずドイツだけが牽引車（けんいんしゃ）であるEU経済は現在の金融政策によって立ち直ることができるのでしょうか。

▼六月一九日

本年四月三日に農協法改正案が閣議決定され、国会審議に付託されました。この法案は全中（全国農業協同組合中央会）の地域農協に対する監督権限を廃止し、地域農協の自立を促すもので、日本農業の在り方を根底から変革し、日本農業の再生と国際競争が可能な農業への改革の端緒となることが期待されていています。この法案の閣議決定にあたっては、これまで一体であった農協、農林水産省、農林族議員の強固な関係に亀裂が走り、ほぼ六〇年間続いてきた体制が崩落し始めています。この法案によって、何が変わるのか。残された課題は山積しています。

▼六月二六日

消費増税以降、冴えない動きが続いてきた日本経済ですが、原油安や賃上げが追い風になり、何とか上向いてきているようです。今年に入って批判の声がにわかに高まったアベノミクスですが、国会の焦点は安全保障関連法案に集まり、経済成長の促進につながる政策展開は依然として不透明です。もちろん、構造改革につながる派遣法や農協法の改正が政党、日本維新の会の協力によって成立の運びとなるなどの進展は見られますし、民間企業の投資意欲が高まっているとの報道も明るいニュースでしょう。

▼七月三日

高齢化がもたらす社会への影響は、団塊（だんかい）の世代が六五歳を超え始めるこれからいよいよ本番を迎えます。高齢者が多数を占める状況に社会がどう対応していかなければならないのか。まず変わらなければならないのは、全てを前例の踏襲によって決めようとする行政の在り方でしょう。都市の設計についても発想の転換が必要です。一方では、海外からの訪問客が激増しており、さらに五年後にはオリンピック・パラリンピックが東京で開催されます。高齢化が進む都市での生活にどう対応するかは日本だけの問題ではありません。高齢者や障がい者に暮らしやすいホスピタリティの見本を世界に示すチャンスでもあります。

▼七月一〇日

国会に上程されていた安全保障法整備の審議は、自民党若手勉強会での妄言（もうげん）が報道されたことから思わぬ方向に走り出してしまいました。世論調査の結果も法案反対に大きく傾いています。それでなくとも国民の理解を得ることが大変難しい問題であるだけに、提案者である政権への信頼いかんが大変重要です。民主主義を根底から否定するような輩（やから）に取り囲まれているように見えてしまったことで安倍内閣への信頼が大きく揺らいでいます。この事態は、法案の是非を超えて、論議の帰趨（きすう）を左右してしまう可能性が高いでしょう。

▼七月一七日

梅雨が明けて一気に猛暑となりましたが、海水温度の上昇の結果、今年は台風の当たり年となりそうです。地震や火山活動も活発で、自然災害の種は尽きませんが、ギリシャ問題や上海市場の混乱など世界経済も波乱含みです。多額の公的債務を抱える日本も、せっかく税収が上振れしても政治家たちによる歳出圧力が高まるという嘆かわしい状況が続いています。国民の多くが日本の将来を懸念し、財政の健全化を望んでいるにもかかわらず、自分の懐を痛めることのない政治家たちの大盤振る舞いには困ったものです。艱難辛苦の結果、国家財政の黒字化を達成したドイツ政権の爪の垢でも煎じて飲ませたいところです。

▼七月二四日

歳入を大幅に超過する歳出を続けることにより、日本の公的債務残高はＧＤＰの二・三倍にまで膨れ上がっています。これまでは一七〇〇兆円を超える個人金融資産が国債の消化を支えてきましたが、団塊の世代のリタイアにつれて個人金融資産の取り崩しが次第に増加してくれば、通貨としての円の信頼はやがて失われていくことになります。この問題の解決に欠かせないのは、歳出を身の丈に合ったものに変えていくことです。高齢化による社会保障費の増大を自明のものとして受け入れるのではなく、最小限の資金を必要とされているところに投入する一方で、公的支出に群がる既得権益者への無駄な支出を大胆に切り捨てなければなりません。

▼九月四日

長い酷暑が終わると一転して早めの秋雨前線に覆われてしまったようです。相変わらず突風やゲリラ豪雨に見舞われることも少なくありません。やはり地球温暖化による環境の変化が次第に気候変動を蝕みつつあるようです。さて九月一日は防災の日でした。一九二三年に起きた関東大震災から九二年目を迎え、次第に大地震再来の可能性が高まりつつあります。関東では一七二三年と一八五四～五五年に巨大地震が発生し、甚大な被害をもたらしています。一八五四年の安政元年一二月の地震は震度八を超える巨大地震が東海から南海にかけて続けざまに発生し、関東、東海から九州にかけての広い地域に大きな被害をもたらしました。そしてさらに翌年一一月には震度六・九の地震が江戸を襲いました。地震の巣の上に存在している日本列島は、まさしく地震から逃れることはできないのです。

▼九月一一日

九月に入って、国会ではいよいよ安保関連法案の採決が近づいています。反対運動の高まりや内閣支持率の低下にもかかわらず、安倍政権は法案を成立させ、沖縄・普天間基地の辺野古移設も粛々と進める構えを変えていません。一方では、中国は経済の変調が深刻化する中で、抗日戦勝利の祝賀にあたって異例の軍事パレードを行い、軍備の増強ぶりを誇示しました。ロシアは首相の北方領土訪問を強行して対日圧力を強めています。世界各国で過激派のテロの動きが活発化し、ヨーロッパには大量の難民が流入しています。「巻き込まれない」ことだけを目指す考え方で、日本が国際社会を生き抜いていくことは不可能です。世界がどのように動いているのかを冷静に検証し、日本がどのような貢献ができるかを考えなくてはなりません。

▼九月一八日

政府・自民党は今週中の安保関連法案成立を目指しています。世論を背景に最後まで抵抗を続けた野党も一枚岩とは言い難く、衆院の再可決までには至らないでしょう。一方で、自民党総裁選は対抗馬（たいこうば）の立候補がなく、安倍総裁の無投票再選が決まりました。石破氏は、次期総裁選への出馬を目指して自派閥の立ち上げに動いています。野田議員の出馬断念の経緯を見ても分かるように、官邸の党内掌握力はかつてない強固なものとなっているようです。安倍政権はこれからどこに向かい、何をするのか。権力は盤石に見えるときに崩壊の萌芽（ほうが）が生まれるということも、歴史は教えてくれます。

▼九月二五日

中国経済の失速が鮮明になり、世界経済の行方がにわかに怪しくなってきました。中国政府の強引な市場介入は、かえって市場の信頼性を揺るがしており、世界のマネーの流れにも大きな変化が生まれています。一方、シリア難民のＥＵ大量流入は、小康状態にあったＥＵ経済の先行きに再び暗雲を投げかけています。こうした状況下では、今秋にも第一回の利上げが見込まれていた米国の出口戦略も見直しが避けられないでしょう。当然、世界の変調は日本経済の先行きにも悪影響を及ぼします。安全保障問題に目を奪われている間に、日本経済は再び新たな危機に直面しつつあります。これ以上の金融緩和が難しく、財政出動にも限界があるだけに、どのような政策があり得るのか。

▼一〇月二日

安倍総裁の再選が無投票で決まり、政権は新たなステージに入りました。安全保障関連法案の成立と支持率の低下を受けて、改めて経済最優先が打ち出され、「新三本の矢」が発表されました。高齢化が進む一方で多額の財政赤字の垂れ流しが続き、膨大な公的債務残高が積み上がる現実を打開するためには、潜在成長率を押し上げることが不可欠です。超金融緩和によってマネーは膨大に存在しても、それを利用する投資が拡大しなければ、新しい成長軌道への転換は期待できません。高い技術力とアイデアで新しい高付加価値の商品や新しい産業システムを生み出すことができなければ、強い日本経済の復活は望めないでしょう。

▼一〇月九日

安全保障関連法案を巡る議論は、現在の日本の安全保障はどうあるべきかという、極めて重要かつ今日的テーマについて国民が理解を共有する絶好の機会でした。しかし、憲法学者による違憲発言をきっかけに、議論よりも結論をぶつけ合うだけの、極めて政治的イシューとして、成果を期待できない論争に変質していったように思われます。朝鮮戦争の勃発を機に占領政策は、再軍備の方向に大きく転換し、自衛隊が誕生しましたが、日本は戦争遂行のための軍備を否定した憲法を変えることなく、既成事実を積み重ねてきました。集団自衛権の行使容認だけでなく、そうした既成事実の積み重ね自体を否定する議論も聞かれます。われわれは憲法と安全保障について、もう一度冷静な議論を再構築する必要があります。

▼一〇月一六日

中国経済が真に反映しているのかに、疑問の余地が大きいことも、今後の見通しを難しくしています。はっきりしているのは、過剰投資とその結果である過剰設備が中国経済の回復の足かせとなり、巨大な不良債権が隠されていることです。しかし、中国当局は病弊の根源を治療するのではなく、あくまでもソフトランディングを図るためにあらゆる手立てを尽くそうとしているように見受けられます。日本の轍を踏みたくないのでしょうが、日本の経験では、こうした糊塗策は病状を悪化させて、真の回復を遅らせることになるでしょう。

▼一〇月二三日

民社党政権が崩壊し、安倍政権が登場したときに、国民の多くが期待したのは、安定した政治により、正常な国民生活が戻ってくることでした。安倍政権のスタート当初は為替の反転と株価の上昇により日本経済は明るさを取り戻しました。それが、どこまで金融財政政策のもたらしたものなのかは議論の余地があるでしょうが、結果を出したことは事実です。しかし、経済優先を標榜(ひょうぼう)した政権の重心が安保関連法案に傾斜し、そもそものことに信任を与えたわけではない部分が突出してしまったように思われます。革新勢力が依然として旧態依然の姿を脱しきれない中で、保守勢力がいつの間にか安倍カラーに浸食されている現状をどう捉えたらいいのでしょうか。

▼一〇月三〇日

日本経済は中国経済の変調を受けて緩やかな回復に向かうとのシナリオが怪しくなり、視界不良に陥っています。安倍政権が打ち出した新アベノミクスもマーケットの反応は冷ややかで、経済最優先の掛け声も迫力を欠いています。新興国群の経済が一段と厳しさ増す中で、米国の出口戦略も立ち往生しているように見えます。

▼一一月六日

長い間懸案だった日中韓首脳会談と日韓首脳会談がやっと実現しました。世界各国との交流を積み重ね、日中関係の修復を先行させることで、ついに安倍首相は自らの土俵に相手を導くことに成功したように見えます。この戦略が日韓関係の真の正常化にどのような成果をもたらすのか。その帰趨については、少し時間をかけて今後の推移を見極める必要があるでしょう。いずれにしても、日本の将来は東アジアとASEANを含めたアジアとどのような共生関係を築いていけるかにかかっています。日本自身がしっかりと自立した存在であり、しかもアジア各国にとって必要不可欠な存在になることが、その基本的な条件です。

▼一一月一三日

安倍改造内閣が始動し、新三本の矢を掲げたアベノミクスの第二ステージはどこへ向かうのか。GDP六〇〇兆円という異例の具体数字を明示した目標をどのように達成するのか。かつての所得倍増政策には具体的な手立てが極めて明確に示されていました。今回は具体的政策が一向に見えてきません。「一億総活躍」担当の加藤担当大臣に全てが託されたかのような状況は異常としか思えません。懐刀(ふところがたな)とされてきた加藤大臣を安倍首相がどう支えるのか、あるいは背中を押せるのか。やはりリーダーシップが問われるのは安倍首相自身の指導力でしょう。

▼一一月二〇日

世界はパリで起きた同時多発テロによって大きく揺れています。フランスでは出版社への襲撃事件が起きていますが、今回のような一般市民を巻き込んだ大規模な無差別テロは初めてです。その衝撃は米国における9・11に匹敵するかもしれません。シナイ半島上空におけるロシア航空機の墜落事故もISによるテロであったことをロシアが正式に認めました。米露仏による空爆の強化が始められています。憎悪の連鎖はいつまで続くのか。現代社会は、いまだ有効な解決策を見出していません。

▼一一月二七日

新アベノミクスは、GDP六〇〇兆円の目標を掲げ、名目成長率の上昇によってさまざまな難題を解決しようとしています。大震災以後、日本経済の風景が大きく変わる中で、経済政策の枠組みはどこまでこうした環境の変化に対応しているのでしょうか。経済が停滞し、国論の統一が困難な状況にもかかわらず、政治的には一強となった現政権が数の力で全てを押し切ろうとする姿には、大いなる懸念を抱かずにおられません。同時多発テロの勃発によって世界が大きく揺らいでいる今こそ、国内の世論をまとめて難題に対処する政治の知恵が必要です。

▼一二月四日

今年も師走を迎えることになりました。揺れ動く世界の政治経済をよそに、日本では一見何事もないかのように日常が過ぎていきます。同時テロや大量難民の流出も時が経つにつれて、どこかひとごとのように報じられ、受け止められているように感じられます。国内においても、多額の公的債務の積み上がりをよそに、当然のように財政赤字を前提とした予算案が準備されつつあります。「一億総活躍」という、何ともむなしいだけでなく危険な掛け声や、希望、夢、安心という空疎で情緒的な政策に納得する国民がどれだけいるでしょうか。今、為政者が国民に示さなければならないのは、異次元金融緩和と財政赤字の垂れ流しの結果として進行している日本経済の危機をいかにして克服するかに何を求めなくてはならないのかを語るべきでしょう。

▼一二月一一日

年明け早々から通常国会が開かれ、いよいよアベノミクス第二幕を巡る論戦がスタートします。超金融緩和と財政投入で華々しくスタートした第一幕の高揚は影を潜め、政策目標は示されても政策の具体性に欠ける第二幕の評価は芳しくありません。少子高齢化が加速する中で、成長力を押し上げる新たな成長機会を創出できなければ、日本経済は先進国としての地位を次第に失い、世界から取り残されていくでしょう。遅れている部分に合わせるのではなく、進んでいる部分をさらに拡大させ、停滞している分野の枠組みを変える勇気が求められます。

▼一二月一八日

今年前半は、昨年末の衆議院選挙で圧勝した安倍政権が提出した安保関連法案の審議を巡る議論に国論が大きく割れました。一方で、消費税率引き上げ後の景気回復がもたつく中で、自民党総裁に再選された安倍首相は、新アベノミクスを打ち上げ、再び経済優先を掲げて新年早々の通常国会に臨もうとしています。二〇一六年の景気は果たしてどうなるのか。そしてアベノミクス第一幕をどう総括し、新アベノミクスをどう評価したらいいのか。

二〇一六年

▼一月八日

新年明けましておめでとうございます。今年もよろしくお願いします。年が明けて、いよいよ新アベノミクスの具体的な中身を吟味し、その是非を具体的に議論する段階になりました。名目GDP六〇〇兆円をいかにして達成するのか。一段の金融緩和に踏み切った金融政策は今後どこへ向かうのか。TPPと参院選を控えて財政出動にどこまで歯止めをかけられるのか。生産性向上と成長力の涵養（かんよう）につながる投資は本当に喚起できるのか。そして手厚い子育て支援の実施や安心の社会保障の維持継続は、痛みを伴う制度の見直しを伴わなければ、実現不可能でしょう。

▼一月一五日

新年の相場はイランとサウジアラビアの対立深刻化や上海市場（上海証券取引所）の急落、北朝鮮による水爆実験発表を受けて大幅な株価下落に見舞われました。一方では米国の金融引き締めの動きも引き続き警戒されています。これらが悪材料の出尽くしとなって市場は平静を取り戻すことができるのでしょうか。そしてアベノミクス第二幕を迎えた安倍政権は果たしてもくろみ通りに、日本経済を新たな成長軌道に導くことができるのでしょうか。いずれにしても、新年の投資戦略は環境と需給を冷静に判断することが欠かせないものになるでしょう。

▼一月二二日

年が明けて通常国会が開かれ、国会論戦が始まりました。昨年の暮れに懸案の「慰安婦問題」で「最終的かつ不可逆的な」日韓合意を実現した安倍政権は、一段と政権運営に自信を深めているように見えます。今夏に行われる参議院選挙では、「改憲」に正面から取り組むことも公言しています。肝心の経済浮揚に関しては、中国経済の予想を上回る減速や年明けからの株安円高の進行により、不透明感が増していますが、税収増を背景にした景気対策で切り抜ける構えです。伊勢志摩サミットへ向けて、残された課題である日ロ関係の正常化に踏み出すのかどうか。今年も安倍政権の外交からは目が離せません。

▼一月二九日

安倍政権誕生以来の重要閣僚の一人に金銭スキャンダルが持ち上がりました。単純な贈収賄事件とはいえ、贈賄側の証言があり、事実の可能性が強まれば、政権は無傷ではいられないでしょう。安倍首相は七月に行われる参議院選挙に向けて改憲を争点とすることを公言していますが、一方では年明けから株価の下落に歯止めがかからず、原油安と円高の進行で、アベノミクスの成功は逆回転し始めたように見えます。政治の世界では「一寸先は闇」と言われますが、三年続いた安倍政権とはどのような存在だったのか、そしてこれからどうなっていくのでしょうか。

▼二月五日

西側で「アラブの春」と呼ばれた中東の民主化運動は、結果として、この地域に深刻な混乱を呼び起こすものでしかありませんでした。独裁体制の下で封印されてきた民族対立と宗教対立があらわになり、大国の介入によって翻弄(ほんろう)されてきたアフガニスタンとイラクを足場としたテロ組織の流入が、混乱にさらに拍車をかけています。西側諸国の軍事介入は、この地域の安定には何の成果も挙げていません。

▼二月一二日

自由主義とリベラリズムとは本来は同義であったはずですが、日本においてはリベラルという言葉が左翼的な考えを指す言葉として定着してしまったために、リベラリズムという言葉も本来の意味が曖昧になり、誤解にまみれてしまっているように思われます。本来、経済的自由主義は、規制や国家管理から自由な市場経済を意味していたはずですし、政治的自由主義も国家の関与を前提とする社会主義とは異質のものであるはずです。日本においては、革新勢力も保守勢力も共に官僚支配を許容することが多く、真のリベラリズムは成熟してこなかったと言えるでしょう。

▼二月一九日

欧州初の信用不安が再び世界の金融・為替市場を揺るがしています。初めてのマイナス金利の導入に踏み切ったばかりの日銀の金融緩和は完全に裏目に出てしまったようです。逃避地としての日本市場にリスク資金が流入し、円は一気に一〇円も高騰。企業収益への悪影響を懸念して、株式も急落。アベノミクスは第二ステージに進むどころか、第一ステージ以前に逆戻りしてしまいました。しかもすでに超金融緩和のカードは出尽くしています。

▼二月二六日

カンフル剤としての超金融緩和の効力が薄れる中で、ヨーロッパとアメリカの信用不安が円安ドル高に飛び火し、株価が暴落、アベノミクスの逆回転が始まったようです。金融緩和と財政出動の効果が続くうちに成長率を引き上げるという戦略は破綻してしまったのでしょうか。

▼三月四日

安倍政権は、首相の盟友と目されてきた甘利明経済再生担当大臣の辞任を始めとして、宮崎謙介議員の不倫騒動での議員辞職、閣僚や政府側委員の度重なる失言など、失態が続いています。それにもかかわらず内閣支持率の高位安定が続く中で、にわかに衆院の早期解散説が浮上してきました。不祥事への迅速な対処、衆院の議員定数是正問題でのリーダーシップ発揮、消費税引き上げ問題への含みを持たせた発言など、ここへきての安倍首相の言動には、早期解散の可能性をうかがわせるものが目立っています。対する野党陣営は民主・維新の合流が決まるなど、やっと自民党一強体制への対抗軸づくりが動き出していますが、一歩も二歩も遅れていると言わざるを得ません。

▼三月一一日

民主国家の存立が、主権者である国民によって支えられていることは論をまたないでしょう。国家の運営は国民の意思を反映したものでなければならないのは理の当然です。しかし、その実現には、国民の意思を国家の運営に反映させるための制度やシステムが存在しなければなりません。そして、そのシステムを通じて国民自身が、選択と監視を行う必要があります。民主国家の発展と維持には、自立した国民の知恵が欠かせないことになります。選挙権の行使は民主国家の最も重要な基盤ですが、国民に平等に与えられるべき選挙権に著しい格差が存在し、投票率の低下が続く現状は、民主国家の基盤を大きく損なうものであると言えるでしょう。

▼三月一八日

核とミサイルを手に危険な恫喝(どうかつ)を繰り返す北朝鮮。ついに国連安保理の制裁強化決議が実現しましたが、これによって事態が解決の方向に向かうとはとても思えません。日韓関係も従軍慰安婦問題で政府合意が成立しても、韓国国内の批判は依然として根強く残っています。一方の北朝鮮は拉(ら)致(ち)問題に関する調査を打ち切り、日朝関係は改善の目(もく)途(と)が全く立っていません。朝鮮半島との安定した関係の構築に向けて、日本は何ができるのでしょうか。

▼三月二五日

株価の下落や円高の進行によってアベノミクスの評価は一変しました。衣替えした第二ステージの新三本の矢が、矢ではなく的にすぎないこと、目標として明示した名目GDP達成への道筋も不明確で、これは政策というよりは、出来の悪いプロパガンダとしか読めない代物でした。一応成功と見なされていた第一ステージの成果も、第三の矢が具体的な成果につながらないまま新たな世界経済の動揺に見舞われ、「マイナス金利」という禁じ手を繰り出すに至っています。変容を遂げたアベノミクスをどう評価し、それが日本経済をどこに導こうとしているのでしょうか。

▼四月一日

米国大統領選挙の予備選挙がいよいよ佳境に入ってきました。なんといっても注目は共和党の候補者選びの先頭を走るトランプ氏です。過激でいささか品の無い言動が、多くの知識人の眉を顰めさせている一方で、これまで政治に失望していたアメリカの庶民の支持を広げています。しかし、トランプ氏が本当は何をしたいのかは、実はまだ見えていないのです。予備選で何を発言しても、そのことで大統領になった後の行動が縛られることはないとも言われます。とすれば、ここまでの言動は実は計算された演出にすぎないのかもしれません。多くの専門家が、結局、トランプ氏は候補には選ばれないと指摘してきましたが、果たしてそうなのか。今は自信を持ってそう言い続けている人は少なくなりました。そしてヒラリー氏が選ばれるとの見方も絶対ではなくなりました。

▼四月一五日

中国経済の減速が鮮明になり、世界経済に深刻な影響を及ぼしつつあります。特に景気の低迷が長引く日本経済にとっては、景気回復の最大の足かせとなるでしょう。リーマンショック後の過剰投資のツケを支払い、ゾンビ化した国営企業の整理を進めるとなれば、中国経済の低迷の長期化は予想以上に長期化することが避けられません。折しも政府高官の海外への資金逃避が明らかになりました。政府は必死の隠ぺいを試みていますが、やがては国民の多くの知るところになり、体制を大きく揺るがす事態となるかもしれません。中国経済の実態はどうなっているのか。そして好転の手だてはどこに求められるのか。

▼四月二二日

景気の低迷が続く中で、円高株安が進行し、アベノミクスに対する失望が広がっています。中国経済の減速やＥＵの金融不安再発など、外部要因の悪化が響いていることもありますが、マイナス金利という禁じ手に踏み込んだにもかかわらず効果が見えない金融政策に対する不信感の醸成も見逃せません。来るべき国政選挙を控えて、財政の出動や消費税率引き上げの延期など、選挙対策とも受け取られかねない政策発動も取り沙汰されています。不透明感を増す国際情勢の中で日本経済に活路はあるのでしょうか。

▼五月六日

五月には、伊勢志摩サミットが開催され、それが終わると、いよいよ参院選が政治日程の中心となってきます。衆議院の解散も取り沙汰されていますが、これは消費税率の引き上げ延期問題や、為替と株価の動向にも左右されることになるでしょう。一強と呼ばれる安倍政権が、この状況をどのように捉え、何をしようとしているのか。世界経済の状況が不透明感を増し、日本経済も停滞が続く中で、将来に対する不安に取りつかれている国民に政治はどう答えるのか。

▼五月一三日

中国経済を始めとする新興国経済の減速や原油価格の低迷を受けて、好調を続けた米国経済にも陰りが見え始めています。出口戦略の進行も予想以上に遅れることが避けられそうもありません。華々しく打ち上げられたアベノミクス第二ステージにもかかわらず、日本経済は円高と株安が進行し、マイナス金利の効果も発現していません。消費税引き上げの延期はもはや既成事実化しつつあります。しかし、企業収益の悪化や社会保険負担増などによって消費意欲は一段と低下することが避けられないでしょう。財政出動への期待が日増しに高まる中で、日本の未来に希望はあるのでしょうか。

▼五月二〇日

日本経済はアベノミクスの登場と共にもたらされた円安株高の効果が実体経済に浸透しないままに、再び円高株安に向かって逆回転しつつあります。超金融緩和を続けてきた金融政策は手詰まりとなり、財政出動も積み上がった政府債務を考えれば限定的にならざるを得ないでしょう。先進国経済が足踏みし、新興国経済も減速が鮮明になる中で、外からの援軍はとても期待できません。内なる改革による成長に期待しようにも、大胆な改革は痛みを伴うだけに政治的に実行が難しいとなると、日本経済はこのまま衰退が避けられないのでしょうか。

▼五月二七日

長引く出版不況ではありますが、本を愛する人がいなくなったわけではありません。特に時代小説は熱心な読者に支えられ、根強い人気を持っています。池波正太郎、司馬遼太郎、藤沢周平など、人気と実力を兼ね備えた書き手を次々に失い、新しい書き手の登場が嘱望（しょくぼう）されています。しかし、時代小説は、ストーリーテラーで描写力があるだけではなく、時代設定や歴史感覚においても読者を納得させる説得力が必要です。しかも読み手に練達（れんたつ）の士が多いことも、新たなスターの誕生を難しくしていると言えるでしょう。この意味で、この分野では経験の浅い青山氏は、小説家としても、また社会人としても、長い経験があり、まさに塾生の上に生まれた新しい書き手です。

▼六月三日

社会保障改革の最大のイシューは増え続ける医

療費をどう抑制するかです。高齢化が加速する中で、どうしたら無駄な医療を省き、国民が本当に必要とする医療が確保できるのか。終末期医療における高額医療費の問題や疾病を減らして医療費を減らすはずだった健康診断が、かえって不必要な投薬の増加をもたらしています。一方で地域医療の疲弊や医師の偏在など、現実と乖離(かいり)した、医療制度の欠陥は拡散し続けています。しかし、一般市民にとっては、問題の所在すらつかみづらいのが医学と医療の世界です。

▼六月一〇日

国会が閉会し、いよいよ参議院選挙に向けた与野党の激しい論戦が始まっています。焦点はもちろんアベノミクスの是非でしょう。二〇一二年にスタートした第二次安倍政権の経済運営について、野党が主張するように全てが失敗だったと全否定することは行き過ぎでしょう。しかし、短期的な景気対策である金融・財政政策の効果が薄れ、成長を生み出すべき構造改革は遅々として進んでいないことも事実です。国際会議で、岩盤規制を突き崩すと大見得を切ったにもかかわらず、今は介護や子育て支援を前面に出して、「一億総活躍社会」などという怪しげなアドバルーンが中心に据えられています。袋小路を脱して日本経済の成長力を取り戻し、明るい未来を切り開くために何が必要なのでしょうか。

▼六月一七日

昨今の経済政策の運営は、全てが選挙に勝つための党利党略と化してしまったように思われます。金利を下げて資金供給を拡大しても民間投資が拡大しないのであれば、それは投資意欲を喚起できない理由があるのです。政府にできることは投資環境を整えることでしかありません。歳入に見合わない歳出を長期間続けることができない以上、歳出の抜本的な削減が必要です。財政出動による景気刺激はあくまでも短期的な効果しかありません。長期間の継続は国家を麻薬中毒のような状態に導くでしょう。中毒患者はどんなに苦しくとも薬を絶って健康を取り戻すしかありません。国民は国に頼るのではなく民間の力を削いでいる仕組みを求めなくてはならないのです。

▼六月二四日

一時は確実視されていた衆参同時選挙がなくなり、参議院選挙が近づいてきました。消費増税延期の「是非を問う」というのは、いかにもこじつけですが、安倍政権の「信を問う」選挙になることは間違いありません。舛添前都知事の辞職を受けた都知事選挙が後ろに控えており、七月は選挙一色となりそうです。英国のEU離脱問題の余波で円高が進行し、東証株価が大きく下げる中で、アベノミクスの神通力が薄れ、内閣支持率も大きく低下しています。都知事問題を巡る混乱も自民党に不利な状況を生んでいるといえるでしょう。金融緩和政策の効果が頭打ちになり、抜本的な改革は先送りされ、大衆迎合のあざとさがあらわになれば、政権に対する信認はいつ崩れてもおかしくありません。野党が力強さを欠くとはいえ、賞味期限切れの政権と見なされれば潮目は大きく変化する可能性があります。

▼七月一日

英国の国民投票がEU離脱という結果になり世界に激震が走りました。リーマンショック前に匹敵するリスクの存在に言及した安倍首相を罵倒した専門家がいましたが、今笑われるべきは彼かもしれません。世界が困っているのは、これからどうなるのかが全く不透明であることです。実質的な変化はあまり起きないという楽観論から、EUが解体に向かい、グローバル化の流れが大きく損なわれて、世界経済は混乱と収縮を余儀なくされるという悲観論まで、さまざまなシナリオを描くことが可能です。その帰趨は先進諸国がどこまで冷静かつ理性的に難局に対処できるでしょうか。

▼七月一五日

参議院選挙が与党の圧勝に終わり、安倍政権の政権基盤が盤石の物になりました。九月には内閣改造も予定されています。改憲勢力が参院議席の三分の二に届いたことから、安倍首相は憲法審査会での議論を開始する意向のようですが、会見勢力と言ってもその目指すところは一様ではありません。改憲と護憲で争うよりも中身について慎重な議論が必要でしょう。さて、改憲と並ぶ安倍首相の悲願は、北方領土返還と日ロ平和条約の締結です。プーチン大統領との会話を積み重ねてきた安倍首相が、いよいよこの悲願の達成に向けて、新たな一歩を踏み出すのかどうか。最後のチャンスともささやかれる日ロ関係の根本的解決は果たして可能なのでしょうか。

▼七月二二日

英国国民投票のEU離脱決定を受けて、国際金融市場が大きく動揺し、円高が一挙に進行しました。国際金融市場は何とか落ち着きを取り戻し、日米の株式市場も混乱前の水準を回復しましたが、為替市場における円の水準は一〇〇円台一桁に張りついたままです。英国離脱でユーロ経済に出口はあるのか。そして中断した米国の出口戦略はどうなるのでしょうか。混迷する中国経済はどこに行くのか。不透明化する国際社会の中で、日本経済の舵取りはどうあるべきなのでしょう。

▼九月二日

長梅雨、猛暑、そして相次ぐ台風の襲来と、今年の夏は異例尽くしの気候変動に翻弄(ほんろう)されました。高温多湿に悩まされる中で、熱中症患者の病院搬送も記録的数字に上りました。参院選、都知事選、内閣改造と政治日程も順次消化されましたが、政界はいささか凪の状態に入っていると言えるでしょう。自民党総裁の任期延長と年末解散がささやかれていますが、どこまで現実味があるのか、永田町の外からはうかがい知ることができません。リオ・オリンピックの喧騒が去り、秋風がいつ立つのかという季節を迎え、いよいよあまり晴れやかとは言えない現実に立ち返って、日本の将来を左右する政治の世界に目を向けなくてはなりません。

▼九月一六日

安倍政権がその成果を誇ってきたアベノミクスの帰趨に暗雲が漂い始めています。異次元緩和によるデフレ脱却は度重なる追加緩和にもかかわらず、インフレ目標が達成できないまま、二年という目標もどこかに消えたようです。投資と消費に点火しないまま、GDP成長率も低迷が続いています。安倍政権は金融緩和と財政刺激による経済の底上げを一段と強化する構えですが、本来は短期的な処方箋であるこうした経済財政政策が長期化することによる副作用も懸念されるようになってきました。第一次の総括が行われないままに、マクロ目標のみが示された第二次アベノミクスは果たして実効が挙げられるのでしょうか。

▼九月二三日

G20開催に際しての日中首脳会談で、尖閣周辺における偶発的な衝突の防止に向けた取り組みが合意されましたが、国内経済の停滞が背景になっているだけに中国の対外強硬政策が転換するとは思われません。その一方で北朝鮮の軍事的な挑発行為はエスカレートするばかりです。ここにおいても、中国は影響力を発揮しないまま、北朝鮮の暴走を放置しています。幹部の粛清によって権力基盤を強化してきた習近平政権は果たして内外の難局を乗り切ることができるでしょうか。

▼九月三〇日

中国が主催するG20が開催されました。大国としての存在感を世界に示し、国内の権力基盤を確固としたものとするという習近平政権の狙いはどこまで果たされたのでしょうか。リーマンショック後の巨大投資は確かに世界経済の支えとして一定の役割を果たしたかもしれませんが、今となっては、その過剰投資のツケが中国のみならず世界経済の重しとなっています。そして膨大な公的債務を抱えて高齢化時代を迎えた日本もひとごとではありません。高齢化によって最も懸念されるのが認知症患者の増加です。平均寿命の長さではなく健康寿命こそが重要であることはもはや常識になりつつあります。特に高齢者が最も恐れるのが脳と精神の健康を失うことでしょう。人生の終末期をいかに人間らしく生き、そして人間らしく死ぬことができるか。高齢化社会の先進国として、日本が取り組むべき最大の課題です。

▼一〇月七日

アベノミクスの最終的な成否は、日本経済が成長力を取り戻すことができるかどうかにかかっています。しかし現実には、日本の潜在成長率は政策のテコ入れにもかかわらず、むしろ低下の一途をたどっています。これは、成長機会への投資が一向に高まらず、技術革新も進んでいないことの現れであると言えるでしょう。今の日本に必要なのは、何よりも企業家精神の涵養であり、発露であるといえるのではないでしょうか。世界にまだ存在しないものを作るという企業家精神こそが日本の新しい地平を切り開くはずです。

▼一〇月一四日

超金融緩和と財政投入によるデフレ脱却を実現することで日本経済を成長に導くはずだった安倍政権の経済政策は、本来の目的を達成しているとは言えません。米国の利上げが遠のき、ＥＵが停滞から抜け出せず、中国も供給過剰に苦しんでいます。世界を見渡してみると、いずこも命題山積という状況ですが、日本経済が抱えている問題はＧＤＰの二倍以上に膨れ上がった公的債務の存在と称し高齢化の過疎によって、どこよりも深刻であると言えるでしょう。その割には政府も国民も能天気（のうてんき）に日常を過ごしているように思われます。

▼一〇月二一日

ますます内向きになりつつある日本社会において、多くの日本人が国の外で起きている変化から目を背けがちです。ＧＤＰで日本を抜いて第二位になった中国が、かつて改革開放路線が始まったころの中国とは異なる存在になったことは疑いようがありません。しかし、多くの日本人の意識の中には過去の中国観の残滓（ざんし）がぬぐいがたく潜んでいます。同盟関係にある日米関係についても、戦後七〇年にわたって続いてきた関係の前提が大きく変化してしまっていることへの認識は極めて不十分です。何よりも米国の社会がおかれている状況を正しく理解しなければ、新しい日米関係の構築などできるはずもないでしょう。トランプ現象を嘆いたり、あげつらったりする前に、日本人自身が相互理解のために何をしてきたのかを捉え直す必要があります。

▼一〇月二八日

いよいよアメリカの大統領選挙が目前まで近づいてきました。下馬評はクリントンの当選が確実ということのようですが、そもそも一年前にはトランプは泡沫候補扱いで、共和党の候補にもなれないと酷評されていました。しかし、有力政治家や有力メディアがクリントンの支持に雪崩を打っているにもかかわらず、クリントンの当選が絶対視される状況にはなっていません。どうも、日本人はトランプの実像も、トランプ支持者の実態も本当には分かっていないのではないでしょうか。

▼一一月四日

第二次安倍政権が二〇一二年末に誕生してから、まもなく四年が経とうとしています。政権発足とともに華々しく掲げられた経済政策、いわゆるアベノミクスは当初こそ大幅な円安の進行と株価の上昇という成果をもたらしましたが、二〇一四年四月に消費税率の五%引き上げが行われてからは、成長率の低迷が続いています。二年後に二%のインフレ目標を掲げた超金融緩和政策も、目標を達成できないまま、目標期限の旗を降ろしました。出口を見通せないままに長期化する金融緩和政策は、市場に無視できない副作用をもたらしつつあります。需要拡大を目指す成長戦略が思ったような成果を生み出せないでいることは、成長率の低迷が物語っています。安倍総裁の任期延長が確実視される中で、経済政策の混迷はむしろ深まっています。

▼一一月一一日

二〇一六年は、新興国経済の多くが失速する一方で、先進国経済の緩やかな回復が世界をリードするとの見方が支配的でした。しかし、最も好調と見られていた米国経済に、原油価格の急落に伴う資源関連産業の不振や中国経済の減速の影響から陰りがみられ、利上げの時期も九回にわたって先送りされています。EUや日本もかろうじてプラス成長を維持しているものの、低空飛行が続いています。先進国は景気回復を展望できないまま、長期化する金融緩和政策の出口を探しあぐねていると言えるでしょう。リーマンショック後に積極投資によって世界経済を下支えした中国は、過剰投資の負の遺産に苦しみ、深刻な危機を内包しています。各国の経済・金融政策が立ち往生する中で、グローバル経済はどうなっていくのか。

▼一一月一八日

日本ではこのところ中東情勢に関する報道が少なくなっていますが、これは中東情勢が落ち着いてきたことを意味するものでは全くありません。イラク軍によるモスル奪還作戦はＩＳ（イスラム国）の頑強な抵抗によって膠着状態が続いていますし、シリアでは政府側の巻き返しが成功して、反政府軍はむしろ旗色が悪くなっています。そしてイスラエルとパレスチナの和平も一向に進展が見られません。大国の介入は目立った効果を発揮できないまま、中東の混沌は深まるばかりです。そして欧州への難民の流入や世界各地に拡散したテロは、世界全体に不安定をもたらしています。中東の混乱の原因をどこに求めたらいいのか。そして、その解決の糸口はあるのでしょうか。

▼一一月二五日

天皇陛下から生前退位の意向が示されてから、かなりの時間が経過しました。政府が設置した有識者ヒヤリングが開始され、その結果が公表されていますが、対象者の人選や話された内容には首をかしげざるを得ません。戦後の天皇は神ではなく人間であることが宣言され、そのうえで象徴という役割を担うことになりましたが、職務であるなら、心身の状態が職務遂行困難になった段階で、資格のある後継者に職務を譲り渡す制度が欠かせないでしょう。その規定が存在しない状態を放置してきた政府にこそ責任があります。ここ数年の天皇陛下は病気を抱えながら戦後処理につながる慰霊や大震災後の被災地の慰問に精力的に取り組んでこられました。そしてその行為が天皇という存在だからこそ意味があることを熟知されているからこそ、「退位」に言及されているのでしょう。そもそも皇室典範は大日本帝国時代に制定されたものです。明治以前の天皇制の伝統を真に引き継いでいるかどうかについても疑問の余地があります。いずれにしても国民の声を聴くのなら、これから象徴天皇制を支えていく、より若い世代の意見にこそ耳を傾けるべきです。

▼一二月二日

二〇一六年も師走に入りました。トランプ氏が米大統領選に勝利した後、大方の予想に反して為替が円安に大きく振れ、株価も急上昇しています。消費増税後の日本経済は、極度の低成長を続けており、超金融緩和と機動的な財政出動は、ついに成長力の回復には結び付きませんでした。それは需要を生み出す成長戦略がいまだに大きな成果を上げていない証しでもあります。しかし、こうした政策の失敗が外的な要因によって隠されてしまっている現状は、安倍首相の強運のなせる業かもしれません。しかし、金融政策の副作用が顕在化し、膨大な政府債務を抱えたまま高齢化社会を迎える日本の未来は、決して楽観できるものではありません。

▼一二月九日

戦後の日本は驚異的な復興と経済発展を成し遂げる一方で、その経済力を背景にアジアを中心とする経済支援を続けてきました。日本経済の成長がアジアの発展を牽引するだけでなく、アジア市場の拡大は日本経済の基盤を押し広げる効果をもたらしてきたのです。その流れは東南アジアの新興国であるベトナム、カンボジア、ミャンマー、ラオスなどやアフリカに向けて今も続いています。しかし、近年の経済成長の停滞や政府債務の増大を背景に、国民の間に援助や国際貢献を疑問視する内向きの空気が醸成されつつあることも否定できません。しかし、日本の発展が世界経済との緊密な結び付きによるものであれ事実は、今も全く変わっていないのです。

▼一二月一六日

二〇一六年もあとわずかになりました。安倍政権は高い支持率を維持していますが、消費増税後の日本経済は長い停滞が続いています。当初こそ大きな効果を発揮したかのように思われた超金融緩和と機動的な財政出動は、すっかり神通力を失っています。新しい需要を生み出すはずだった成長戦略がいまだに成果を上げ得ていないことは、長引く景気停滞によって証明されています。

もちろん、こうした状況は日本だけに見られるものではありません。EUは政治的混乱や難民問題も加わって景気回復が停滞していますし、唯一好調だった米国経済も減速が濃厚になってきました。過剰投資の後遺症に苦しむ中国や資源価格の低下に苦しむブラジル、ロシアなど、新興国群も総じて不振にあえいでいます。グローバル化はこうした負の連鎖にあえぐ各国の政策運営をより難しくしていると言えるでしょう。保護主義の台頭する中で、二〇一七年の世界経済はどこに向かうのでしょうか。

二〇一七年

▼一月六日

明けましておめでとうございます。本年もよろしくお願いいたします。いよいよトランプ氏が米国の大統領に就任し、それによって米国の政策がどのように変わっていくのかに注目が集まっています。米ロ関係や米中関係に大きな変化が生まれるのかについても、目が離せません。一方、欧州では、オーストリアやフランスで新しい指導者が誰に決まるのか。そしてドイツのメルケル政権は選挙を無事に乗り切ることができるのか。昨年から続く、排外思想と保護主義の流れを世界は食い止めることができるのか。東西冷戦の終焉（しゅうえん）から四半世紀を過ぎた世界秩序は、協調と融和から再びブロック化と敵対の時代に戻る危険を回避することができるのでしょうか。

▼一月一三日

いよいよトランプ氏の米大統領就任が近づいてきました。選挙期間中の過激な言動から大統領としての資質を問う声も聞かれましたが、大統領就任後の米国の政策がどのようなものになるのかについては、いまだ確固とした姿は見えていません。メキシコとの国境に築かれる壁や不法移民の国外退去については、至って現実的な対応にトーンダウンしている一方で、自動車メーカーのメキシコ工場新設計画に対しては、激しい恫喝（どうかつ）を繰り出してメーカーを震撼（しんかん）させています。WTOやNAFTAなど、戦後積み上げられてきた自由貿易体制の崩壊につながりかねない発言がどの程度実際の政策に反映されるのか。そして経済政策はどのようなものになるのか。

▼一月二〇日

英国のメイ首相がEU市場からの完全離脱方針を明らかにしました。トランプ氏は早速英国のEU離脱を歓迎し、EU各国首脳の反発を呼んでいます。そのEUでは、フランスの大統領選挙やドイツの総選挙など今年はEUの将来を左右する重要な選挙が相次いで実施さます。二つの世界大戦への深刻な反省から生まれた欧州統合へのたゆみない歩みは大きな転機を迎えていると言えるでしょう。国境を超えた人、モノ、金、そして情報の自由な流れこそが、世界の通商の発展を通じて経済成長と新興国の経済的離陸の原動力でした。しかし、英国や米国においては自国優先の保護主義と排外思想が勝利し、他の欧米先進国をも広く蝕みつつあります。保護主義はそれを掲げた国自身を傷つけることになるでしょうが、感情に流された自国優先思想は再び世界を悲惨な結末に導きかねません。

▼一月二七日

トランプ氏が正式に大統領に就任しました。選挙期間中の過激な言動を懸念する声がある一方で、正式就任後はまともな言動に落ち着くのではないかとの楽観論も少なくありませんでした。しかし、就任直前に英国のEU離脱を称賛したのに続いて、今週はさっそく米英首脳会談が予定され、新たな貿易協定締結に向けた話し合いも行われる見通しです。メキシコとの国境の壁の建設についても、メキシコとの話し合いが開始されるとか。そしてTPPからの離脱やNAFTAの見直しについても改めて明言しています。新政権下で保護主義と移民排斥の流れは間違いなく強まるでしょう。第二次大戦後の世界が志向してきた通商貿易の拡大による地球規模での経済発展には、明らかに逆風が強まることになります。安倍首相が唱える強固な日米同盟についても、その在り方は変質していくことが避けられません。日本の立場と考え方を明確に示して対峙していく覚悟が必要になるでしょう。

▼二月三日

昨年の秋に行われた英国の国民投票がEU離脱

という結果になり、続いて米国では保護主義と排外思想を掲げるトランプ氏が当選しました。大統領に就任したトランプ氏は過激な公約を次々に実行に移し、七カ国からの入国を禁止するなど、差別的で頑なな姿勢を露わにしています。二〇一七年はEU主要国で重要な選挙が予定されていますが、オランダ、フランス、ドイツといったEU統合の理想に向けてリード役を果してきた主要国でも、英国や米国の排外的な思想に与する右派勢力が急速に支持を広げています。彼らに共通するのは、差別的で偏狭な反知性主義に基づく愛国主義です。果たしてEUは理念を捨てて解体に向かうのか。それとも世界に吹き荒れる嵐の中で踏みとどまることができるのか。

▼二月一〇日

トランプ政権の誕生で最も注目される外交上の焦点の一つが朝鮮半島情勢です。日本では尖閣諸島が日米安保条約の対象に含まれるか否かといった相も変わらぬ内向きの議論がマスメディアを賑わしています。しかし、国防長官や国務長官がこの件について明言した背景には、トランプ政権が目指す対中戦略変更の意図が見え隠れしています。就任前から「一つの中国」に疑問を投げかけて台湾総統と電話会談を行い、就任後は中国の対米黒字や元安誘導を声高に非難しています。そしてマティス国防長官は訪日前にまず韓国を訪れて対北朝鮮の軍事同盟の強化を印象付けました。北朝鮮に対して期待される影響力を何ら発揮できないでいる中国に対する米国の姿勢は明らかに前政権とは違うものになるでしょう。これに対して恫喝によって譲歩を引き出す北朝鮮の戦略も変わらざるを得ません。中国と北朝鮮を巡る緊張をどう読めばいいのか。

▼二月一七日

日本経済は超金融緩和と財政投入を続けながらかろうじてプラス成長を維持しています。トランプ政権の誕生や欧州における政治の不安定化の中で、日本の置かれている状況の懸念は意識の外に追いやられているのかもしれません。しかし、多額の公的債務を抱えながら少子高齢化と人口減少が加速化する近未来に、日本経済がどうなっていくのかについて不安を抱いている国民は少なくないでしょう。低迷を続ける個人消費の動向は、そうした国民の将来への不安を映し出している鏡であると言えるかもしれません。極度の低成長が続き、次第に打つべき手段が限られていく中で日本経済活性化への突破口はどこに見出すことができるのか。

▼二月二四日

トランプ政権の誕生で最も注目される外交上の焦点の一つが朝鮮半島情勢です。日本では尖閣諸島が日米安保条約の対象に含まれるか否かといった相も変わらぬ内向きの議論がマスメディアを賑わしています。しかし、国防長官や国務長官がこの件について明言した背景には、トランプ政権が目指す対中戦略変更の意図が見え隠れしています。就任前から「一つの中国」に疑問を投げかけて台湾総統と電話会談を行い、就任後は中国の対米黒字や元安誘導を声高に非難しています。そしてマティス国防長官は訪日前にまず韓国を訪れて対北朝鮮の軍事同盟の強化を印象付けました。北朝鮮に対して期待される影響力を何ら発揮できないでいる中国に対する米国の姿勢は明らかに前政権とは違うものになるでしょう。これに対して恫喝によって譲歩を引き出す北朝鮮の戦略も変わらざるを得ません。中国と北朝鮮を巡る緊張をどう読めばいいのか。

▼三月三日

高い支持率を背景に長期政権は間違いないとみられていた安倍政権に、俄かに暗雲が漂い始めています。国会の焦点も、集中砲火を浴びて立ち往生する法務大臣と防衛大臣から、安倍首相自身に移ってきました。発端となった「森友学園」への国有地払下げ問題は、その経緯が少しずつ明らかになるにつれ、その異常さが浮き彫りになってきています。そして幼稚園児への異常な「愛国」教育や、幼児虐待（ぎゃくたい）に近いしつけも明らかになり、教育方針に賛同して新設予定の小学校の名誉校長を引き受けていた安倍昭恵首相夫人も職を辞すことになりました。引き受けた経緯や辞任した理由に関する首相答弁もいかにも稚拙な言い訳に見えます。たとえ本当だとしても国民の信頼を傷付けたことは間違いありません。そして国有地払い下げの経緯についても関係省庁の詳細な情報公開が必須になります。政治の世界は一寸先が闇と言われます。

▼三月一〇日

トランプ政権の誕生や　EU各国における反EU勢力の拡大など、世界は政治的な混乱に揺さぶられようとしています。その一方で、好調なアメリカ経済は雇用創出を掲げる新政権の経済政策によってさらに景気が加速するとの期待が高まっています。減速が続いてきた中国も上向く兆（きざ）しが見え始めています。欧州や日本の経済も緩やかながら成長は続くと見てよいでしょう。政治的リスクをどのように判断すればよいのか。そして新興国経済の好転はどこまで期待できるのでしょうか。

▼三月一七日

「アラブの春」とその後のアラブ世界における秩序崩壊、英国のEU離脱と米国におけるトランプ政権の誕生、そしてEU各国に広がる排外思想の蔓延など、世界は第二次世界大戦後の世界秩序の文脈では捉えがたい新しい変化が生まれ、そして急速に拡大しています。グローバル化の進展によって世界が一体になり、貧しい国が豊かになることで新しい市場が生まれ、地球規模での経済発展が加速するという楽観は影を潜め、リーマンショック以後の停滞の中で顕在化してきた、発展から取り残されてきた人々の不満が噴出し、世界に混乱を生み出しています。いまや既存の概念の範囲で物事を考えるのではなく、人類の歴史の中に自らを位置付け直すことが必要な時代にさしかかっています。

▼三月二四日

　トランプ政権の誕生は世界に大きな動揺を呼び起こしています。中でも親ユダヤと親ロシア、反アラブを鮮明にした政権の誕生は、これからの中東の動向に著しい変化をもたらす可能性が高いと言えるでしょう。移民問題で明らかになった差別的言動は、オープンで素直なアメリカとの決別を宣言するものであり、世界の人類の融和によって地球規模の平和と繁栄を求めてきた第二次世界大戦後の潮流に真っ向から異を唱えるものです。相互に譲り合うことで関係の改善を図っていくのではなく、力を背景とした恫喝で自国の利害を優先させる姿勢は、EUで拡大する排他的思考と相まって、今後の世界を混乱と停滞に導くことになるのでしょうか。

▼三月三一日

　一九九〇年代初頭には日本の名目GDPはアメリカに次ぐ第二位の経済大国であり、一人当たりGDPも世第四位の水準を誇っていました。ところが二〇一五年にはGDPは中国に抜かれて三位に後退、一人当たりGDPにいたってはなんと二六位に甘んじています。先進国の中でも低い成長率が続き、特に生産性の低さが今日の日本経済の低迷をもたらしていると言えます。しかも、対GDP比で見た公的債務残高の高さは先進国の中でも際立った高水準です。高水準の個人金融資産の存在が、日本の財政危機の顕在化を防いでいますが、生産年齢人口の減少が加速するこれからは、そのリスクは次第に高まっていくでしょう。低生産性を改善できないままに高齢化と人口減少が進めば、日本が先進国の地位から滑り落ちるときはそう遠くないかもしれません。低生産性を打破し、財政を健全化するために今何をしなければならないか。

▼四月七日

トランプ政権の登場以来、円安と株価の上昇が続いています。トランプ政権の政策遂行能力については、日を追うごとに疑問符が増えてきていますが、米国の景気は依然として良好でFRBの出口戦略も少しずつ前に進みつつあります。一方、年明け後の日本景気も明るさが見えますが、先行きについては、相変わらず、慎重な見方が多いようです。「森友学園」問題で安倍内閣の支持率には低下傾向が見られますが、史上最大規模の予算が成立し、安倍政権の経済政策は金融と財政への依存を高めたまま、出口の見えない路線を走り続けています。そして共謀罪を始めとした政治的イシューには、強硬姿勢が継続されています。気になるのは、長期にわたる超金融緩和と国債依存体制の副作用です。

▼四月一四日

超金融緩和から引き締めの方向に舵を切ったアメリカに続いて、EUも量的緩和政策から転換する動きが見え始めています。それに対して日本では日銀がマイナス金利政策の導入後の副作用に対して、長期金利を目標水準にコントロールすることによって対処し、超金融緩和政策そのものは堅持されています。長期にわたる超低金利と量的緩和政策の継続によって、金融市場の機能不全が懸念される中で、果たして副作用はどのように市場を蝕んでいるのか。そして一向に見えてこない出口をどのような経路で見出していくのでしょうか。

▼四月二一日

高い支持率を背景に安倍一強体制が続いています。過去の苦い経験が政治の安定を望む国民の意識に反映されているのでしょう。EUや米国の政治的混乱、そしてお隣の韓国の大統領罷免など世界を覆う不安定がこうした意識をより強いものにしているのかもしれません。しかし、最近の強引な国会運営や相次ぐ閣僚の失言には、長期政権化による慢心と気の緩みが伺えます。とりあえず大きな危機は生じていなくとも、日本の社会と経済は将来に大きな課題を先送りしたまま、足元の安寧に惰眠をむさぼっている状況にすぎません。将来のために痛みを伴う変化を国民に呼びかけるのではなく、あらゆる既得権を温存することで政治的安定を担保している現在の政治の在りようは、将来のより大きな混乱の温床になることを覚悟しなければならないでしょう。

▼四月二八日

インターネットの世界では、次々に新しいサービスが誕生し、企業社会においても、また個人の生活においても、大きな変化が生まれています。かつてのパソコンの機能を上回るスマートフォンの登場によって、新しいサービス、すなわちビジネスが生まれ、社会の在り方そのものが大きく変容しつつあるからです。こうした変化は、新聞、雑誌、テレビなどの主要メディアの基盤にも大きな影響を与えています。米国におけるトランプ政

権の誕生やＥＵにおける自国優先主義の台頭にもこうしたメディアにおけるインターネットの台頭が大きく影響しています

▼五月一二日

長期にわたる経済の停滞が続いたことで、もはや日本の成長は期待できないという悲観的な見方が広がりつつあります。人口が減少しても、生産性を高めることで成長は可能だという論理は正しいとしても、前向きな投資を逡巡する企業の行動が変わらなければ、生産性の向上は実現しません。新たな成長を生み出す投資機会をどこに求めたらいいのか。閉塞する日本経済の突破口を見つけるために必要なのはお題目ではなく、具体的な投資機会の提示です。特に政府が掲げる観光立国を実現するためには、日本社会の閉鎖性と後進性を打破する新たな手立てが求められます。

▼五月一九日

北朝鮮がＩＣＢＭ（大陸間弾道ミサイル）の発射実験を成功させました。北朝鮮当局は「核弾頭搭載が可能な新型ミサイル」だと主張しています。度重なる国連決議を始め国際社会の非難や経済制裁にもかかわらず、北朝鮮は米国を直接攻撃できる大陸間弾道弾の開発と核兵器の開発を続けており、それは確実に進化し続けています、そして隣国の友好国である中国の自制の呼びかけも全く効果はありませんでした。一刻も早く現体制の存続を確固としたものにするハリネズミ化に邁進しているように思われます。米国の圧力を受けてこれまでにない強い警告を発した中国の呼びかけは今回完全に無視されました。習近平が威信をかけて推進する「一帯一路」の初めての国際会議の開催直前に発射されたミサイルは、まさに中国の面子を直撃しました。何とか経済の軟着陸が見えてきた中国ですが、アジアの盟主への途はいまだ遠い。

▼五月二六日

欧米先進国の政権が流動化する中で、日本の安倍政権はドイツのメルケル政権と共に、長期政権として安定度の高さを誇っています。ただ、そのタカ派的民族主義的性格は、むしろ欧米におけるウルトラ保守の台頭を先取りするものであったのかもしれません。年ごとに代わる不安定な政権がもたらした安定した政治への国民の期待が、その高い支持率の背景となっていることは確かです。ただ、この五年近くの間に積み上げてきた実績が、どこまで日本の明るい将来を切り開くことにつながるものであったかを冷静にとらえ直す時期に来ているのではないでしょうか。

▼六月二日

欧米におけるテロの頻発や北朝鮮の相次ぐミサイル発射など、きな臭い世界情勢が続きます。そんな中でも、世界経済は絶好調のアメリカと欧州の着実な回復、そして中国のバブルの懸念さえ見られる回復に支えられて明るさが強まり始めています。ただ、金融緩和政策の修正に動き始めた欧米に対して、日本はいまだ超金融緩和に頼り切ったままです。世界経済は本当にこのまま順調に走り続けることができるのか。そして景気の転機はいつどのように現れるのか。

▼六月九日

安倍政権は政権与党の圧倒的な数の力と国民の高い支持率によって長期政権への道を歩んでいます。しかし、国会においては、その強引な政治手法と説明責任を無視した乱暴な国会答弁が目立っています。政治の安定と着実な政策の実行を望む国民の支持も、その結果として獲得された権力がその権力に連なる一部の「お友達」の利害のために行政を恣意的に歪めるために使われ、期待された改革が実は遅々として進んでいないことに気付けば、急速に失われていくことになるでしょう。対抗する民進党が弱いことで支えられている一強ですが、実は党内の実態は面従腹背なのです。満ちた月は必ず欠けていきます。安倍政権の賞味期限はいつ切れるのでしょうか。

▼六月一六日

トランプ政権が発足して半年近くになりました。選挙期間中に掲げてきた公約を大統領令などの形で実行に移そうとしてきましたが、そのほとんどが司法や議会の壁に阻まれ、実現できない状況に陥っています。その一方で、TPPやパリ協定からの離脱を断行し、国際社会からの孤立も進んでいます。選挙期間中のロシア政府との「不適切」な関係については、側近が辞任に追い込まれただけでなく、特別検察官による捜査が開始されています。CIA長官の罷免による反撃も、果たして吉と出るのかどうか、甚だ疑問です。日本では断片的にしか報道されないトランプ批判ですが、本国では連日厳しいメディアの攻撃にさらされているのが現実です。

▼六月二三日

安倍首相にとって憲法改正と並ぶ悲願が日ロ平和条約の締結と北方領土問題の解決です。しかし、日ロ関係改善の記念すべき一ページとなるはずだった昨年一二月のプーチン大統領の来日と日ロ首脳会談は、結局のよく分からない成果を喧伝しただけに終わり、解決は先送りされました。来日したプーチン氏は、メディアとのインタビューで、日ロの交渉史を綿密にひもとき、「平和条約締結後に二島を引き渡す」という共同宣言を逸脱したのは日本側であると指摘しました。目算の立たない四島返還に拘ることで国内の強硬論に迎合し、実質的な解決を放置し続けてきた日本外交は果たして真の意味での関係改善を前進させることができるのでしょうか。周辺国との良好な関係の構築こそが日本の安全保障につながるとの原点に立ち返るべきでしょう。

▼七月七日

英国のEU離脱と米国のトランプ政権の誕生、そしてEU各国に広がる極右の台頭は、フランスの大統領選挙におけるマクロン氏の圧勝によって、ひとまず、歯止めがかかりました。一方、米国のトランプ政権は重要政策がほとんど実行不能に追い込まれており、英国のメイ政権も前倒しして臨んだ議会選挙で与党が過半数を割り込み、厳しい政策運営に追い込まれています。そして盤石と見られていた日本の安倍政権も、度重なる国会運営の失敗により、支持率の急低下に見舞われています。政治の世界の混迷にもかかわらず、世界の経済は順調な回復が続いているように見えますが、方向感を失いつつあるマーケットの動きは、これから波乱を免れないでしょう。

▼七月二一日

今年も例年以上に暑い夏が巡ってきました。ここ数年の夏を思い起こしても、明らかに「記録的」な気象変動が相次いで起きています。熱波だけでなく、豪雨、突風など、あらゆる形態の異常気象が、世界各地で多発しているのです。かねてから専門家たちが警告してきた地球温暖化の影響が徐々に顕在化しつつあるのは疑いようがありません。さまざまな利害の衝突の末にやっと締結されたパリ協定をあっさりほごにした米国は、超大国としての責任を顧みない大馬鹿者です。愚かな大統領を選んだだけでなく、その愚かな行動を放置するこの国は、長い地球の歴史に大きな汚点を残しつつあります。さて、暑い日本の夏は、かつてもあります。

の「日本の失敗」を国民に思い起こさせる季節でもあります。

▼九月八日

今年も残暑が厳しいとの予想ですが、最近とみに少し先の予想は外れることが多いようです。日本では成長機会がないから投資が活発にならないと嘆く向きが多いのですが、ITとインターネットの分野では新しいビジネスが次々に誕生して急成長しています。アメリカを先頭にして発展を続けるこの分野での日本勢の立ち遅れぶりは目を覆うばかりです。新しい動きに対して、まず否定から入ろうとする輩が多すぎるのが、日本社会の通例ですが、こうした意識を変えない限り、日本経済の復活はないでしょう。政と官に頼らず、自らリスクをとり、必要とあれば、規制と既得権力に立ち向かう気概が何よりも不可欠です。

▼九月二九日

米朝関係の緊張の高まりや米国の出口政策の進展によって、為替の円安方向へ転換、つれて輸出株を中心に東証株価の上昇が続いています。ただ、いわゆる有事相場による日本株買いはあくまでも一時的現象でしょう。世界の投資資金を吸収しているのは、米国を中心としたインターネット関連の企業です。それもマイクロソフトやインテルといったIT企業に代わって、グーグルやフェイスブックなど、新たなインターネット企業が主役に躍り出してきました。そして、市場では次の世代の新興企業に熱い視線が注がれています。米朝首脳による非常識なやり取りをよそに、金融資本市場は経済の底流の変化を確実に反映して動き続けていると言えるでしょう。こうした変化をどうとらえるか。投資戦略の再構築が必要です。

▼一〇月一三日

安倍首相の言うところの「国難突破解散」が行われ、いよいよ選挙戦に突入しました。北朝鮮の度重なる挑発により、米朝の軍事衝突のリスクが高まっていることは否めませんが、それが解散選挙の理由になるとは到底思えません。増してや外交問題を選挙の争点に持ち出すのは、論外の禁じ手としか言いようがありません。政府がなすべきは、国民の不安をあおって敵愾心を醸成することではなく、平和的解決を目指して国土と国民の安全のためにあらゆる努力を怠らないことです。北朝鮮問題の核心は何か。米朝関係の今後はどのような展開が予想されるのか。そして、そこに日本はどう関わっていくべきなのか。いまこそ冷静に、そして深く考察しなければならないでしょう。

▼一〇月二〇日

恐らく日本の産業の中で、最も国際化が遅れてきたのが農業でしょう。日本経済の戦後の発展は世界の市場を開拓し、世界と競争することで培われてきました。戦時下の国家管理を戦後も引きずり続けた農政の下で成長の可能性を開花させることができなかった日本の農業にも、やっと新しい風が吹き始めています。温暖な気候と豊かな水資源、そして確かな技術に裏付けられた日本の農業が世界の市場で活躍できないはずはありません。高齢化する農業従事者に代わる新しい担い手をどうやって呼び込み、世界の農産物市場へのアクセスをどう開拓していくのか。世界の農産物の輸出大国には先行する多数のお手本が存在します。世界中の農水産物市場でいかに活発に国際取引が行われ、大量の商品が流通しているか。日本人が知らない未踏の世界が広がっているのです。

▼一〇月二七日

あわただしく実施された衆議院選挙が終わりました。与党の獲得議席はほぼ前回並みですが、これをもって自民の「大勝」と呼べるのかどうか。そして、この「大勝」の最大の功労者は小池氏と前原氏ということになるでしょう。稀代の勝負師と評価された小池氏ですが、肝心の正念場で建前にこだわり、しかも言葉の使い方の未熟さを露呈して、絶好の好機をふいにしてしまいました。ただ、この結果によって与党の政策が信任されたと考えるのは、早計です。多くの小選挙区で与党候補は過半数の得票を得ていません。勝利は野党の票が割れたことに助けられた、薄氷の勝利だったからです。さて与党が自画自賛するアベノミクスは確かに完全雇用に近い状況を実現しましたが、成長率はかろうじてプラスを維持しているにすぎません。超金融緩和の出口が見えないまま、再び景気が落ち込めば、手の打ちようのない窮地に追い込まれるでしょう。「大勝」にうかれてバラマキが加速しないことを祈るばかりです。

▼一一月一〇日

政治家も、そしてマスメディアも、最近ポピュリズムという言葉を極めて安易に使いがちです。それはレッテル貼りの一種であり、知性も理性もない者が他人を貶めるための手段として使っている場合が多いと言えるでしょう。言いたいことは大衆迎合に対する非難なのでしょうが、自らが大衆迎合そのものの存在であることを考えると笑止千万です。半年ほど前の講演で中岡望先生が米国史を紐解いてポピュリズムの語源は米国の人民党に由来するもので、その思想が民主党に受け継がれたことを教えてくれました。人民に、あるいは大衆の利益に依拠する政治を否定することは、民主主義の否定につながりかねません。しかし、大衆を扇動し、大衆に迎合すると見せて、実は自らの政治力を高める政治は、時として全体主義や国家主義を呼び込むことになります。

▼一一月一七日

中国では、これまで続いてきた共産党一党独裁下における党役員人事の慣例を無視した習近平体制の固定化が進められています。それは、共産党独裁から習近平独裁への変更であり、安定した人事交代ルールの存在によって、かろうじて免れてきた独裁の弊害の顕在化が、いずれ避けがたいものになることを予想させます。党内の民主的手続きはいっそう形骸化し、中国人民共和国は、やがて習王朝に転じていくでしょう。それは、ある意味ではお隣の金王朝のなれの果てを想起させるものです。東アジアはまた一つ大きな爆弾を抱え込むことになるかもしれません。いずれにしても、日本は冷静かつ賢い対中外交を心掛ける必要があります。そして何よりも日本が中国から見ても無視できない存在であり続けることが重要です。

▼一一月二四日

最近の文部科学省が進めている高等教育行政の、がんじがらめの管理強化は目に余るものがあります。少子化が進む中で、大学間の競争は否応なく激化し、優勝劣敗と自然淘汰が激しくなっていくでしょう。行政に求められるのは、自由な競争を通じた教育と研究の質の向上であって、官僚による思い込みと息の詰まるような管理体制は、学問や芸術の創造性を失わせてしまいかねません。科学技術の振興は大切ですが、学問の本来の姿は真理の探究です。実利だけを社会の要請として追い求めるのでは日本の価値を低める結果にしかならないでしょう。

▼一二月一日

科学技術の変化が加速する一方で、人間という存在、そして人間社会の在り方は、果たして少しでも進歩しているのでしょうか。東西冷戦の終結後のデモクラシーは、かつての輝きを失い、世界の繁栄をもたらすはずだったグローバル化の進展は、時代の変化に取り残された人々の反撃を受けて立ち往生しています。人間も人間社会も時代の変化とともに進化を遂げていく存在ではありません。現代人は古代や中世の人々よりも遥かに素晴らしい利便性を手に入れていますが、個々の人間がプラトンよりも賢く、モーツァルトよりも優れた才能を身に付けるようになったわけでもありません。日常の生活態度にしても、現代人は「江戸しぐさ」を身につけた江戸の庶民に劣ります。驕(おご)りを捨てて人間存在に謙虚に向き合い、歴史に学んで正しい視座を持つ心構えが必要でしょう。

▼一二月八日

二〇一七年の世界は、米国におけるトランプ大統領の登場を皮切りに、英国のEU離脱やヨーロッパ各国での極右勢力の躍進など、グローバル化の流れに抗する、排外主義思想と保護主義の賛同者が大きな力を持ち始めた年になりました。トルコやフィリピンにおける強権政治の登場も、民主国家の変質を象徴する出来事でした。その一方で習近平政権の独裁色が強まる中国が、自由貿易体制の重要性を国際社会に訴え続けているという皮肉な展開になっています。東西冷戦の終結とグローバル化の進展が、輝かしい世界を約束するものではなく、取り残された人々の怨嗟(えんさ)によって社会の大きな軋(きし)みをもたらされている現実が露(あら)わになりつつあります。しかし、もはや元の世界秩序に戻る術はありません。二〇一八年は新しい世界秩序を模索する年になるでしょう。

▼一二月一五日

新興国経済の底入れで世界経済に明るさが見え始め、日本経済もようやく輸出と設備投資が上向き始めています。新年はこうした流れがさらに力強さを増すのか。それとも世界各地で懸念が高まっている各種の不測の事態が世界に暗い影を落とすことになるのか。また、日本経済は持続可能な未来を切り開くことができるのでしょうか。

二〇一八年

▼一月一二日

二〇一八年も世界はポピュリズムに席巻されれる状況が続くことになるでしょう。しかし、日本ではこのポピュリズムという言葉が、あまりにも安易に、かつ手前勝手の理解で使われているように思われます。それはあらゆる場面で横行するレッテル貼りの一種であるといっていいかもしれません。一言で片づけられるような問題ではなく、その本来の意味を理解し、そのうえで、現在の世界を覆っている潮流の持つ意味を深く考えるところから始めなくてはならないでしょう。

▼一月一九日

日本経済は緩やかに成長を続けており、景気拡大の最長記録更新も視野に入ってきています。しかし、安倍政権が誇るような順風満帆の経済運営かと言えば、必ずしもそうは言えないでしょう。この景気拡大が超金融緩和と財政の逐次投入に支えられたものであり、将来にわたる日本経済の基盤強化につながる有効な政策が遂行されているとは到底言えないからです。米国に続いてEUが出口戦略を模索し始めている一方で、先進国経済圏で最も低いパフォーマンスしか挙げていない日本経済は、依然として短期のカンフル剤に頼るしかない状況が続いています。最近の政策の旗印は「働き方改革」ですが、その実現に向けた大胆な環境整備は遅々として進まず、改革のボールを企業に投げて胸を張るありさまです。

▼一月二六日

安倍首相の所信表明演説は、「働き方改革」の断行と、朝鮮半島の危機を背景にした防衛力の強化と憲法改正を高らかに宣言するものでした。しかし、柔軟な働き方の実現を喧伝するにしては、労働市場の流動性向上に向けた抜本的な改革には及び腰です。そして日米同盟と軍事的圧力一辺倒の外交路線にどこまで展望が描けるのか。また、社会保障費用の増大に対して何の手立ても講じないままに、財政収支の赤字を放置して目先の繁栄だけを追求する姿勢には、政治の良心のかけらすら感じられません。われわれは確かな未来を提示してくれる政治をどこに求めたらいいのでしょうか。

▼二月九日

超高齢化社会が到来する中で、最も多くの人に恐れられているのが認知症でしょう。いくら体が元気であっても頭がはっきりしなくては生きている甲斐がないと考える人は多いはずです。脳が正常に働いているうちにこの世を去りたいという思いが、長寿社会を迎える中で多くの人の願いに違いありません。脳科学の発展によって、人間の脳が持つ神秘的な秘密のベールが徐々にはがされています。最も恐れられているアルツハイマー病の特効薬や治療法も開発が進んでいます。しかし、人間の脳細胞は90歳まで再生が続けられているという最近の研究もあります。脳を活性化して健康に生き抜くために何が必要なのでしょうか。

▼二月一六日

鳴り物入りで実現したロシアのプーチン大統領訪日が、何かよく分からない結果に終わってから早くも一年以上の歳月が過ぎ去りました。安倍首相の悲願の一つであった北方領土問題の解決と日ロ平和条約の締結は実現のめどが経たないまま、日ロ関係の改善は政治課題から姿を消してしまったように見受けられます。何よりも、今後の方向性や関係正常化の道筋について、責任のある発言が聞こえてこないのが不思議でなりません。ロシアは、中国や朝鮮半島の二つの国と同じく日本の隣国であり、政治的にも経済的にも日本の安全保障と経済的利益のために最優先で対処しなくてはならない課題のはずです。日ロ関係緊密化こそが東アジアの安定に不可欠であることは論を待たないでしょう。

▼二月二三日

米国は実体経済の強さを背景に株式市場の活況が続き、適温経済なる言葉も生まれていました。しかし、FRBの金利引き上げをきっかけにドル高株安に見舞われ、その後のマーケットは激しい乱高下を繰り返しています、EUや日本をはじめとした米国以外の市場も、米市場の動向を反映して不安定さを増しています。一方では米商務省が輸入規制の必要性を大統領に報告するなど、トランプ政権の保護主義政策の発動も現実味を増しています。世界の流動性資金が米国に流れ込めば、回復途上の新興国経済への大きな打撃となることも懸念されます。世界同時好況が見込まれていた二〇一八年の世界経済には、にわかに暗雲が近づいてきたかに見えます。

▼三月二日

明治維新から一五〇年を迎える今年は、保守層を中心に明治維新と日本の近代化を顕彰する動きが高まっています。明治以後の日本では、「勝てば官軍、負ければ賊軍」という言葉が示すように、天皇を錦の御旗とした薩長政府が日本を支配し、これに抵抗した勢力は長い間、歴史の闇に押し込められてきました。近年、江戸時代の再評価も進んではいますが、大日本帝国時代を無批判に懐かしむ人々は依然として少なくありません。大衆文芸の世界を含めて、日本人の心情に深く刷り込まれ続けて来た明治維新の栄光を、改めて客観的に見直すことが必要なのではないでしょうか。

▼三月九日

中国は国家主席の任期の制限を取り払って、実質的に習近平政権の独裁体制の固定化の道を開きました。これまで、一党独裁であっても定期的なトップの交代によって体制刷新の道が開かれ、個人崇拝の弊害から免れていた中国が再び個人崇拝の習王朝へと変貌することは、この大国を将来にわたって安定させるどころか、新たな混乱へと導くでしょう。腐敗撲滅を武器に権力を掌握した習近平ですが、彼個人の資質や力量の如何にかかわらず、政権の長期化と権力の集中そのものが、政権の腐敗と政策の歪(ゆが)みをもたらすに違いありません。その実例は人類の歴史を紐解けば枚挙にいとまがありません。統治者としてそのことに思いが至らない習近平はやはりトップとして見識と知恵を欠いた愚かな人間でしかなかったと言わざるを得ません。

▼三月一六日

総選挙を経て盤石と思われた安倍一強体制にほころびが見え始めました。一寸先は闇と言われる政治の世界ですが、森友文書を巡る財務省の対応は、まさに政権を揺るがす事態に発展してしまいました。とうとう自殺者を出してしまったこの問題は、官僚をそこまで追い詰めてしまうような事態をもたらした政治家の責任がまず問われるべきでしょう。これに先立つ働き方改革を巡る厚生労働省の対応でも、政権最重要政策を裏打ちするはずのデータが全く杜撰なものだったことが明らかになっています。首相の懐刀とされる担当大臣のリーダーシップは地に落ちたと言わざるを得ません。

▼三月二三日

安倍政権は森友問題を巡る公文書の改ざんが判明して発足以来最大の危機に直面していますが、経済政策においても重要政策が立ち往生して手詰まりの状況に追い込まれています。短期的なカンフル剤のはずだった金融財政政策への過度の依存が長期化してマーケットの歪みが顕在化する一方、構造的な財政赤字は放置され、公的債務の膨張には歯止めがかかっていません。強硬一本やりで米国に追随してきた対北朝鮮外交も、米朝首脳会談の合意によって梯子を外される危険が迫っています。米欧が出口戦略を模索し始める中で超金融緩和を実践してきた黒田日銀体制の継続を決めた政権の頑な短期的政策依存は将来に禍根を残すリスクを一層高めることになるでしょう。

▼三月三〇日

トランプ政権はティラーソン国務長官やマクマスター安全保障担当大統領補佐官を相次いで更迭、良識派と目されていた両氏に代わって、対外強硬派で、かつ、お友達中心の陣容へと生まれ変わりました。対中国では鉄鋼製品などに大幅な関税を設ける輸入規制を強行、イスラエルの米国大使館のエルサレム移転を進めるなど、内外の反対を物ともせず、選挙時から主張してきた政策の実行へとひたすら突き進んでいます。中東ではかろうじて細い糸でつながっていた和平プログラムが崩壊し、イスラエルやサウジアラビア、イランなどの思惑が入り乱れる中で軍事的衝突の危険は一段と高まっていると言えるでしょう。最新の注意を払わなければならないこの時期に、何の配慮もなく勝手な行動を繰り返すトランプ外交は、いったいどのような結果をもたらすことになるでしょう。

▼四月六日

米国のトランプ政権はこれまで良識派と目されてきたティラーソン氏やマクマスター氏を更迭し、元CIA長官や対外強硬派で知られる人物を後任に据えました。しかし、ビジネスマンを自認するトランプ氏にとっては、こうした一連の人事や政策の発動は、一定の思想信条に基づくものではなく、もっぱら自身の利害に基づく行動と考えるべきかもしれません。一見突飛に見える言動も、自らの支持者たちへの約束の履行であると考えれば納得のいくものです。その証拠にどんなにメディアに叩かれようが、核となる支持者はトランプ氏を離れていないからです。その一方で、米国の大統領に就任した後も、米国民全体の大統領になろうとする意識は全くないようです。その点は、見事に一貫しています。たとえ、その言動が米国全体の利益を損ない、世界の安定と発展を阻害するものであろうと、何の痛痒も感じないようです。

▼四月一三日

財務省における公文書の改ざんや防衛相の日報隠しなど安倍政権はこれまでの国会答弁の信頼性が大きく揺らぐことで政権運営が極めて困難になりつつあります。看板政策である「働き方改革」においても、根拠となるデータの杜撰さが明るみに出るなど、成立に暗雲が漂っています。安倍一強体制の長期化が、行政を司る政治と実行部隊である官僚との関係に不正常で歪んだ関係をもたらしているといえるのではないでしょうか。さて、そんな中で日本経済は緩やかな成長を続けていますが、長引く超金融緩和の副作用や、財政再建の先送りなど、懸念材料も少なくありません。安倍政権の弱体化は構造改革を一層困難にするでしょう。人手不足の深刻化による人件費の上昇が企業の改革意識を刺激し、個人所得の増加が消費意欲を高めて景気の更なる上昇につながればよいのですが。

▼四月二〇日

すでに廃棄されたはずの自衛隊の「イラク日報」が見つかり、改めて自衛隊の海外派遣の問題が注目されています。公文書管理とその公表の在り方を巡る議論は、南スーダンへの派遣に関する問題でもそうでしたが、与野党の議論の争点は、戦闘地域か非戦闘地域かという派遣の法的適合性の問題に終始しています。メディアの議論も含めて、肝心の日本の国際平和貢献活動がいかにあるべきかについての議論は全く置き去りにされてきました。せっかく「日報」が公開されたのですから、自衛隊が現地でどのような活動を行い、それがどのような国際平和への貢献をしたのか、そして紛争地域への派遣のリスクはどこまで許容されるのか等々において、国民と情報を共有したうえで前向きに検証すべきでしょう。国際平和貢献を政治の道具としてしか扱ってこなかったこれまでの議論は、一刻も早く終止符を打たなくてはなりません。

▼四月二七日

大使館のエルサレムへの移転を決定するなど、トランプ政権によって米国の中東政策が大きく変容し、中東情勢は不確実性を増しています。イスラエル、サウジアラビアにおいても国内政治の変化が新たな地域内でのかく乱要因になりつつあります。ＩＳ勢力の後退にもかかわらず、シリア情勢は依然として混迷が続いています。イランへの強硬策を掲げるトランプ政権の動きも新たな不安定要因になりそうです。複雑に絡み合う関係国の利害をどのように読み解き、これからの中東情勢をどう展望すればよいのでしょうか。

▼五月一一日

このところ、急変する北朝鮮問題に耳目が集まる一方、「森友・加計問題」や「財務次官セクハラ事件」で空転が続いていた国会審議がやっと正常化に向かいました。ただ、問題の解決には程遠い結末でお茶を濁す結果になりそうです。政治の混乱の一方で経済問題はすっかり片隅に追いやられてしまっていますが、「働き方改革」の帰趨や、日銀の金融政策の見直しなど、注目しなければならない事柄は目白押しです。一見、順調に拡大している日本経済ですが、進まない成長戦略と停滞する企業の投資意欲は、相変わらず日本経済の将来の発展に強い疑念を抱かせる結果になっています。

▼五月一八日

国会の空転がやっと終わって、与野党揃（そろ）っての審議が再開されました。「森友・加計問題」は、公正かつ客観的合理性のもとで行われるべき、国民の財産の売却や行政による許認可が政権の意向を反映して恣意（しいてき）的に決定されたのではないかという疑惑です。問題の根っこにある権力の長期化によって官僚が権力になびき、権力に阿る弊害です。政権がころころ変わるのは好ましくないとしても、権力の長期化はその土台を腐らせることになります。総裁の三選を認めない制度を作った自民党の先人たちはそのことをよく分かっていたのでしょう。第二次安倍政権誕生から足かけ六年、新しい体制で再出発することが必要だと思われます。

▼五月二五日

世界の注目を集めている米朝首脳会談が果たして予定通りに実施されるのでしょうか。北朝鮮からはブラフともけん制ともとれる発言が目立っています。一方のトランプ米大統領は、意外な物分かりの良さを演出しているように見えますが果たして真意はどこにあるのでしょうか。トランプ氏の言動の全ては選挙対策なのだという見方も増えていますが、次第に近づいてきた米国の中間選挙の行方はどうなっていくのでしょうか。そして議会とトランプ政権の関係は本当のところどうなっているのでしょうか。また、米中の貿易交渉が一応の合意を見た後、日米の貿易関係はどのような展開が予想されるのでしょうか。

▼六月一日

米国に次ぐ経済大国に成長した中国が、経済成長の急減速と高齢化時代への移行により、早くも成長の屈折点を迎えています。これに対して、近い将来の新たな経済大国として注目されているのがインドです。人口の面でもいずれ中国を上回ると見られ、特にIT分野でのパワーはよく知られています。カースト制度など古い社会制度の存在などが、成長の足かせになると見られてきましたが、裏を返せばそれだけ潜在的な発展の余地を残しているともいえるでしょう。しかも共産党一党独裁の中国と比べると、選挙によって選ばれた政権が国政を担う民主国家であり、社会の安定度は比べるまでもありません。ただ、日本人にとっては、情報が乏しいベールに包まれた国でもあります。

▼六月八日

安倍政権にとって、憲法改正と並ぶ最大の課題が日ロ平和条約の締結と北方四島の返還でした。しかし、度重なる両国首脳会談で相互訪問の実現にもかかわらず、両国の関係改善には目立った成果を残していません。一見華やかに演じられてきた安倍外交ですが、最も重要であるべき近隣外交においては、関係改善も信頼関係の構築も、見るべき成果はなかったと言えるでしょう。特に同じ隣国であってもロシアが中国や韓国と決定的に異なるのは、一般市民の対日感情が極めて良好であることです。極東ロシアの開発に積極的に協力して緊密な経済関係を築くことができれば、アジアにおける日本外交は新たな地平を切り開くことができるでしょう。どのような形であれ、日本人の対ロ感情の改善を阻害している北方領土という棘を抜き取るのは政治と外交の責任です。

▼六月二二日

数々の疑惑と不祥事にもかかわらず、安倍政権の一強体制は揺らいでいません。九月までに日朝首脳会談を実現させ、拉致問題に一定の区切りをつけて総裁三選を確かなものにするというシナリオが着々と進行中のようです。支持率を不支持率が上回る状態が続く中で、逆境をものともしない強靭な精神は、ある意味では盟友であるトランプ米大統領と共通したものがあります。これまでも政権の危機を自ら打って出ることで立て直してきた安倍首相にとって、米朝首脳会談の「成功」は、自らの政権基盤の立て直しにとっての千載一遇の好機なのでしょう。日大アメフト部やレスリング協会など、力による支配があちこちで綻びを見せていますが、どちらも抜本的な体制の一新には背を向けて、ほとぼりの覚めるのを待つ姿勢のようです。日本社会に巣くう権力構造の不合理は、恐らく政治の世界で最も根強くはびこっているのではないでしょうか。

▼六月二九日

安倍政権発足とともに始められた日銀の超金融緩和は、その後度々強化され、米欧の金融当局が出口戦略を模索する中で、そうした流れに背を向けるかのように頑なに既定路線を維持し続けています。インフレ目標二%については、達成時期を明記しなくなりましたが、目標時期達成が実務にできなかったのですから当然といえば、当然です。もともと短期的な措置であった超金融緩和がこれだけ長引けば、副作用が大きくなるのは当然です。何よりも日本の短期金融市場は機能不全に陥り、すでに死に体となっています。金融機能を窒息死させたツケはいずれ払わなくてはならないでしょう。貸し手も借り手も金利をろくに払わなくていい世の中は、ある意味ではモラルハザードの温床です。そうしたもろもろのことを当たり前にしてしまったことこそが最も罪深いのではないでしょうか。

▼七月六日

最近の脳科学の研究の進展によって、人間の脳の働きが次第に明らかになりつつあります。われわれがこれまで信じてきたことが、新しい研究成果によって次々と覆されています。人体の持つ神秘はまだまだ計り知れないパワーを秘めています。特に脳に関しては、人類が明らかにできていることは、まだその働きの一部でしかないと言えるでしょう。したがって、ＡＩが人間の脳を凌駕(りょうが)するなどという思い込みもまた、その働きのごく一部を指すものでしかありません。何よりも、われわれは脳の持つパワーを十分に生かしているのでしょうか。便利な機器の開発と普及によって、人類はますます脳をスポイルし、その働きを封じ込めてしまうことになっているのではないでしょうか。

▼七月一三日

順調に上向いてきた世界経済に、米中貿易戦争の深刻化が暗い影を落としています。米国によるイラン制裁の再開も、原油価格の高騰など、世界経済に新たな不安定要因をもたらしています。いずれも、トランプ大統領にとっては選挙対策としての支持者への人気取りに過ぎないのでしょうが、愚かな自己中心男に振り回される側は、たまったものではありません。その結果が、米国経済の過熱を防ぐ結果になればいいのでしょうが、保護主義の蔓延によって世界経済の暗転をもたらさないことを祈るしかありません。米国以外の主要国が自由貿易の進展をより強力にすすめることで、米国の反省を引き出すことができればいいのですが。

▼七月二〇日

米国トランプ政権の対中政策が強硬の度を強めつつあります。単なる選挙対策としての誇示ではなく、ハイテク分野での中国の急速な台頭が、古くから存在する中国脅威論に火をつけたのかもしれません。権力の掌握に成功した習近平独裁政権ですが、米国との貿易戦争は中国経済を根底から揺るがすことになりかねません。独裁者は独裁が得意であるがゆえに、自分の意のままにならない相手と向き合うことは得手ではありません。民主主義から生まれ落ちた破天荒なトランプ政権にどう立ち向かうか、けだし見ものと言いうるでしょう。そして、強引な経済対策で立て直した中国経済は、この新たな危機にどこまで耐えられるでしょうか。

▼七月二七日

参議院の定数増とカジノ法案が成立して、延長国会が閉幕しました。多数の死者を出した西日本豪雨と死者を毎日出し続けている酷暑が日本列島を襲っているさなかの出来事でした。数々の疑問を残したまま、十分な議論も行わずにひたすら多数決によってこの二つの法案を成立させた国会は、日本の憲政史上に大きな汚点を残すものと言えるでしょう。そもそも民主主義は多数決原理だけで成り立つものではありません。少数派の意見に耳を傾け、その考え方を国政に取り込むことも、多数派の政権の大きな役割であるはずです。しかも選挙制度の変更は与野党の十分な議論とある程度の合意が前提のはずですし、カジノ案に至っては世論調査で国民の七五%が「必要ない」と答えています。

▼九月七日

自民党総裁選がスタートしました。自民党国会議員の八割、自民党支持者の七割が安倍総裁の再任を支持している現状では、安倍総裁の三選は動かないでしょう。しかし、最近の世論調査では支持政党無しの有権者の四割が石破氏を支持しています。安倍首相の悲願である憲法九条の改正、そして看板政策のアベノミクスにも、過半数を大きく上回る国民が冷ややかな視線を向けられています。一強体制に胡坐をかく自民党政権は、次第に国民から大きく有利した存在になろうとしています。権力の限りを尽くして再選に邁進すればするほど、政権基盤を毀損することになるかもしれません。急速に世界を席巻した強権政治ですが、ここへきて限界も見え始めました。

▼九月一四日

九月六日午前三時七分五九秒に発生した北海道胆振東部地震は、道内では初めての最大震度七を記録しました。震源が人口の少ない内陸部で津波や大火災等の二次災害がなかったことから、死者の数こそ多くなかったものの、道内最大の火力発電所が損傷して、全道が停電に見舞われるなど、地域住民のライフラインに大きな影響を及ぼしました。また、札幌では大規模な液状化が発生するなど、想定外の被害も広がりました。地域経済にも深刻な被害をもたらしています。熊本や大阪に続くこの地震は、改めて日本列島の置かれている環境の不安定さと今後のさらなる地震災発生リスクを、われわれに気付かせてくれました。必要な行動はとにかく迅速でなければならないのです。

▼九月二二日

長い時間ぬるま湯につかってしまうと外に出るのが難しくなっています。総裁選の中で安倍首相はこれまでタブーと見なされてきた出口戦略に初めて言及しましたが、これははからずも金融政策が日銀の専権事項ではなく、官邸の意向に拠るものとなっていることを示したものと言えるでしょう。安倍第二次政権のスタート時から、超金融緩和は看板政策であるアベノミクスの一丁目一番地でした。「円安株高」に頼る景気底上げ政策の限界が見え始めている中で、国際環境はすでに回復過程から波乱含みの展開に移りつつあります。米国の出口戦略の進行は新興国からのマネーの米国への還流によって新興国経済を揺るがし始めているからです。政策の軌道修正ができない政権が変化を望まない支持者によって続けられていく現状は、大きな転換点に差し掛かりつつある世界経済の新しい潮流から取り残されていくリスクを増大させます。

▼一一月二日

米国の中間選挙が近づいてきました。米朝首脳会談の実現、米国駐イスラエル大使館のエルサレム移転、中国製品に対する高額の制裁関税の実施、NFTAの強引な見直し、そして中距離核全廃条約の破棄と、トランプ大統領の派手なパフォーマンスは留まるところを知りません。共和党内のトランプ支持はかつてない高さに達しています。一方の民主党は、新人候補者がベテラン議員を破って候補者になるなど大きな地殻変動が起き始めています。トランプ人気が果たして共和党議員の得票に結び付くのかどうかは定かではありません。また急進的な民主党の候補が幅広い層の支持を集められるかも未知数です。そして、下馬評通りに民主党が勝利した時に、大統領の弾劾は果たしてどうなるのか。さらに日米貿易居協議はどのような展開を見せるのか。

▼一一月九日

尖閣諸島を巡る領土問題や靖国参拝に象徴される歴史認識問題等で冷却していた日中関係が、ここへきてにわかに改善の方向に向かっています。米国との貿易戦争が深刻化し、一帯一路が暗礁に乗り上げつつある習近平政権にとって、安倍政権との関係改善は、まさにわらにもすがる思いなのかもしれません。日本にとっても米国を上回る通商相手国となった中国との関係改善は、米国との厳しい通商交渉を控えて渡りに船でもあります。ただ、両国関係の懸案事項を棚に上げたままの「関係改善」では、両国の政権の人気取りのための政治的パフォーマンスの域を出ません。世界の経済環境が激変する中で、どこまで両国政府は、相互理解による緊密な関係を築くことができるのでしょうか。

▼一二月七日

年齢を重ねるにしたがって身体のいろいろな箇所に不調を覚えるようになるのは、誰もが経験することです。長年使ってきたのですから、経年変化に対応した働きを身体が自ら行うのは、人間の身体の持つ人智を超えた神秘といえるかもしれません。老年期に入れば、血管が次第に硬くなり、それを補うべく血圧が次第に上昇するのも人間の身体の持つ摂理であると言えるでしょう。年齢を無視して一律の基準に従って杓子定規に薬を投与することにいかなる意味があるのでしょうか。生活習慣病という言葉は、健康な生活を送り続けるために、健康を害する生活習慣を改めるということであれば大変有意義なことです。しかし、生活習慣病の予防と称して基準数値を超えた人を全て病人と見なして安易に副作用のある薬を投与する在り方には、疑問を感じざるを得ません。

▼一二月一四日

早いもので今年も残すところわずかになりました。米国経済の好調と欧日経済の緩やかな回復によって、比較的穏やかな好天の中でスタートでした二〇一八年でしたが、後半に入るに従って雲行きが怪しくなってきました。米国の出口戦略の進行によってマネーが新興国から米国に還流、新興国経済が早くも暗転し始めています。加えてトランプ大統領が進める保守的政策が世界の通商に大きな混乱をもたらしました。中でも対中国との貿易摩擦は高額の輸入関税の上乗せなど厳しい措置によって中国経済に深刻な影響を与えつつあります。米国の制裁措置の第二弾は、習近平政権の懇請でとりあえず休戦に持ち込まれましたが、根本的な解決の道筋は見えていません。こうした状況の中で始まる二〇一九年の世界経済はどうなるのか。

▼一二月二一日

二〇一八年の世界はこれまでの流れが大きく変わろうとする節目の年になりました。当たり前のように自明と考えてきた秩序や物の考え方が大きく揺らぎ始めています。世界に混乱をもたらしているのは米国のトランプ大統領だけではありません。英国のＥＵ離脱問題をはじめとして、多くの国で国際協調ではなく、国内保護と排外主義を主張する勢力が力を強めています。ロシアのプーチン、中国の習近平だけでなく、トルコ、フィリピン、ポーランド、ブラジルなどで民主主義の手続きを無視する強権政治がまかり通っています。盤石と見えたドイツのメルケルも来年の退場が決まっています。そこに共通しているのは、巧みな言葉で大衆の心をつかみ、自らの主張を実現するためには、手段を選ばないスタイルです。もはや、まともな政権は日本しか残っていないという人たちもいますが、政策遂行や国会運営の在り方を見ると、世界の新しい動きを最も早くから体現しているのが日本の安倍政権なのかもしれません。

二〇一九年

▼一月一一日

二〇一八年はトランプ政権の予測不能の動きに世界が振り回された一年でした。しかし、トランプ政権の登場は米国だけの特異な現象ではなく、英国のEU離脱や欧州主要国における排外主義の高まり、トルコ補選、フィリピン、ブラジルなどでの強権政治家の政権奪取など、東西冷戦終結後に信じられてきたグローバル化と民主化の流れが大きく変わろうとしています。ポピュリズムが次々に強権政治家を生み出しつつあります。グローバル化の影の部分を際立たせることで、グローバル化に取り残された人々の感情に専ら訴える勢力の力が急速に強まっています。知性と理性に訴えるのではなく、根拠のないデマゴーグによって大衆を扇動する手法は決して新しいものではありません。しかし、既存の秩序に不満を持つ人たちには、それが福音（ふくいん）のように感じられるのでしょう。二〇一九年の世界はどこに向かうのでしょうか。

▼一月一八日

米国の金利引き締め政策の余波で、米ドルの四新興国から米国への還流が始まり、新興国通貨の下落など世界同時好況に暗い影が差し始めています。加えて、米中貿易戦争など、保護主義の高まりが、世界の通商に大きなマイナス要因になり始めました。その一方でＩＴとインターネットの発展は、金融サービスを大きく変容させつつあります。中でも、ビットコインの普及と結び付いたインターネットサービスの拡大は、世界の経済社会で起きている革命的変化の核心であると言えるでしょう。そして、それが米中の覇権争いの最大の焦点でもあります。

▼一月二五日

米中貿易戦争は現在一時休戦状態ですが、円満解決の見通しは立っていません。米トランプ政権による中国への非難は、当初の貿易不均衡に加えて、中国による米国の知的財産権の侵害が大きくクローズアップされています。米国は中国のＩＴ大手企業の幹部の身柄をカナダ政府に依頼して拘束するなど、強硬姿勢を強めていますが、ＩＴ産業の育成は習近平政権にとっても最大のイシューであり、この問題の収拾は、貿易不均衡問題以上に困難なものになるでしょう。日本にとって中国は米国と並ぶ重要な貿易相手国です。中国の対日姿勢の軟化は歓迎すべきものですが、かといって同盟国米国との関係悪化は絶対に避けなくてはなりません。どちらに向かっても日本の立場を正確に伝え、どこまで是々非々で対処することができるのか。まさに外交の神髄が問われています。

▼二月一日

英国のEU離脱問題は、EU側と交渉を重ねてきたメイ首相の提案が議会で否決され、混迷の度を深めています。協定無しの離脱になれば、英国に進出している外国企業を含めて英国の産業界は極めて深刻な打撃を受けることになるでしょう。しかもEU加盟国であるアイルランドとの間の国境封鎖は長年英国を苦しめてきた北アイルランド問題を再燃させることになりかねません。英国にとって何の利益にもならないEU離脱をなぜ選択してしまったのか。国民投票で民意を問うことの危うさを改めて気付かせてくれました。そして英知を結集できない英国議会の惨状は、取りも直さず、議会制民主主義の危機でもあります。こうした事態を引き起こした無責任な政治家のデマゴーグにあおられたポピュリズムは大陸の欧州諸国にも広がっており、大戦の惨禍（さんか）から生まれた欧州統合の理念は最大の危機に直面しています。欧州はこれからどこに向かうのか。

▼二月八日

世界の成長市場として、発展著しいアジア地域ですが、政治体制の面では極めて多様性に富んでいます。中国や北朝鮮のように政治体制を維持している国があるかと思えば、日本や韓国、フィリピンなどのような民主国家も存在しています。東南アジアの諸国は、政治体制のみならず、経済発展の度合いも極めて多様ですが、地域共同体としての発展を遂げています。最大の強国である中国の影響力が拡大していることは否めませんが、南シナ海の領有権を巡るベトナムやフィリピンと中国の紛争は依然としてくすぶり続けています。東アジアと東南アジア、それにインドなど南アジアの諸国との関係はこれからもより緊密なものになっていくでしょう。関係の発展の前提として必要なのは、「法の支配」に対する共通理解です。二国間であれ、多国間であれ、契約や協定に対する共通の理解なしには、関係の深化はあり得ないからです。

▼二月一五日

昨年暮れに発覚した厚生労働省の不適切な統計調査を巡る問題は、年が明けてから次々と新たな問題が明るみに出て、政府と官僚機構に対する信頼を根底から揺るがす事態に発展しています。昨年から安倍政権が政策の最優先課題として進めてきた「働き方改革」についても、根拠となる統計データがきわめて杜撰かつ恣意的に作成されたことが明らかになっています。それに加えて今回は基幹統計の調査が長年にわたって不適切な手法で実施されてきたことが明らかになりました。しかも大臣が徹底的な調査を約束したにもかかわらず身内のおざなりな調査で糊塗しようとするなど、政府全体が弛緩しているとしか言いようがありません。

▼二月二二日

国会では連日、厚生労働省の統計不正が取り上げられています。当初の毎月勤労統計調査における大規模事業所の不適切な扱いに止まらず、中規模事業所の入れ替えの問題など、政権に有利な結果を導き出すような調査方式の変更が行われたのではないか、との疑惑が持ち上がっています。変更の意図に関する真偽はいまだやぶの中ですが、有識者検討会で座長がこれまで通りの方式で行うことが適当と締めくくったにもかかわらず、厚生労働省は一部入れ替え方式を強行し、賃金の落ち込みを防いだことが判明しています。統計結果は政策判断や、政策の評価の基盤であり、恣意的な操作が疑われること自体があってはならないことです。安倍首相は「そのような支持はしていない」と答弁していますが、官僚が政府のご意向を忖度するような体制を築いてしまったこと自体が、民主国家の危機であると言えるでしょう。一方で、日本銀行は政府と一体化して、中央銀行としての独立性が危機に瀕していると危惧されています。

▼三月一日

明治維新は、暴力とテロルによって徳川の幕藩体制を打倒し、天皇という錦の御旗を掲げて日本を薩長軍閥による中央集権的な大日本帝国に塗り替えるものでした。維新後に発生した民権運動はことごとく圧殺され、不十分ではあるが、議会制民主主義の発展は見られたものの、やがてそれも、軍国主義の嵐に飲み込まれていました。天皇の統帥権の存在とそれを利用した軍閥支配が、日本を誤った方向に導き、悲惨な結果に至ったことは否定できないでしょう。それにもかかわらず、明治政府によって作られた皇室典範を金科玉条のものとして皇室の存続を危うくしている勢力が保守層の中に巣くっています。明治を称揚してそれ以前の徳川時代を全否定するのではなく、公平な目で歴史を見直す必要があるのではないでしょうか。

▼三月八日

米朝首脳会談がなんの成果も残すことができないまま物別れに終わりました。制裁緩和に向かって必死にすがった金正恩よりも、すげなく振舞ったトランプの方が一枚も二枚も上手だったと言えるかもしれません。朝鮮半島の非核化は少しも進展していません。失意のまま帰国した金正恩のみならず、この会談に政権の浮沈を懸けていた韓国の文政権もまた落胆の色は拭いようがありません。しかし、全てがトランプ頼みの安倍政権も決して褒められたものではないでしょう。拉致問題だけではなく、朝鮮半島の非核化は日本の安全保障の最重要課題です。しかも、同盟国であるはずの韓国との間では、かつての負の遺産を巡って対立の火種がくすぶり続けています。日本は好むと好まざるにかかわらず、この半島と向き合っていかざるを得ないのです。

▼三月一五日

低成長ながら景気拡大が続いてきた日本経済ですが、いよいよ景気腰折れのリスクが高まっています。インフレ目標を達成できず、超金融緩和政策からの出口を見い出せないまま景気後退が鮮明になれば、あとは消費増税の延期と財政投入しか道は残されていません。それを好機として衆議院非改選と衆参ダブル選挙を行うのが安倍政権の狙いなのかもしれませんが、それは日本経済の土台を食い散らす衆愚政治にほかならないでしょう。人事権を振りかざした政権に阿る官僚と政権維持のために強弁を繰り返す政治を変えなければ、日本の将来は転落の一途を辿るしかないでしょう。

▼三月二二日

年が明けて史上最長の景気拡大達成も束の間、景気の先行きには、にわかに暗雲が垂れこみ始めています。米中貿易戦争の余波から日本の輸出動向を左右する中国向け輸出に減退傾向が鮮明になってきているからです。そのため企業の景況感悪化に向かっており、安倍政権が胸を張っている個人所得の増加も、今年の賃金上昇は昨年を下回ることが避けられません。毎年続く社会保険の保険料率の改定によって個人の可処分所得はむしろ減少しており、賃金上昇が消費需要の増大をもたらす期待は実現していません。安倍政権は昨年の「森友加計」問題の処理をうやむやに乗り切ったものの、今年は厚生労働省の統計不正問題の処理で再び政治不信を国民の間にまん延させています。統一地方選の年に行われる参院選は与党不利とのジンクスがあり、安倍政権は局面打開のために衆参同時選挙に打って出るとの見方が次第に現実味を増してきました。大義名分は消費税の延期となるのでしょうが、これは根拠の怪しい首相の解散権乱用にほかなりません。

▼三月二九日

世界経済に深刻な懸念を持たせていた米中貿易戦争は、紛争の長期化を回避したい思惑の一致から近い将来手打ちとなる公算が強くなってきました。相互に緊密な経済依存関係を築いていた米中にとって、この不毛な貿易戦争は、双方にとってなんの利益ももたらしません。貿易収支だけを取り上げて相手国を非難するトランプ氏の論理がもともと無理筋であったからです。しかし、背に腹はかえられない中国は、知財保護の方向での法整備を進めることになり、その点では、米国は一定の成果を上げたことになります。ロシア疑惑の解明が不発に終わったことでボルテージの上がるトランプ氏に対して習近平氏は景気減速で苦境に立たされていると言われます。盤石(ばんじゃく)と目されてきた習近平体制は果たしてどこに向かうのでしょうか。

▼四月五日

いよいよ今月末をもって平成が終わります。四月一日には政府から五月以降の新元号も発表されました。平成天皇が自ら希望された「生前退位(せいぜんたい)」が、刻々と近づいています。天皇の崩御(ほうぎょ)による退位と改元(かいげん)が国民生活の混乱を伴った三〇年前の経験を鑑(かんが)みれば、今回の「生前退位」の実現は、常に国民に寄り添うことで象徴天皇であることを全(まっと)うしようとした平成天皇の国民への最後の賜り物と言えるかもしれません。さて、平成の時代は、経済面ではバブル崩壊とその傷痕を癒やすための三〇年間でした。それが長かったのかどうかは、八〇年代後半のバブルの生成と膨張がどれだけ強大なものであったかによると言えます。バブルの膨張を許した失敗を正しく捉えることなく、三〇年間を安易に「失われた」と片付けるべきではありません。高度成長によって経済大国にのし上がった日本は政治経済の諸制度も、そして国民の意識も、その存在にふさわしい行動と体制を身につけることができたのでしょうか。相変わらず日本人の耳にだけ優しい情報だけが社会に溢れ、日本でしか通用しない独り善がりの議論が横行しているのではないでしょうか。

▼四月一二日

安倍晋三首相が憲法改正と並ぶレガシーとしてこだわり続けてきた北方領土問題の解決は、依然として進展が見られません。日本政府の方針は、これまでの四島一括返還から二島先行返還と平和条約締結に傾いているように見えます。しかし、「平和条約締結後に二島を引き渡す」と明言したはずのプーチン氏の態度は大きく後退しているように思われます。日本側の方向転換は、四島一括返還にこだわる保守陣営を抑えることのできる安倍政権下であれば、可能でしょう。しかし、そうなるのであればかつての日ロ交渉の歴史の中でチャンスを度々逃してきた日本側の頑なな態度が、今となっては悔やまれることになります。プーチン政権は二島のロシア化を急ピッチで進めており、交渉妥結のハードルは高まり続けているからです。したたかプーチン氏をどう向き合って解決に持ち込めるのか、まさに安倍外交の真価が問われます。

▼四月一九日

九〇年代のバブル崩壊以後の日本経済は、一貫して低成長に甘んじてきました。小泉内閣時代と第二次安倍政権化には、二度にわたって長期に及ぶ景気拡大を実現しましたが、いずれも成長率は低く、共に実感の伴わない好景気とされました。世界的に見ても、先進国の中でも成長率は低く、経済大国としての地位は後退する一方になり、一人当たりＧＤＰも多くの国に抜かれることになりました。ＧＤＰの成長を阻害している最大の原因は生産性が向上しないことです。企業が収益とバランスシートの改善にもかかわらず新規投資に前向きでないことも問題ですが、それだけではありません。特に第三次産業やホワイトカラーの生産性の低さが際立っていることに日本経済の抱える問題が集約されています。どうしたら生産性の向上に向けてトレンドを転換させることができるでしょうか。

▼四月二六日

平成天皇は、平成の時代が戦争のない時代であったことに言及されました。確かに日本は自ら戦うという選択することなく、三〇年間にわたって平和を享受してきました。しかし、厳密にいえば、日本は世界の戦争と全く関わってこなかったわけではありません。特にイラク戦争においては、日本は戦闘行為にこそ参加しませんでしたが、ブッシュ政権が主導した多国籍軍の一翼を担うことになりました。この戦争で米国の主張した大義が嘘八百であったことはすでに歴史的事実となっています。同盟国の要請に盲目的に従った責任は、日本の政府は一片たりとも認めていません。第二次世界大戦の終結時に連合国が掲げた戦争と平和に関する理念は日本国憲法の中に盛り込まれましたが、日本人は、その思想そのものを深く考えることをしませんでした。そして冷戦が始まり、長い歳月を経て終焉(しゅうえん)し、世界はグローバル化の時代を迎えましたが、世界から戦争はなくなりませんでした。

▼五月一〇日

九〇年代以降の日本を、「失われた二〇年」、あるいは「失われた三〇年」と呼び、日本経済の停滞を論ずるたくさんの論、著作が世に出ました。中でも多くの日本人に衝撃を与え、高い支持を得たのが、二〇一〇年に出版された『デフレの正体』です。長期化する日本のデフレの真因を少子高齢化と人口減少に求める考え方は、さまざまな議論を呼び起こしましたが、今後の日本を考えるうえで、世界に先駆けて少子高齢化と人口減少が進行する日本をどう捉えるかは、避けて通れない課題です。東アジアでは韓国や中国など、日本に続いてこの問題に直面しつつある国が存在します。日本を「課題先進国」として捉える議論もありますが、現状を正しく認識し、将来を冷静に分析することで、今後に向けた適切な処方箋を導き出すことが必要です。

▼五月一七日

トランプ米政権によるイスラエル大使館のエルサレム移転や対イラン政策の転換などが、ただでさえきな臭い中東情勢をより混迷に導いています。選挙を控えたイスラエル政権の強硬政策や、軍事力を誇示するサウジアラビアの介入政策も攪乱要因となっています。ヨーロッパやアメリカで起きている排外主義の高まりも、ある意味では中東の混乱が遠因になっています。第二次世界大戦後に形作られた中東の秩序は、いわば西側諸国の身勝手な思惑の産物であり、アフガニスタンやイラク等の地域内対立への度重なる介入も、混乱を長期化させる結果にしかなりませんでした。宗教対立や原油に関する利権を離れた時に、西側陣営にどのような正当性が存在したのか、極めて怪しいと言わざるを得ないでしょう。相変わらず中東のエネルギーに依存し続けている日本にとって、どのような関与が望ましいのか。対米追随だけが選択肢であった従来の中東政策からどのように転換すべきなのでしょうか。

▼五月二四日

日本で開催されるG20は、参加各国の政治が不安定さを増しているばかりか、英国のEU離脱問題や、米中の貿易戦争の激化など、参加国間の深刻な利害対立によって、世界の主要国の結束が極めて困難な状況の中で開催されます。ホスト国である日本は主要国の中で最も政治の安定を実現している国であり、安倍政権の支持率は高位安定が続いています。ただ、先の統一地方選では与党がいくつかの選挙区で予想外の敗北を喫しており、内閣支持率の高さは必ずしも選挙区における与党議員の追い風にはなっていません。このため、七月に予定されている参議院選挙に関しても自民党内部の警戒感は根づいて、衆参同時選挙への期待感は高まる一方です。このため、衆院解散の理由付けのための消費増税の延期もくすぶり続けています。GDP成長率が二期連続でプラスになり、経済危機を理由とする増税延期は困難な情勢ですが、実際には、理屈はいかようにもなるのがこの世界です。

▼五月三一日

EU議会選挙で移民排斥などを掲げたEU懐疑派が躍進し、これまで政権を担ってきた親EU派二大政党の初めて過半数を割り込みました。イギリスのEU離脱も依然として円満解決の見通しが立っていません。各国に貿易戦争を仕掛ける米国のトランプ政権は、自国第一主義と保守主義を貫いて、むしろ政権の安定度を増しつつあります。そのトランプ政権の最大の同盟者を自認する日本の安倍政権も高い支持率を誇っています。しかし、米中貿易戦争の余波は次第に世界経済にマイナスの影響を与えつつあり、日本の景気にも黄信号がともり始めました。経済は生き物です。流れが変わり始めた時に政策の発動でその基本的な方向を変えることはできません。まして異次元の金融緩和を続けてきた日本にその手立てはほとんど残されていません。

▼六月七日

今年も暑い夏がやって来ました。まだ梅雨入り前の初夏ですが、早くも記録的な猛暑や集中豪雨が日本列島を襲っています。猛暑や豪雨など、極端な気象の変化の背景には、これまで化石燃料の大量消費によって地球が蓄積してきた炭酸ガスが影響していると言われます。平均的な気温の上昇はたとえわずかであっても、それが地球規模でさまざまな異常気象を引き起こしていることは、最近の世界各地で起きている事象からもうかがうことができます。しかし、これまで石油の大量消費によって人類が享受してきた豊かさや快適なこの生活を簡単に手放すことはできません。特にこれから経済発展を遂げようとしている新興国は、発展を阻害するような取り組みには当然反発します。そんな中で世界がなんとか折り合いをつけたパリ協定もトランプ政権による枠組みからの離脱によって危殆(きたい)に瀕(ひん)しています。

▼六月一四日

「失われた三〇年」とも称された平成時代が終わり、令和元年を迎えることになりました。改元によって現実は何が変わるものではありません。史上最長の景気拡大期を実現した第二次安倍政権ですが、この間の成長率は一貫して低水準であり、長期に及んだ超金融緩和にもかかわらず、民間企業の投資意欲も個人消費も停滞が続いています。円安と株高がもたらした企業収益の改善と資産効果による消費喚起も長続きしませんでした。インフレ期待の醸成を狙った金融政策は目標にはるかに届かず、企業の新陳代謝を遅らせて経済の活性化と新たな発展を阻害する結果に陥っています。この期に及んで突然浮上した「年金世代には二〇〇〇万円の貯蓄が必要」との金融庁の報告書を巡る騒動は、政治家と官僚が、国民生活の向上のためにどのような政策が望ましいのか、という彼らの本分とはかけ離れたところで暮らしていることを改めて印象づけるものでした。年金だけで余裕のある暮らしができるとは誰も思っていません。この財政状況の中で、そんな高福祉が実現できるものではないことは明らかだからです。今さら上から目線で自助努力をしましょうなどという暇があるなら、他にすることがいくらでもあるでしょうに。

▼六月二一日

どうやら消費税の引き上げは予定通り実施されるようですが、衆参同日選挙は今もくすぶっています。衆院解散の大義名分はあるのかということでは誰も明確な説明はできないでしょう。もはや解散権を握る首相の胸先三寸と言う事なのでしょうが、そもそも好きな時にいつでも衆議院を解散する権利が首相の専権事項だとする慣例は憲法の上でも極めて疑わしいものです。内閣支持率は世論調査では極めて高率を保っています。しかし、金融庁の老後の必要資産に関する報告書や、特区WGの審議過程の隠蔽問題、防衛相の地上型イージス配備の説明資料の欠陥など、ここへきて政府内部のガバナンスの欠如と士気の著しい弛緩（しかん）が明らかになっています。本来ならこうした状況下で内閣不信任が決議されて解散となるのが筋というのですが、実際にはそういうことにはならないでしょう。解散に向けてすでに走り始めた議員たちを置き去りにして参議院選挙だけが実施された結果は果たしてどのようなことになるのでしょうか。

▼六月二八日

お互いに傷口を深くしないうちに手打ちになるだろうと思われていた米中貿易戦争ですが、解決の糸口を見い出せないまま、G20という最後の直接対決の場を迎えることになりました。自らの再選戦略のためにできる限り相手を追い詰めたいトランプ氏に対して、自らの足元で反対勢力が声を上げ始めている習近平氏もまた安易な妥協が許されない状況にあります。そして、貿易戦争そのものは、どちらの国にも何の利益ももたらすことがないだけでなく、両国の経済と、そこに関わる多くの国の経済を傷めるものでしかありません。自らの人気取りのためだけにこうした事態を引き起こしたトランプ氏は、米国の歴史に汚点を残した大統領として歴史に名を留めることになるでしょう。とはいえ、この勝負は対岸の火事ではありません。中国経済の失速は、日本の産業に深刻な影響をもたらし、その後に控える日米協議もまた日本に有利な展開は全く期待できません。トランプ氏との盟友関係を誇示してきた安倍首相の真価が問われることになります。

▼七月五日

うわさが絶えなかった消費増税の延期と衆議院の解散が実施されないまま、参議院選挙の七月二一日実施が告示されました。世界経済が米中貿易戦争などを巡って揺れ動く中で、日本経済は一応順風の中を進んでいるように見えます。しかし、米国が金融引き締めから景気減速に向けて金融緩和政策を模索し始めている中で、日本経済はその手立てをほとんど持っていません。商業捕鯨の再開や韓国企業への半導体関連輸出の規制強化など、国内の政治的圧力にのみ目を向けた危うい政策を次々に実行に移しているのは、参議院選挙対策のポピュリズム政策と言えるのではないでしょうか。世界経済の雲行きが怪しくなれば、消費増税とその後にやってくる東京五輪以後の需要減退は、日本経済を下降局面に引きずり込む可能性が高まります。目先の利害と選挙民の歓心を買うことにしか興味のない政権はこれからどこに向かうことになるのでしょうか。

▼七月一二日

「人生百年」と言われるように長寿社会が到来した日本ですが、老後の生活は決してバラ色の物ではありません。年金問題など老後の生活資金の問題には個々人の努力でなんとか対処するとしても、健康寿命を余命いっぱいまで延ばせなければ、けっして幸福な老後とは言えないでしょう。健康を維持するための努力はさまざまですが、適度な運動による体力の維持に加えて、適切な栄養の摂取による健康な維持が欠かせません。しかし、われわれがこれまで学んできた健康であるための食事の在り方は、どうも次第に時代遅れになっている疑いがあります。栄養学の発展は日進月歩であり、これまで信じられてきた常識が通用しなくなっているからです。

▼七月一九日

米国では早くも次の大統領選に向けての舌戦が激しさを増しています。トランプ氏は民主党の「非白人」女性議員に対して「どうしようもない、出身国に帰れ」と、ツィッターに書き込み、対象になったと見られる四人の女性議員が激しく反発しています。そもそもれっきとした米国国籍の議員に対してのこうした発言には、何の理もありません。単なる幼稚な嫌がらせでないとすれば、自らの支持基盤である白人保守層への受け狙いか、あるいは中道派と急進派が対立する民主党の大統領候補者選びの混迷を促進するのが狙いなのかもしれません。しかし、こうした露骨な人種差別発言は、民主党の中道派の有力者や、例えばペロシ下院議長やヒラリー・クリントン上院議員の厳しい反発を招いており、むしろ亀裂がささやかれていた民主党の結束を促す結果になってしまったようです。再選戦術の一環とみられてきた中国やイランへの強硬外交も落としどころが見えないまま混乱が長引いています。中国経済の減速は世界経済に暗い影を投げかけており、やがて米国経済にも悪影響が顕在化するでしょう。自身の再選にしか興味がないらしいトランプ氏を止めることは誰にもできないのでしょうか。

▼九月六日

いずれは手打ちに至ると思われていた米中貿易戦争ですが、次第に両国の面子をかけた意地の張り合いになってしまっています。関税の上乗せと報復措置の繰り返しは、両国の経済と市民生活への悪影響がもはや否定しがたい段階に達していると言えるでしょう。米国経済はすでに景気の下降リスクが顕現化し、金融政策は利下げ局面に向かいつつあります。米中対立は世界市場にとって大きな重石となり、世界経済の減速を加速させる結果になるでしょう。政治的思惑で経済を利用することは、経済の混乱を招くだけでなく、その後の正常化を著しく困難なものにするでしょう。それは、日本の対韓政策にも当てはまるものです。

▼九月一三日

一昨日一一日に安倍首相は内閣改造と党役員人事の刷新に踏み切りました。といっても安倍内閣の骨格はほとんど変わらず、一部の有力閣僚の担当が入れ替わったのが目立つ程度です。当初は「安定と挑戦」を打ち出して思い切った人事を匂わせていた安倍首相ですが、交代を取り沙汰されていた二階幹事長の「円満に」発言後は、骨格を変えない安全運転逆戻りしてしまったようです。どうやら秘かに「口ほどにもない」と揶揄(やゆ)される本質が図らずも出てしまったのかもしれません。

▼九月二〇日

今年も各地で比較的強い地震が頻発しています。幸い大きな被害を出すまでには至っていませんが、南海トラフ巨大地震の可能性は多くの専門家が警告を発しています。残念ながら地震発生の蓋然性は高まっていても、いつどこでどのくらいの地震が起きるのかという明確な予想を下すことは、現代化学ではまだ不可能です。しかし、どのあたりでどれだけの規模の地震が起きるのかという予想は難しいとすれば、われわれにできるのはそれに備える対策と覚悟です。最近の台風で発生した大停電とその後の復旧の現実を見るにつけ、地元自治体の手に余る事態に対して国を挙げて地域住民の苦境に対処する政府の迅速な行動が不可欠であると感じざるを得ません。のんきに手前勝手な内閣改造に取り組む暇があるのなら、電力復旧に国が先頭に立つ姿勢がどうして示せないのか。それこそ一強長期政権の腕の見せ所だったのではないでしょうか。

▼九月二七日

米中貿易戦争は双方の国内事情から妥協の糸口を見い出せないまま膠着状態に陥っています。両国の貿易のシュリンク（縮み）は、世界の通商に大きな悪影響を及ぼし、世界経済に景気の減速をもたらすリスクは否定できません。とりわけ中国の市場と資金力への依存を高めていた東南アジアにとっては、この事態は困難な予測しがたい将来をもたらしています。中国に向かっていた投資や需要を代替する市場として脚光を浴びる一方で、中国に向けた輸出や中国からの投資は著しく不安定なものになるからです。ただでさえ膨れ上がった中国向けの債務の負担が経済を圧迫し始めている中で、統合を目指してきたＡＳＥＡＮの一体性は果たして維持していけるのでしょうか。

▼一〇月四日

先が見えない米中対立と日韓関係の悪化が東アジアの国際秩序の行方を極めて不透明なものにしています。トランプ大統領は自らの再選に向けて全ての政策を総動員する姿勢を貫いています。一方、習近平主席は国内経済の減速が鮮明になる中で、保守派の不満分子の攻勢に身動きが取れなくなっています。日中関係と日米関係は、とりあえず、米中の利害対立の緩衝材として良好な状態を保っていますが、それは本質的な両国関係の安定化を意味するものではないでしょう。日韓関係の正常化も両国の政府の方向性が国内の支持者の歓心にしか向いていない現状では打開の糸口は見えてこないでしょう。にわかに高まってきた東アジアの地政学的リスクをどう考え、どのように対処すべきなのか。

▼一〇月一一日

従軍慰安婦問題や徴用工問題など、日韓関係に刺さった抜きがたい棘は、日本政府が放った「輸出規制」という対抗措置によって解決の糸口さえ見えない袋小路に迷い込んでしまいました。韓国側が軍事情報包括保護協定（GSOMIA）の一方的破棄に踏み切るなど、これまで両国が積み上げてきた協力関係の基盤が崩れ始めています。米中対立が深刻化し、北朝鮮の度重なるミサイル発射など、東アジアを巡る国際秩序が不安定化する中で起きた同盟関係の齟齬は、東アジアの不安定化を一段と促進することになりかねません。困ったことに両国政府には、関係改善よりも自国内の国民感情を優先する姿勢がうかがえます。ただでさえ支配と被支配という複雑な関係が記憶の中に残存している現実が存在する中で、少しでも国民感情をあおりかねない行動を政府がとることは、両国関係の未来を損ねることにしかならないでしょう。

▼一〇月一八日

第二次安倍政権が憲政史上まれに見る長期政権となることによって、マスメディアへの政治的圧力の高まりが懸念されています。官邸や閣僚だけでなく、政治家からのさまざまな圧力がメディアに対して陰に陽にかけられていることは、メディアの報道を注意深く観察すれば明らかなことです。問題はこうした政治権力の側にだけあるのではありません。メディアを自らの力で左右しようとするのは、古今東西どこでも見受けられることだからです。しかし、メディアの力が減退し、民主主義の基盤を担う気概が失われ、権力への忖度(そんたく)が横行するようになれば、それは間違いなく民主主義そのものの危機につながるでしょう。

▼一〇月二五日

英国のEU離脱問題は、「合意なき離脱」も辞さないと言い続けてきたジョンソン首相が土壇場に来てEUと新たな離脱案で合意に達したことで、焦点は首相が議会強硬派を新提案で説得できるかどうかに移ってきました。英国がEUとどのような新たな関係を築くことになるかは、英国の今後を左右するだけでなく統合EUが今後どうなるかを大きく左右することになります。折しも、ポーランドの総選挙では「反EU派」が勝利したことで、EU統合の行方には新たに暗雲が垂れこめています。メルケル首相なきドイツがどこに向かうのかも気になるところです。

▼一一月一日

本年はベルリンの壁が崩壊し、東西冷戦が終結してからちょうど二〇年目となります。ソ連邦の解体や中国の市場経済化も相まって、世界の市場が自由主義経済に統合され、その後のITの発展によってグローバリゼーションの波が世界経済を覆い尽くしていった三〇年間でもありました。しかし、近年の世界はこうしたグローバリゼーションの恩恵から取り残された人々の不満を鬱積(うっせき)させることになりました。そして、そうした人々の歓心を買うことで、自らの政治的利益に、不満を利用する捻じ曲げられた反グローバリズムや反知性主義が力を増しています。民族意識をあおり、差別を助長する言辞が横行する空気が世界の至る所で広がっています。国や社会の将来よりも、支持者の歓心を買うために浅薄な正義を掲げてその場限りのバラマキ政策に走るこうした風潮に世界はどう立ち向かうのでしょうか。

▼一一月八日

安倍外交の目玉の一つだった日ロ関係の改善は度重なる日ロ首脳会談にもかかわらず一向に進展が見られません。北方領土の返還は、日本側が二島先行返還に舵を切ったにもかかわらず、むしろ先が見えなくなりました。北方領土のロシア化が急ピッチで進められる一方、首脳会談の成果として喧伝された共同経済活動も掛け声倒れの様相を呈しています。プーチン大統領との密接な関係を誇示してきた安倍首相ですが、ここまで来ると何回会談して膝詰め談判しても、実は相手にされていなかったのではと疑いたくなります。その一方で、米国が条約を一方的に破棄したことで核兵器開発競争の激化が懸念されています。新兵器開発を急ぐロシアの真意はどこにあるのか。隣国ロシアとの関係はどうなっていくのでしょうか。

▼一一月一五日

米国が金融緩和への舵を切ったことが鮮明になってきました。景気変調のシグナルがともっていることは確かですが、この段階での矢継ぎ早の緩和措置は、やはりトランプ氏への忖度である色彩が濃厚です。景気変調の大きなきっかけが米中貿易戦争の激化であることを考えると、これは政治的なマッチポンプといえるかも知れません。とにもかくにも米国が緩和政策に転じたことで世界の金融情勢も大きく変化することになります。欧州のＥＣＢも政策転換を鮮明にしつつあります。しかし、日本の金融当局にとってはその手段は限られています。マイナス金利の拡大は副作用が強すぎますし、これ以上の国債やＥＴＦの買い入れにも限界があるからです。異次元緩和を続ける中で低成長から脱することのできなかったアベノミクスの欠陥が露呈しつつあることは明白でしょう。ぬるま湯につかり続けてきた国民もそろそろ目を覚まさねばなりません。

▼一一月二二日

参院選と内閣改造を経て安倍政権の一強体制は盤石かと思われましたが、閣僚の相次ぐ辞任に加え、大学入試共通一次試験への民間事業者の検定試験の導入が文部科学大臣の不規則発言をきっかけとして実施延期に追い込まれるなど失態が続いています。極めつけは、安倍晋三後援会のメンバーが「桜を見る会」に大挙して参加していた問題です。後援会の会員には、「桜を見る会」への参加を含めた東京観光ツアーや首相を囲んだ前夜祭への参加申し込みを呼びかける案内が配布され、申し込みをした会員には、内閣府から招待状が届く仕掛けになっていました。この催しは、各界の功績や功労が認められた人たちを首相が招いて労（ねぎら）うという趣旨のものです。しかし、第二次安倍政権発足後はこうした私物化が当然のように行われていたわけで、首相という職責が全国民を代表する存在であることへの理解がかけらも見受けられません。

▼一一月二九日

今年もいよいよ師走が近づいてきました。街ではクリスマスのライトアップが次々と点灯され、テレビなどのメディアでは開催まで二百数十日に迫ったオリンピックの話題で持ちきりです。しかし、景気の減速の気配が次第に濃厚になり、冬のボーナスも前年比マイナスになるなど、足元には暗さが漂い始めています。米国の株価は金融緩和や米中摩擦の解決をして好調ですが、景気の先行きには黄信号がともっています。トランプ氏は相変わらず、二〇二〇年の大統領選挙を念頭にリップサービスに余念がありませんが、それは来年以降に世界を襲う停滞と混乱をより深刻なものに導くことにしかならないでしょう。先ごろ世界気象機関は二〇一八年の大気中の温室効果ガスの濃度が過去最高を更新したと発表しました。二酸化炭素の濃度は産業革命が始まる前に比べて一・七倍に達したとしています。しかし、この少し前にはトランプ政権はパリ協定からの離脱を正式決定しています。まさしくかつてゴア氏が述べたように「不都合な真実」から目を背ける空気がアメリカの政治を支配しているのです。

▼一二月六日

世界景気は世界同時好況から一転して減速に向かいつつあります。循環的な景気減速局面入りに加えて、米中経済摩擦をきっかけとして通商面からの需要減退が影を落としています。超金融緩和政策から引き締め局面への転換を図りつつあった米欧の政策当局は、再び金融緩和による景気テコ入れに転じています。特に最も早く金利引き上げに動いていた米国は、いち早く金利引き下げを進め、これを好感した株式市場は活況を呈しています。来年の米国大統領戦を控えて、トランプ政権は米中和解を模索するとの見方も市場では期待されていましたが、香港の民主化運動に対する支援を米国議会が決議したことを受けて、中国政府が報復策を打ち出しており、両国首脳の思惑を超えて、米中関係の雪解けは当面遠のいたと言えるでしょう。中国経済の大幅な減速は世界経済の速やかな回復の足かせとなりつつあります。金融緩和政策を転換できないままこの局面を迎えた日本はもはや金融政策の手立てを失い、またぞろ赤字国債発行による財政出動に頼ろうとしています。後世へのツケをひたすら積み上げるしか能のない政権与党の無節操はいずれこの国を奈落の底に導くことになるかもしれません。

▼一二月一三日

消費増税後の日本経済は、硬軟入り混じった動きが続いています。金融緩和に舵を切った米欧をよそに、超金融緩和からの転換が遅れた日銀はこれまでの金融政策を維持し続けるしか手がありません。幸いにも米国の財政赤字膨張や利下げにもかかわらず、ドル安進行の動きは見られず、円高対応を迫られる事態には陥っていません。相次ぐ閣僚の辞任や「桜を見る会」を巡る失態によって安倍内閣の支持率は大きく低下し、政権は解散総選挙に活路を見出す可能性が出てきました。与党から沸き上がった大型補正によるバラマキ待望論は、まさにこの解散風と無縁ではありません。大衆迎合によって票をかき集めることで政権を維持しようとするお粗末な政府に盲従を続けるならば、国の将来は惨めな凋落が避けられないでしょう。

▼一二月二〇日

国会が閉会になり、野党からの追及の手から逃れ、安倍首相は極めて意気軒高のようです。菅官房長官も「桜を見る会」に関す幕引き宣言をしているので、国民の七割が納得していないこの問題について現政権は完全に頬かむりのまま済ませるつもりなのでしょう。官僚は政治家の意のままであるように見えますが、実は面従腹背の気配が濃厚です。ひたすら安定だけを重要視して、深い識見に欠けるだけでなく、最低限の倫理観にも乏しい厚顔無恥の政府を支持し続けることは、国家の土台を腐らせてしまうことになりかねません。世界中で権力主義的な政権が跋扈し、結果として国際協調と共生の流れは片隅に追いやられています。この世界に再び良識と協調の流れを呼び戻すために何が必要なのでしょうか。

二〇二〇年

▼一月一〇日

二〇二〇年の世界は大変難しい年になるかもしれません。世界の中心にいたはずの米国はトランプ大統領の下で、アメリカファーストどころかトランプファーストの予測不能の迷走が加速しそうです。大統領選挙を控えて、再選のためには何でもありの年になるでしょう。ＥＵは求心力を失ったメルケル政権のドイツが経済の失速によって一段と輝きをなくし、フランスのマクロン大統領の存在感が増していますが、その統率力はいまだ未知数です。米国との和解を一応果たしたかに見える中国は高度成長の終焉が明らかです。国内の不満の高まりが強権政治を押しとおす習近平政権を土台から揺るがす事態に追い込む可能性もないとは言えないでしょう。翻(ひるがえ)って日本では超低金利政策を続けながら、財政赤字を国債発行でファイナンスする構造が経済を蝕み続けています。しかも安倍政権は民主主義の基礎である政策の透明性を自ら損ない、説明責任を著しくないがしろにしています。「説明を差し控えたい」という答弁を放置しているメディアも、その先にいる国民も事態の深刻さを深刻に受け止めるべきでしょう。

▼一月一七日

自らの不明を恥じるどころか、この記録が民主党政権時代から存在しなかったとあたかも他人に責任を擦(なす)り付けるような発言をしています。しかし、この政権下で行われた公文書の改ざんや隠蔽の数々を考えれば、この政権が公文書の意義をないがしろにしてきた事実は拭(ぬぐ)いようがありません。それを全て官僚のせいにしてきた内閣は、行政の頂点にいる責任を全く感じていないということでしょう。そしてIR法案を巡る贈収賄事件の拡大は、この法案の成立を強引に推し進めた与党議員の多くが汚い金を懐に入れていた事実を明らかにしつつあります。また、麻生副総理による「日本は単一民族」発言も、一向に学習しない、およそ資質に欠ける人間が政府の中枢に居座っている現実を改めて浮き彫りにしました。そして何よりも恐ろしいのは、これほど明らかな民主政治の危機的状況にもかかわらず、内閣支持率が高止まりしていることです。衆愚政治に堕した日本をどうすればいいのでしょうか。

▼一月二四日

米国経済がバブルの様相を呈する中で、米中貿易戦争の一次休戦はありましたが、世界経済の調整局面入りは、いずれ避けられないでしょう。EUもドイツ経済が変調をきたす中で、英国の離脱が決まるなど、難しい年になりそうです。減速が濃厚になっている中国経済も政府の必死のテコ入れが続きますが、前途は楽観できません。保護主義の高まりは、世界の通商の縮小をもたらすリスクを高め、経済の沈滞を一層促進するかもしれません。超金融緩和政策の継続にもかかわらず、低成長から抜け出せない日本経済は、こうした世界経済の環境悪化の中で、どのような展開をしていくのか。

▼一月三一日

少子高齢化が進展する中で、日本の社会はさまざまな問題に直面しています。その一つが地方の衰退です。人口の集中は首都圏のみではなく、地方都市間においても中核都市へ人口が流入しそれ以外の年は衰退の一途をたどりつつあります。こうした状況は日本社会を支えてきたコミュニティーの崩壊が進行しつつある現実をうかがわせます。そしてこうした社会の変動によって、日本の社会基盤の一翼を担ってきた寺院が、社会の錨としての機能を失いつつあります。

▼二月七日

バブル崩壊以降の日本経済は、一貫して低成長から抜け出せないまま停滞局面を長期化させてきました。不良債権の処理が終わり、企業のバランスシートが改善しても、新たな付加価値を生み出すことができないという袋小路に迷い込んでしまっています。付加価値を生み出す力が衰え、潜在成長率が低下を続けたことこそが失われた三〇年の最大の桎梏でした。前向きの投資を逡巡し、地道な研究開発を怠り、新しい事業機会の創造に自らのリスクを賭ける企業家精神の衰弱こそが、日本経済の長期的な停滞を招いたと考えるべきではないでしょうか。政府や官僚の無能や不作為をあげつらったところで、なんの解決にもなりません。企業部門に積み上がった余剰資金の大きさは、未来への投資を怠ってきた日本の経営の無能と怠慢の象徴です。こうした悪循環から抜け出すことができなければ、日本経済の再生は望めないでしょう。

▼二月一四日

安倍首相は国会冒頭の所信表明演説で改めて憲法改正への期待を強調しました。自衛隊の明記や緊急事態対応など、極めて限定された事項だけを強調することで、改憲への国民の理解を得ようとしています。しかし、自民党には戦後占領下で制定された現憲法を「押し付けられたもの」として排撃し、自主憲法の制定を指す党綱領が存在します。明治維新以降の大日本帝国時代への回帰を志向する勢力の存在を単なるアナクロニズムとして一笑に付すことはできません。欧米諸国の多くで吹き荒れる極右勢力の台頭は、現実への閉塞感が生み出す専制支配へのあこがれを背景にしています。暴力と独裁を内包した近代化が、肥大化した軍部が国民を支配し、近隣諸国を踏みにじる最悪の事態を導きました。国力が衰弱する中でかつての栄光によりかかるのではなく、歴史の中に埋もれている過ちを冷静に見つめ直すことが今ほど必要な時代はありません。

▼二月二二日

憲政史上最長の在任期間を記録した安倍首相ですが、皮肉なことに総裁任期を延長して三選を果たして以降、政権の劣化が急速に進行しています。安倍首相とその周辺に関わるさまざまな疑惑が跡を絶たず、情報の隠蔽と捏造が次々に明るみに出る一方、国会の追及や記者会見では「答弁を差し控えたい」といった露骨な答弁拒否、意識的な問題のすり替えやはぐらかしが横行しています。政権による情報の隠蔽は選挙を通じて政権を選択する主権在民の基盤を根底から揺るがす暴挙であり、これを放置する国民は自らの権利と義務を忘れた愚民に堕することになるでしょう。行政の行動を判断する要が国民に開示される公文書です。それは民主主義の基盤そのものです。その基盤を損なう行為は政権の正当性を根底から揺るがすものです。安倍政権下において公文書は悲惨な状況に追いこまれたのです。

▼二月二八日

地方分権や道州制の提唱など、東京一極集中の打開に向けたさまざまな議論がなされてきました。その一方で、増田寛也氏の未来予測「地方消滅」は、地方都市衰退の近未来を具体的に提示して衝撃を与えましたが、にもかかわらず局面打開のための有効な手立ては何一つ講じられてきませんでした。現政権下の地方創生も掛け声は立派でも具体性に乏しく、ふるさと納税に至っては、税体系の本質を歪める悪政と言えるでしょう。何よりも地方自治の本筋である地方の自主性を高め、地域の住民が自らの創意と工夫で地方の未来を切り開くことを後押ししなくてはなりません。地方に権限と財源を移譲し、地方分権を実現するために何が障害になっているのでしょうか。

▼六月五日

コロナ禍は、「新生活様式」による「新しい日常」にわれわれを閉じ込めてしまっています。人と接するときは二メートルの間隔をあけてマスクをしなければならないということが新しいルールとして喧伝されています。しかし、そもそも二メートルの間隔があれば飛沫防止のマスクは不要ではありませんか。論理を無視した決めつけの横行と相互監視の高まりは暗い時代の到来を予感させます。季節は夏に突入し、暑い夏が巡ってきました。今年も酷暑の到来は確実です。マスクの着用によって体温が上昇し、呼吸困難で心肺への負担が増大すれば、熱中症の危険は増大します。しかも長期にわたる引きこもり生活によって太陽に触れる機会が失われ、体力や筋力の低下が熱中症への抵抗力を著しく低下させています。厚生労働省の人口動態統計によれば、二〇一八年の熱中症による死亡者は一五八一人に達しています。感染症の拡大防止も大事でしょうが、事の軽重をわきまえない議論は時として社会に害悪をもたらします。高齢者の方々はくれぐれもマスク信仰に惑わされずに暑い夏に対処しなくてはなりません。コロナ禍によってもてはやされているIT技術が「新生活様式」を生み出すとされていますが、その妥当性はどれだけあるのでしょうか。

▼六月一二日

緊急事態制限は解除されましたが、コロナ禍前の日常が戻ってきたわけではありません。いわゆる三密を避けるための「新生活様式」や「新しい日常」の順守が半ば強制的に国民に要請されるからです。営業活動を自粛していた店舗が徐々に再開していますが、ソーシャル・ディスタンスの確保をなど入店制限の実施は店舗効率の著しい悪化を招いています。消費の中枢を担ってきたサービス業の本質は接客サービスにあります。かつて「おもてなし」などと持ち上げていた接客を否定して接客の縮小を余儀なくされれば、サービス業の多くは売り上げの減少によって雇用の削減に向かうことになります。これは、最も不安定で低賃金の仕事に従事していた弱い立場の労働者を直撃することになるでしょう。映画、演劇、音楽などに関わる関係者も同様です。クール・ジャパンはもはや瀕死の状態にあります。そしてインバウンドなどと持ち上げられた観光業も悲惨な状況に追い込まれています。炎天下でマスクの着用を強いられている建築作業者は文字通り死に直面しています。正常な生活が戻ってこなければ、消費の回復も雇用状況も決して改善しないでしょう。

▼六月一九日

新型コロナウィルスの感染拡大が一段落したとして、経済活動の再開に踏み切った米国ですが、警察官による黒人への拘束死をきっかけに人種差別への抗議活動が全米に拡大、感染者数も再び上昇に転じています。失業率の急上昇や人種の垣根を越えて広がる人種差別への抗議行動など、集会自粛の緩和で選挙に向けた選挙活動の本格化を狙うトランプ大統領にとっては前途多難と言うしかありません。低迷する経済情勢や各地での郵便投票の採用の動きなど、トランプ大統領にとってはマイナスの状況が重なり合っていますが、果たして巻き返しの可能性はあるのでしょうか。

▼六月二六日

デフレ脱却を掲げて展開された安倍政権の経済政策は、低成長から脱却できないまま、コロナ禍によって出発点に逆戻りしてしまったようです。アベノミクスの中心であった超金融緩和政策は、転換の機を見い出せないまま新たな危機に直面しています。需要と供給の急激な収縮に見舞われた日本経済はかつてないマイナス成長の中に沈んでいます。相次ぐ大型補正によって財政の均衡は一段と遠のき、今後の日本経済の先行きに暗い影を落としています。緊急事態宣言の解除によって、経済活動は徐々に再開されつつありますが、「新しい日常」がもたらす制約は、消費の回復に対する深刻な足かせであり続けるでしょう。

▼七月三日

まだ完全な形ではありませんが、今日から何とか講演会を再開いたします。休会中も座談形式で講師の方にお話しいただき、講演録は欠かさず発行してまいりました。また、五月中旬からはその模様を動画配信で閲覧できるサービスも開始しております。しかし、講演会の醍醐味は、何と言っても講師の先生方の謦咳に直接接するところにあります。一刻も早く完全な形で会員の皆様に自由においでいただけるように引き続き努力してまいります。

▼七月一〇日

コロナ禍に襲われた日本において、法的な行動制限なしに人と人との接触の削減が進められ、結果として世界でも類例のない感染被害の抑止に成功しました。アジア諸国における感染の度合いの低さや死者の少なさについては、遺伝子など医学的見地からの研究も進められているようですが、日本の強制措置を伴わない自粛の成功に関しては、行政など政治権力に唯々諾々として従う国民性の賜物であるとの見方も少なくありません。しかも国民同士の間に存在する同調圧力の強さが今回の事態においてもいかんなく発揮され、相互監視による息苦しい社会を生み出しているように思われます。そして、いじめや差別の論理がネット社会という新しい枠組みの中で、より一層激しさを増している問題も看過できないでしょう。

▼七月一七日

世界中がコロナ禍への対応に追われる中で、その発生源であった中国は、ますます唯我独尊の姿勢を強めているように見えます。南シナ海や尖閣諸島周辺での海洋進出の動きが一段と活発になる一方で、香港に対し国家安全維持法を成立させて民主派の弾圧を合法化しました。もはや一国二制度の下に存在した香港の自由は完全に過去のものになりました。習近平政権は、一党独裁の強権政治こそが国家統治に最も望ましい在り方だと広言しています。国が豊かになれば民主化が進むだろうという西側諸国の幻想は完全に潰えたと言えるでしょう。周辺諸国を支配下におさめて属国化したかつての大中華圏の再来も視野に入っているかもしれません。米国の力が衰える中で日本はこの大国にどう向き合っていくのでしょうか。

▼九月四日

七年八カ月に及んだ安倍政権に突如終止符が打たれることになりました。デフレ脱却を掲げたアベノミクスの経済政策も、二月以降のコロナ禍によって振り出しに戻った格好です。今年第二四半期のGDP成長率（速報値）は、戦後最悪のマイナス二七・八％に落ち込んでいます。経済社会活動は徐々に再開されつつありますが、感染拡大防止との両立が当面は前提となっており、本格的な回復への道筋は依然として不透明です。日本だけでなく主要国の経済も手探りの状態が続いています。コロナ対応をインフルエンザなどの感染症並みの分類に位置付けることが国際的な大勢になるまでは、本当の意味での経済の離陸は期待できないでしょう。そうした困難な状況の中で経済政策はいかなる方向に向かうべきなのでしょうか。

▼九月一一日

七年八カ月におよんだ安倍政権に終止符が打たれ、来週には新政権の誕生が見込まれています。経済優先を掲げた安倍政権は、デフレ脱却を旗印にアベノミクスによって景気回復に一定の成果を挙げました。しかし、国論を二分した憲法解釈変更による集団自衛権容認と安全保障関連法案の強行採決を行い、自民党規約を変更して総裁三選を実現してからは、長期政権の驕りが次々に露呈するようになりました。「森友・加計疑惑」、「桜を見る会」「河合夫妻の選挙違反」「東京検事長の定年延長問題」など、身内への利益誘導を疑わせる不祥事が次々に浮上してきました。首相在任記録の更新を目指すのでなく、むしろ二期で自ら身を引いていたら、負の遺産を云々されることなく名宰相として歴史に名を留めることができたかもしれません。

▼九月一八日

コロナ禍に見舞われた主要先進国では、感染拡大の防止に取り組む一方で金融緩和と財政出動によってコロナに直撃された経済を必死で支え続けています。超金融緩和に加えて金融当局の市場介入が株式や債券の市場の活況をもたらしていますが、経済活動の沈滞によって投資先を失った資金は、金などの安全資産やドルに向かっていますが、アフターコロナの見取り図がいまだ描けない現状では、相場の先行きもまた極めて不透明かつ不安定なものにならざるを得ません。

▼一〇月二日

今年三月に新型コロナウィルスの感染爆発を防ぐために、緊急事態宣言が発せられて以降、人と人との接触を最小限に抑制することを目指す新生活様式が社会生活の基本となりました。マスクの着用はもちろんのこと、外出の自粛や集会の禁止、など、新しい日常を受け入れることが社会の規範（きはん）であるかのように空気が日本の社会を覆いつくしています。ステイホームが喧伝（けんでん）され、重症化しやすい高齢者への若い世代の接触を戒める言説が支配的になりました。こうした社会状況が新型ウィルスの感染防止に一定の効果をもたらしたことは事実でしょう。しかし、人と人との接触を減らし、外出を避け、引きこもり生活を余儀なくされることで看過（かんか）しがたい副作用が生まれていることもまた否定しがたい事実です。感染防止にしか興味のない学者や一部の医療関係者はともかく、広く国民の健全な生活の維持に責任を持つはずの為政者は、より幅広い観点から政策を常に見直すべきでしょう。

▼一〇月九日

菅政権が発足して政治の空気が一変しました。安倍政権の継承に加えて改革の推進や「自助、共助、公助」を掲げてスタートした新政権は、亜流批判をはねのけて、史上三番目となる高支持率を獲得し順調な滑り出しを見せましたが、日本学術会議の委員任命を巡る「任命拒否」問題で早くも批判の渦に巻き込まれています。菅首相は官房長官時代と同じような、にべもない答弁でこの問題に対処していますが、果たしてこのこわもて姿勢でどこまで突き進むことができるでしょうか。新型コロナウィルス感染防止に万全を期する一方で、経済の立て直しを進めるという難題に取り組む菅首相には、国民の高い支持率を背景とした果断な実行力が欠かせません。あえて「火中の栗」を拾った新首相にとって、今後は毎日がいばらの道になるでしょう。周囲に支えられ、よくも悪くもその助言に流されて長期政権を全うした安倍氏とは違い、菅氏はある意味では孤立無縁で政権を維持しなくてはなりません。難局をいかにして乗り切ることができるでしょうか。

▼一〇月一六日

相変わらずマスメディアでは新型コロナウィルス感染の動向が声高に論じられています。ヨーロッパにおける感染の再拡大やトランプ米大統領の罹患とその後の対応が連日報じられていますが、現実の世界はコロナウィルスがいかに存在し続けようと、人間社会が健全に存続するための営みを着実に回復させようとする動きは静かに広がっているように思われます。世界経済は予測を上回るスピードで回復に向かいつつありますが、これは歓迎すべきことと言えるでしょう。コロナ禍によって大混戦に陥った経済をいかにして立ち直らせるのでしょうか。

▼一〇月二三日

企業統治の在り方を巡ってはさまざまな改革が行われてきました。社外取締役制度の導入や役員選出の仕組みなど、企業のガバナンスの確立や透明化に関する議論が経済団体や関連の学会、証券取引所等の間で行われ、一定の新たなルールづくりも進んできました。しかし、不祥事や不正の隠蔽は相変わらず後を絶ちません。企業経営陣の意識が変わらなければ、法律やルールは絵にかいた餅と化すしかないのでしょう。行き過ぎた株主至上主義や短期的な利益の追求が企業行動に与えるバイアスについても注意が必要です。

▼一〇月三〇日

米国大統領選挙が間近に迫ってきました。新型コロナウィルスの感染拡大が再び深刻化する中での異例の選挙戦が間もなく大詰めを迎えます。支持率では劣勢を伝えられるトランプ氏ですが、強固な支持層に支えられ、ウィルス感染をも跳ね返して相変わらず意気軒昂です。前回の選挙でも事前の劣勢を跳ね返したトランプ氏だけに、鍵を握る激戦州の帰趨次第では、なお逆転の可能性も残されています。しかし、選挙戦を通じて、知性を嫌悪しエリートを排撃する支持者の喝采だけに頼るトランプ氏の対立と分断をあおる姿勢は、多民族国家の統合に深い傷を残すことになるでしょう。

▼一一月六日

世界経済はコロナ禍によって戦後最悪の落ち込みを余儀なくされましたが、経済活動は徐々に再開され、来年にかけて回復が見込まれています。しかし、主要先進国では、感染の再拡大も鮮明になっており、このまま回復が続くのか否かは予断を許しません。幸いにも日本の感染状況は小康状態を続けており、感染防止と経済社会活動との両立は一定の成果を残しつつありますが、欧米各国の経済が再び不振に追い込まれれば、日本への影響は大きいと言わざるを得ません。またコロナ禍への対応はただでさえ悪化している日本の財政状況を一段と深刻なものにしつつあります。経済再建への道筋が決して平たんなものでないことは明らかです。

▼一一月一三日

七年八カ月に及んだアベノミクスは結局のところ金融と財政と菅政権による一時的な景気刺激に止まり、成長戦略は不発に終わりました。企業収益の改善は大幅に進みましたが、企業の新たな投資は停滞し、労働分配率も低下し、ただ余剰資金だけが企業内に積み上がる結果になりました。構造改革やイノベーションの停滞が生産性の向上の足かせとなり、日本のGDP成長率は先進国の中でも最も低い水準にとどまりました。菅政権は改革を旗印に競争政策による活性化を目指していますが、何よりも民間企業自身が活力を取り戻すことが先決です。失われた企業家精神をいかにして取り戻すのか。そのためには、イノベーションと科学技術の振興の停滞がどのようにして招来されたのかを解き明かし、未来に向けたブレイクスルーを図る必要があります。

▼一一月二〇日

米大統領選挙は民主党のバイデン氏が圧勝し、来年の一月には四年ぶりの民主党政権が発足します。トランプ政権下で対立が深まった米中関係については、民主党政権に代わっても簡単には緊張の緩和には向かわないだろうとの見方がもっぱらですが、トランプ時代のように思い付きの個人プレーに振り回されるのではなく、一定の戦略に基づいた外交の専門家集団による交渉に正常化されることは間違いありません。中国の習近平体制下経済においても安全保障においても、かつてない覇権主義を鮮明にしている以上、民主党政権が宥(ゆう)和的政策に転じることは考えにくく、むしろ中国に対する警戒と圧力は強まるでしょう。

▼一一月二七日

菅政権が誕生して二カ月が過ぎました。菅氏は安倍前政権の継承を掲げて総裁選に圧勝し、就任後初めての国会所信表明演説でも前政権の継承を強調しました。しかし、日本学術会議の一部委員の任命拒否問題や、最近になって検察が安倍事務所の事情聴取に踏み切った「桜を見る会」前夜祭に係る政治資金規制法違反容疑など、前政権の「負の遺産」が新政権の行方に立ちはだかろうとしています。安倍政権の後半は、数々の身内優遇などに端を発する不祥事に彩られてきましたが、それを覆い隠すことに手腕を振るったのが、官房長官としての菅氏でした。「負の遺産」の継承をどこかで断ち切らなければ、自らの政策として掲げた「改革」も前に進めることができないでしょう。改革を十分に推進できなかったこともまた前政権の「負の遺産」だからです。

▼一二月四日

米国大統領選挙が終わり、バイデン民主党政権が二〇二一年一月に発足することになりました。選挙に不正があったとして訴訟戦術に一縷の望みをかけていたトランプ氏もこれ以上の抵抗をあきらめたようです。獲得選挙人数で大きく上回り、得票総数でも善戦したトランプ氏を上回ったバイデン氏の圧勝と言っていいでしょう。併わせて行われた上下院選挙や州知事選挙では共和党が勢力を伸ばしたため民主党の全面勝利とはならず、今後の政権運営には曲折も予想されますが、パリ協定やイラン核合意への復帰など外交面では軌道修正が行われ、国際協調の進展が期待できるでしょう。内政においては、もともと正副大統領共に中道志向が強いことから考えて極端に左寄りの政策運営に走る可能性は少ないでしょう。

▼一二月一一日

コロナ禍の下で、戦後最悪の落ち込みとなった日本経済ですが、二〇二〇年後半以降は回復軌道に乗りつつあります。先進国の中では最も感染状況が深刻ではない日本ですら、感染拡大への警戒感は非常に強く、社会経済活動のブレーキを解除するには程遠い状況であるといえます。二〇二一年の経済の改悪はワクチンの普及など感染防止の抜本的進展いかんによるところが大きいと言えるでしょう。しかも、グローバル化が進んだ中で、世界経済の復活がなければ、日本の本格的回復はありえません。米国新政権の対中政策がどうなるのかなど世界経済の復活にはまだまだ不確定要素が山積しています。日本においてもポスト・アベノミクスの経済がどういう方向に舵を切るのか。改革を掲げる菅政権は日本経済の底上げに成功するでしょうか。

▼一二月一八日

二〇二〇年はコロナ禍によって全て社会経済活動が制限され、社会に大きな傷痕を残した一年でした。新型コロナウィルスの感染拡大が全てに優先されるべきだとの言説がメディアを支配し、これに異を唱える声は片隅に追いやられて無視され続けてきました。コロナウィルス感染の実態が事実として積み上がっても、有効な治療法も次第に確立されてもその状況は変わっていません。その一方で毎月の自殺者は前年を大幅に上回る速度で増え続けています。これがいわゆる自粛の導き出した結果であることは明らかです。専門家と称する人たちの声に押されて政府は年末年始の人出を抑える施策に踏み切りました。ホテル、旅館はもとより、飲食店や露天商など最も経済基盤の弱い層がこれによって直撃されることになります。

二〇二一年

▼一月八日

コロナ禍の中でのスタートですが、新しい年はコロナのトンネルを抜けて再生の始まりとなると確信しています。米国では昨年の大統領選挙の結果を受けて間もなくバイデン民主党政権が発足します。選挙直後の報道はトランプの残映に惑わされたまことしやかな論調も少なくありませんでしたが、早晩忌まわしい過去と化すことでしょう。新政権が単純に御しやすい相手であるとは言えませんが、恫喝とディールを繰り返す訳の分からない相手ではなく、論理を戦わせ、対話をすることが可能な政府と向き合うことになったことを歓迎するしかありません。しっかりとした理論武装と覚悟が必要であることは確かですが、それは決して予測不能な相手ではありません。自らがどうしたいのか、そして相手に何を期待するのかが明確であれば、後は冷静に利害の調整に臨むしかありません。

▼一月二二日

米国の新政権の対中政策はトランプ時代の個人プレーによるパフォーマンス外交から、国務省の外交専門家による組織的な外交に移行していくことになります。それが中国にとって関係すべきものか、あるいは警戒すべきものかは、簡単には結論付けるわけにはいかないでしょう。しかし、大向こう受けを狙った思い付きではなく、一定の筋道に基づいた戦略が組み直され、それに基づいた確固とした路線が敷かれることになるでしょう。中国がこれまでよりもより周到な対応を迫られることになるのは間違いありません。国内において一段と強権的な姿勢を強めている習近平政権はコロナ禍への対応においてもその姿勢ゆえに感染を抑え込んで経済の復興に成功しつつあるように見受けられます。しかし、こうした統制経済は中国経済に内在する矛盾を一層深刻化させるであろうことは疑いようがありません。

▼一月二九日

トランプ時代の四年間は多国間協議による国際

協調を根底から否定し、大国が自らのむき出しの利害と力を背景とした恫喝（どうかつ）によって相手国に押し付ける方向にねじ曲げました。しかし、自国の利害を国際間の協調よりも優先する姿勢は、何もトランプだけの専売特許ではありません。ヨーロッパ各地で力を増す右翼勢力や、世界各国で次々に誕生した強権国家の多くはトランプのアメリカと同根の考え方や支持勢力に支えられています。ブレグジット後のイギリスが、他の国々とどのような新しい関係を築くのか。とりわけEUとどのような前向きの関係を再構築できるのかは、今後の国際秩序に対して非常に大きな意味を持っています。日本はトランプ政権に従ってきたように見えながらアメリカ抜きのTPPの立ち上げやEUとのEPA協定（経済連携協定）など、自由貿易と国際秩序の構築に大きな役割を果たしてきました。それこそが前政権の最大の遺産と言えるかもしれません。

▼二月五日

米国のバイデン新政権の誕生により、米中関係の今後に改めて注目が集まっています。貿易問題に関しては国際機関に依拠したルール重視の政策が展望されるバイデン政権ですが、デジタル覇権を巡る民主党の姿勢は前トランプ政権よりもよりハードなものになるかもしれません。少なくとも短期的利益を求めるディール外交から、中長期の視点から構築され、理論武装された継続的な政策に転換することが予想されます。中国政府は国内の巨大市場を背景に意気軒昂（いきけんこう）ですが、ハイテク企業にも中国共産党の直接支配の構図が次第に鮮明になりつつあります。国家支配による企業の成長と市場の発展が今後も続けられることになるのか、それとも自由な競争による市場に軍配が上がるのでしょうか。

▼二月一二日

文部科学省による教育制度改革は、これまでも多くの混乱と教育の荒廃の原因になってきました。今年から実施された大学入試の共通一次テストも、英会話への民間業者試験導入を巡る方針が撤回に追い込まれるなど、実施までに数々の混乱を招いてきました。文部科学省は近年、私学助成を人質に大学行政や教育の現場に対しても著しく事細かな介入を行うようになっています。しかし、その時々の政治や世の中の風潮に左右されるだけで一貫した理念も見識も欠いた文部科学行政の介入は、日本の教育の荒廃をもたらすだけでしょう。

▼二月一九日

コロナ禍の日本では感染拡大防止を最優先することが自明であるかのような言説がまかり通っています。新規感染者の減少傾向が鮮明になってきた現在でも、医療逼迫が続いていることをもって現在の経済社会活動の制約を解くべきではないとする見解が医師会関係者などから繰り返し叫ばれています。しかし、コロナ禍に対処する手段が市民の自粛しかないかのような発言は、あまりにも一方的で偏った意見です。医療がひっ迫しているのであれば、早急に医療体制の整備にあらゆる手を打つべきでしょう。大規模な公的医療機関に大きな負担を強いるのではなく、民間を含めて規模に応じて応分の負担を分かち合うための体制の整備を急ぐべきでしょう。その障害になっているのが医師会ではないかと考えざるを得ません。そして、コロナ禍の自粛生活が及ぼす健康被害にももっと目を向けなくてはいけません。

▼二月二六日

コロナ対策や五輪問題など世論とのすれ違いが目立った菅政権は、発足時とは様変わりの支持率低下に苦しんでいます。緊急事態宣言下の感染拡大の一服とワクチン接種の開始によって政権基盤が安定に向かうのかどうか、まだ予断を許さない状況です。一方、隣国の韓国は、慰安婦問題や徴用工問題など日本が解決済みとした問題を相変わらず突き付けています。北朝鮮もミサイル発射やサイバー攻撃など、危ない行動を繰り返しています。地政学上日本にとって避けることのできない隣国との関係は、コロナ禍の下でも依然として喉に刺さった骨であり続けています。

▼三月五日

二度目の緊急事態宣言が発出され、首都圏は期限前の解除が見送られてきました。新規感染の減少は鮮明になりつつありますが、医療機関逼迫が続いているためだと説明されています。しかし、市民がいかに自粛しても医療体制の問題は解決しません。解決に取り組まなくてはならないのは行政です。都知事は市民に外出の自粛を呼びかけるよりも医療体制の整備に全力を挙げるべきです。

さて、コロナ対策を第一の政策課題と位置付けて発足した菅政権ですが、どうもあらゆる政策が後手に回ったことを反映して支持率は急落しています。感染状況の沈静化に従って内閣支持率は若干持ち直しましたが、首相長男による総務省幹部への過剰接待問題が表面化するなど、政権の求心力は依然として薄氷を踏む状態が続いています。五輪開催からも国民の人心は離れています。支持率の回復がなければ、総裁任期切れ前の解散は困難になり、菅政権はフェイドアウトするしかないでしょう。こうした状況が日本の政治にどのような将来を招きよせることになるでしょうか。

▼三月一二日

コロナ禍が社会を覆ってから一年余りが経過しました。感染防止と経済の両立を掲げてきた菅政権も、感染第三波の到来と感染対策の徹底を求める声に押されてＧｏＴｏキャンペーンの停止、二度目の緊急事態宣言の発令に追い込まれています。首都圏一都三県は緊急事態宣言の再延長を余儀なくされ、自粛生活がいつ終わるのか、全く先が見えない状況が続いています。消費の停滞は飲食業や観光業に止まらず、小売業全般に及んでおり、非正規労働者の雇い止めや新卒採用の大幅圧縮も次々と明らかになっています。倒産件数や自殺者の急増など、深刻な社会が醸成されつつあるときに、感染防止のための自粛がひたすら続く生活が全てであるかのような専門家と称する人たちに社会の在り方を委ね続けていいのでしょうか。

▼三月一九日

米バイデン政権が誕生して二カ月がたちました。発足までは懸念材料ばかりをあげつらう報道が多く見られましたが、発足後は報道そのものが極めて低調になっています。見方を変えれば、これは新政権では大統領が前面に出るのではなく、チームとして粛々と政策の遂行に取り組んでいるからだと考えることができるでしょう。コロナ禍は依然として世界を覆っていますが、その一方で社会経済活動を正常化し、前に進んでいかなくてはなりません。米新政権がどのように考え、何をしようとしているのか。そのことがこれからの世界の在り方を変えていくことになります。

▼三月二六日

中国の海洋進出が止まりません。習近平政権の強権的体質は強まるばかりで、尖閣諸島周辺の領海侵犯も多発しています。同盟国アメリカの後ろ盾に頼るだけでなく、実効支配という現状の維持を自らの努力で守り切ると同時に対話による意思伝達を絶やさないことで不測の事態の発生を抑止する必要があるでしょう。核とミサイルによる挑発を繰り返す北朝鮮についても、依然として暴発の懸念が拭えません。バイデン新政権の誕生を受けて新たな対話のテーブルの設定を急がなければならないでしょう。外交と安全保障は、相手のある関係です。いたずらに感情に流されるのではなく、国際関係の現実を踏まえて、どうしたら日本の利害を貫くことができるか、毅然としつつ冷静な対処が望まれます。

▼四月二日

コロナ禍の一年余りを経て日本の抱える多くの課題が明らかになりました。とりわけ深刻な問題として浮かび上がってきたのが日本社会のデジタル化の遅れです。中でも公的サービスにおけるデジタル化のお粗末な実態にはあきれるほかありません。共通番号やマイナンバーをはじめとして、政府はさまざまな取り組みをスタートさせ国民に協力を呼び掛けてきました。しかし、相も変わらぬ縦割り行政のもとで、デジタル政府への見取り図と一貫性を欠く政策は、実施現場である自治体の負担増と混乱をもたらした一方で公的サービスの向上にはいっこうにつながっていません。給付金の交付などで明るみ出たデジタル行政の遅れに対して、菅政権はデジタル庁の新設や省庁の縦割り行政の打破を鳴り物入りで喧伝(けんでん)してきました。しかし、コロナ対策の切り札の一つとしてスタートしたコロナウィルス接触確認アプリCOCOAに関してもソフトのバージョンアップが何カ月も更新されていなかったことが明るみに出ました。行政を担う者に公僕としての自覚がなければ、どんな掛け声も意味を持たないでしょう。

▼四月九日

コロナ禍によって世界の経済は大きな打撃を受けました。特に日本はGDPの半分以上を占める個人消費が外出自粛等の長期化によって大きく低下し、経済全体の縮小をもたらしています。最初のコロナショックから期を追うごとに回復に向かいつつあるとはいえ、一月に緊急事態宣言が再発令され、解除後も一部の府県で蔓延防止措置が新たにとられるなど、エンジン全開には程遠い状況が続いていています。最近発表された日銀短観でも輸出の好調を背景に回復が見込まれる大企業製造業に対して、対面サービスが主体のサービス業の落ち込みが続く非製造業のマイナスが目立っていいます。好転のカギを握るワクチンの接種も先進国最低の水準にとどまっており、解決のめどは立っていません。先進国の中で最低のパフォーマンスに止まる日本の問題点はどこにあるのでしょうか。

▼四月一六日

コロナ禍に見舞われてからすでに一年四カ月が経過しました。巷では専門家と称する人たちが声高に第四波の襲来を叫んでおり、医療崩壊を避けるためにさらなる自粛の徹底による感染の防止を呼びかけています。しかし、先進国の中では感染の発生が桁違いに少なく、医療体制も充実しているはずの日本で、なぜそこまでの自粛を国民全般に強いなければならないのか。一年前と比べると感染者の症状に合わせた治療法は格段に進んでおり、死亡率は当初よりも大きく低下しています。PCR検査が一年前の3倍以上に膨らんだことを受けて感染者の数は確かに増加していますが、陽性率は大きく低下しており、無症状の感染者が多く含まれていることも見落とせません。変異株など警戒すべき事象があることは事実ですが、感染の危険がどこに潜んでいるのかを見極めてメリハリの利いた行動の自粛を呼びかけるべきでしょう。そして何よりもおかしいのは、一年以上も経過しているにもかかわらず、医療体制の整備がどのように行われて来たか疑わしいことです。

▼四月二三日

コロナ騒ぎのまん延によってわれわれは世界の情勢から取り残されてしまっているような気がしてなりません。それでも米中の動向については、かろうじて最小限の報道に接することができますが、それ以外の国や地域の情報はいつにも増して入手困難になっています。特に重要な隣国の一つであるロシアに関してはさまざまな課題を残したまま、われわれの意識の外に置かれてしまっていると言えるでしょう。再び大統領に就任し憲法の改定によって長期政権の途（みち）が敷かれたプーチン政権は、反対派の弾圧など強権的体質が一段と先鋭化しています。北方領土問題も日本側の譲歩など一顧だにせず、四島の領土化がなし崩しに進められています。国民に期待だけを抱かせた安倍前政権下の日ロ蜜月は一体何だったのか。そして国内に不満が充満しつつあるロシアはどこに向かうのか。

▼五月七日

自民党は衆参補選で三つのうち二つを落としました。内閣支持率も低空飛行が続いており、菅政権の党内での求心力は低下しつつあります。何よりも最優先課題である新型コロナウィルスの感染拡大が止まらず、今年のゴールデンウィークは再び緊急事態宣言下におかれています。対策は相も変わらぬステイホームと飲食店等への休業要請のみが頼りで、全てが国民の自覚に押し付けられています。医療崩壊が声高に叫ばれていますが、先進国で最も感染が少ない中で、病床数世界一の日本がなぜ医療崩壊するのか。そして問題があるのならこの一年三カ月の間、政府と自治体は何をしてきたのか。度重なる自粛生活で旅行、小売り、外食などサービス業の多くは事業の縮小と収益の悪化に苦しんでおり、これらの業界に暮らしを依存していた非正規社員の生活は危殆に瀕しています。こうした状況が政治不信につながり、特に政権与党からの人心の離反をもたらすことは、容易に想像できます。自民党は選挙に強いであろう総裁への交代に動くのかもしれませんが、そうした永田町の常識そのものが問われているのです。

▼五月一四日

バイデン政権が発足して四カ月が経過し、その方向性が次第に明らかになってきました。全体として実務者を政府中枢に据えた手堅い布陣となると見られていましたが、その中でトランプ流のディール外交とは一線を画した原則重視の外交戦略が浮き彫りになりつつあります。特に日本にとって悩ましいのは、経済的に結び付きの強い中国との関係が人権問題を前面に出した米国の対中戦略によってどのような影響を被るのかです。安全保障面で米国に頼らざるを得ない日本にとって、どこまで政経分離を押し通すことができるのか。習近平政権の強権的体質が露わになり、軍事面での膨張姿勢が強まる中で菅政権は難しい舵取りを迫られることになるでしょう。

▼五月二一日

欧米諸国では新型コロナウィルスのワクチン接種が進んだこともあり、まん延が徐々に沈静化し、経済も回復に向かいつつあります。一方で、感染が先進国中で最も少なく、死亡者もけた違いに少なかった日本では、感染拡大の第四波を受けて、三度目の緊急事態宣言が発出され、ワクチン接種はやっと高齢者向けの実施が始まったところです。とはいえ、いずれにしてもワクチンの普及と治療薬の開発が進めばコロナ恐怖症の鎮静化と共に社会経済活動が正常化する時期もそう遠くはないでしょう。ただ、コロナ禍は日本の社会制度や社会風土が抱える多くの問題を浮き彫りにしました。政府の対応が不十分であったかどうかはさておき、日本人が制度的欠陥や精神風土の病理にどこまで真摯に向き合うことができるのか。決して楽観はできないように思われます。

▼五月二八日

イスラエルとパレスチナの停戦合意がやっと成立しましたが、中東における火種は依然くすぶり続けています。トランプが退場し、米政権の中東政策はトランプ以前に戻るでしょうが、それは必ずしもこの地域の平和と安全につながるかどうか定かとは言えません。イランとの核合意への復帰は実現しても、肝心のイランでは大統領選挙で強硬派の優勢が伝えられています。また、米軍の撤退によって、アフガニスタン招請がどう展開するのかも気になるところです。いずれにしてもエネルギー資源の太宗を中東に依存する日本にとって中東地域の不安定化は他山の石ではありません。

▼六月四日

日本経済はコロナ禍によって大きな打撃を被りました。しかし、コロナショックによる影響は、供給サイドの落ち込みが比較的軽微であった一方で被害は需要サイドに集中しています。現時点での経済の回復状況を見ても、輸出が大きく伸びて景気の回復を牽引する一方で個人消費が大きく落ち込んで回復の足を引っ張っています。感染防止の観点から百貨店や大型ショッピングモールなどの営業が制限外出や移動の自粛が観光業界に深刻な打撃を与えています。夜間の営業や酒類の提供を自粛している飲食店の苦境は計り知れません。もともと将来不安から消費を抑えて貯蓄に走りがちだった日本人の行動がコロナ禍によって一段と加速しているのです。アフターコロナの日本経済はどのような変貌を遂げるのでしょうか。

▼六月一八日

コロナ禍は日本の社会に潜むさまざまな問題をあぶりだすことになりました。政治の脆弱性(ぜいじゃくせい)や行政における危機対応能力の欠如、そして社会を覆っている権威主義や権力への従属など、日本という国がいまだ健全な市民社会には程遠い状況にあることが浮き彫りになりました。何よりも自らの理性と知性によって物事を正しく判断する市民が育っていないことを改めて気付かされることになりました。市民の行動に全ての責任を押し付ける一方で、医療体制の構造的欠陥など、現在の状況を作り出している原因には目をふさぎ続ける態度にこの国の抱える病弊の深刻さをうかがうことができます。

▼六月二五日

バイデン政権については、実務主導の地味な政権になるだろうとか、調整型の大統領だろうといった下馬評が多く聞かれました。しかし、目玉となる経済政策では極めて大胆で挑戦的な内容が打ち出され、バイデンはルーズベルトのニューディール政策を超えるのではないかといった声さえ聞かれています。外交においてもパリ協定やイラン核合意への復帰やＮＡＴＯとの関係強化を着実に進めており、政権の滑り出しは順調であると言っていいでしょう。日本にとって最も気になる対中政策は、ハイテク分野や人権問題で予想通りの強硬姿勢を見せています。それが日本をはじめとする同盟国をどのように巻き込むことになるのか。日本がどこまで政経分離の是々非々の態度を維持できるのか。肝心の中国が尖閣周辺での活動を活発化させているだけに、日本にとっては難しい舵取りを迫られることになりそうです。

▼七月二日

渋沢栄一の生涯を描くＮＨＫの大河ドラマが久

しぶりに人気を集めています。新一万円札に決定して話題となり、日本資本主義の父と称される渋沢ですが、その実像は意外に知られていません。日本経済の長期停滞が続き、企業活力の低下が懸念されている中で、日本近代の黎明期に果敢に起業に取り組んだ渋沢の原動力の一つが企業家精神を育んだフランス体験であったようです。

▼七月九日

東京では新型コロナウィルスの新規感染者の再拡大が懸念される中で、オリンピックの開催が目前に迫っています。ワクチンの接種は高齢者からより若い世代に移行しつつありますが、職域接種の申請受付停止など相変わらずのバタバタが続いています。東京の感染拡大防止が最優先ならなぜ東京での集中的なワクチン接種を進める等の柔軟な対応が取れないのでしょうか。日本の社会システムに欠陥があることは明らかですが、それを突破する知恵と能力そして決断が政治の役割です。外出自粛や飲食店の営業規制によって全ての負担を国民に押し付け、感染拡大は国民の行動に原因があるかのようなすり替えは、政治と行政の責任回避でしかありません。

▼七月一六日

七月一二日から再び緊急事態宣言が発出され、景気回復のカギを握る消費の動向は依然として低迷が続くことが明白になりました。新型コロナウィルスの感染拡大が懸念されるたびに繰り返される外出の自粛や飲食店への営業規制等は、感染防止を最優先しているにもかかわらず、知恵も能力もない行政の実態を如実に反映しています。高齢者の感染や重症者が順調に減少していることからも、ワクチンの接種が感染防止に有効であることは明らかですが、感染の懸念の高い地域での集中的な接種の実施といった柔軟な施策が行われる気配は全く見えてきません。感染の実態を無視して見かけだけの公平と平等に固執する態度は国民の命の安全を重視することにはならないでしょう。長期にわたる需要の喪失が日本経済の停滞と国力の減退をもたらすことを深刻に受け止めるまでです。

▼九月三日

東京の新規感染者がやっと減少に転じ、九月一二日までの緊急事態宣言の解除にも期待が持てるようになってきました。しかし、九月中旬に衆議院を解散し、自民党総裁選も総選挙後に先送りするというもくろみはどうやら難しくなったようです。巷（ちまた）では相変わらず、「命の重さ」を錦の御旗にして、感染防止を最優先させる論調がまかり通っています。しかし、急務である医療体制の充実はいっこうに進んでいません。世界一の病床数も、充実しているはずの医療機関もコロナには関わりたくない人たちが多数を占め、死ななくてもいい患者を死に追いやっているとしか思えません。自粛による人出の抑制は、消費の減退による経済の低迷を招き、消費関連企業の倒産や失業者の増大をもたらし、自殺者の増加など深刻な影響をもたらしています。経済の不振こそ命の問題に直結していることを知るべきでしょう。

▼九月一〇日

東京都の新型コロナウィルスの新規感染者は昨日まで一四日連続で前週を大きく下回っています。専門家と称する人たちはいまだに新規感染者が高止まりしているので心配だと言っていますが、彼らは高止まりという言葉の意味を分かっていないようです。菅首相は総裁選への出馬を見送り、実質的に退陣を表明しましたが、これは、メディアや野党が言うように政権を投げ出したのではなく、党内の権力闘争に敗れた結果であると考えるべきでしょう。菅首相は任期の残りをコロナ対策に専念すると言っていますが、その中心はワクチン接種の加速ということになるでしょう。巷では相変わらず、ワクチン接種の遅れが取り沙汰されていますが、現実は、いつのまにか日本の二回目接種率は米国を抜く直前まで到達しています。これはワクチン対策を厚生労働省から官邸主導に引き上げた結果です。医療体制の抜本的な見直しができないのも厚生労働省にリーダーシップがないためで、この課題の解決は次の政権に期待するしかありません。長引く自粛とステイホームの結果、国民の健康は蝕まれつつあります。

▼**九月一七日**

菅首相の退陣表明を受けて、自民党の総裁選の行方が政局の焦点になってきました。世論調査で最も人気の高い河野太郎氏が正式に出馬を表明し、一気に本命に浮上しています。これまで地方票で一番人気だった石破茂氏が出馬を見送り、河野氏の支援に回ったことで、河野氏の優位は確実になったと言えるでしょう。安倍氏が高市早苗氏の支持を呼び掛けたことで、二番人気の岸田氏は強力な後ろ盾を失い、今回も苦杯をなめる可能性が高まっています。総裁選を通して自民党の新総裁への注目度が高まれば、この後に控える衆議院選挙でも、苦戦を予想されていた自民党が善戦することになるかもしれません。新型コロナウィルスの新規感染者は大幅に減り続けており、選挙はまさに感染沈静化のタイミングで行われることになるでしょう。規制改革を掲げる河野氏が、医療制度をはじめとしてコロナ禍で浮き彫りになった日本の制度的欠陥に大胆にメスを入れてくれることを期待したいものです。

▼**九月二四日**

コロナ騒ぎで片隅に追いやられていますが、巨大地震発生のリスクは時間の経過とともに確実に高まりつつあります。全国各地で地震は相変わらず頻発していますが、もともと日本列島は地震の巣の上に位置しているのですから日本人が地震に慣れっこになっているのは当然と言えば当然です。歴史的に見て周期的に繰り返されてきた巨大地震の発生は、ある程度の期間を考慮すれば、発生のリスクを予測することは可能です。現時点でどこまでリスクが高まっているのか、そしてその地理的な範囲はどのようにとらえられるのか。また、地震の予知はどこまで進んでいるのか、などについて十分に知っておくべきでしょう。

▼一〇月一日

米国のバイデン政権の誕生後も米中関係の厳しい状況は変わっていません。ＩＴ覇権を巡る対立に加え、香港や新疆ウイグル自治区における人権問題についても激しいさや当てが続いています。問題は中国に対する経済制裁や金融規制が課せられた時に日本企業がどのような影響を受けることになるのかでしょう。これまでのように政経分離を貫くことで切り抜けることができるのかどうか。一方で中国は南シナ海や東シナ海における海洋進出を鮮明にしつつありますが、最近では中国軍機の台湾海峡や日本近海での活動も活発化しています。軍事的圧力に対して毅然とした対応を貫く一方で、最大の貿易相手国である中国に対しては、日本の利益を最優先する独自の対応が求められます。

▼一〇月八日

アメリカをはじめとして先進各国の経済は順調に回復に向かっています。ＩＭＦ（国際通貨基金）の予測でも世界経済は今年から来年にかけてかなりのスピードで成長を遂げると見られています。しかし、日本においては、回復に向かっているのは間違いありませんが、その速度は先進国の中でも極めて足取りが重いと言えるでしょう。菅前首相は退陣のあいさつの中でワクチンの接種率が米国を抜くところまできたことを報告しましたが、経済活動の回復は米国と依然として隔たりがあります。これは第一に感染防止を最優先させて経済との両立に向かうことを拒むメディアの論調とそれに従う世論の圧力が依然として強いからでしょう。そして第二に安倍政権下の経済政策が成長機会の創出に失敗し、日本経済の潜在成長率を押し下げ続けた結果でもあります。国債の大量発行で財政の悪化を放置しながら目先のつじつま合わせに終始し、未来を変えるための大胆な設計図を用意できない日本はこのまま停滞から衰退への道を歩むことになるのでしょうか。

▼一〇月一五日

緊急事態宣言が九月末に解除されて二週間経ちましたが、専門家と称する人たちや東京都のお役人が懸念を表明していたような新規感染者の再拡大の気配はなく、新規感染者は減り続けています。ワクチン接種率が七割を超え、常識的に考えれば、第六波を心配する根拠は薄いはずですが、メディアではブレークする感染の増加をしきりに宣伝して、社会から恐怖心が消えることを防ごうとしているように見えます。ワクチン接種はもともと重症化を防ぐのが主目的であり、感染の完全な阻止はできないことは早くから言われていたにもかかわらず、今になって感染のリスクがあると強調するのはおかしいでしょう。症状が軽微でも感染していた人がどの程度他の人に感染させるリスクがあるのかをデータを基に説明するのが、こうした恐怖をあおる前にすべきなのではないでしょうか。ウィルスの特質を正確に理解せずにとにかく自粛や行動制限のみを市民に強制して社会の不安と経済の沈滞を長引かせる愚かさに気付くのは一体いつのことでしょうか。

▼一〇月二二日

米国にバイデン政権が誕生し、日本でも岸田政権が発足しました。日米同盟の強化は、安倍・菅政権時代から引き継がれており、日米豪とインドの安全保障連携も引き続き強化されています。しかし、米中関係の緊張はＩＴ覇権や人権問題を巡ってむしろ対立が強まっているように見受けられます。日本政府の台湾問題への言及によって中国の対日姿勢は硬化しており、これからの日中関係の前途は予断を許しません。中国の軍事的圧力を懸念しながらも、経済関係では中国の存在が不可欠である点で、日本とＡＳＥＡＮは利害を共有しています。ＲＣＥＰ（包括的経済連携）の発展がこうしたアジア諸国の入り組んだ関係をどこまで解きほぐす助けになるのか。日本のアジア外交は対米一辺倒では済まない難しい局面を迎えています。

▼一〇月二九日

いよいよ今週末で選挙戦は終わり総選挙が行われます。与野党がいずれも選挙民に阿り、バラマキ競争に走る中で、日本の明るい未来に向けた展望は開けようがありません。それでも 新しい変化への波風に期待して選挙に向かうしかありません。最高裁判事の国民審査も行われますが、厳しい眼で一票を投じたいものです。衆院選の結果については、与党が過半数を制するとの見方がほとんどですが、問題は自民党の議席数がどこまで落ち込むかです。前回は「希望の党」の攪乱で野党勢力が分裂して自民党が漁夫の利を得ましたが今回は曲がりなりにも野党勢力が一本化。自民党の実力があらわになります。今後の日本政治を考えるうえで重要な選挙になりそうです。

▼一一月五日

渋沢栄一を取り上げたNHKの大河ドラマの副産物として徳川慶喜の人気が高まっているそうです。明治維新について薩長を善玉として捉え、徳川を一方的に悪玉と捉える見方は、勝者である明治政権を正統化する政治的な思想操作の賜物でしたが、日本人の心の中に強く生き続けています。大仏次郎の『鞍馬天狗』など大衆文芸や時代劇もそうした心象形成に大きな役割を果たしてきました。明治以降の歴史をほとんど素通りしてきた日本の戦後の歴史教育にも責任がありますが、長州閥が牛耳ってきた明治以降の政府を当たり前のように美化して疑わない多数派の国民意識が、日本の近現代を歪んだものにしてしまったことを真剣に捉え直すことが必要なのではないでしょうか。

▼一一月一二日

新型コロナウィルスの新規感染者はコロナ危機が始まって以来最も低い水準まで低下していますが、巷では今も第六波の襲来を懸念する声が大きく、経済活動の完全回復には至っていません。人の流れの抑制や外出の自粛が感染の拡大防止にどれだけ役立ったのか、そしてそれが、活動抑制の負の効果と比較してどこまで正しかったのかという検証もなされないまま、相変わらず警鐘のみを叫ぶ愚をいつまで繰り返すのでしょうか。経済よりも命が大事だと言う人たちは、経済の停滞が実は人の命に直結している事実に眼を塞いでいます。しかも、経済の低迷と成長力の減退は、この間のバラマキの末に拡大した財政赤字のツケを若い世代に負わせることになります。

▼一一月一九日

岸田政権が発足して直後の総選挙は大方の予想を上回る自民党の圧勝に終わりました。選挙前の議席数を下回ったものの単独過半数を確保して岸田政権にとって上々の滑り出しとなりました。総裁選で打ち出した政策の多くが選挙公約からは消えて対抗馬だった高市早苗氏の主張が前面に出たことで岸田色が大きく後退し、安倍氏の影響力が色濃く反映していると見られましたが、選挙後は様相が一変したように見えます。何よりも圧勝の中で安倍氏の影が濃厚だった甘利幹事長が落選。後任には茂木外務大臣が指名され、そして外務大臣の後任には宏池会の林義正氏が選ばれました。いずれの人事も安倍氏の反対を押し切ったものとされ、永田町では岸田氏の安倍離れがささやかれています。それがどこまで本物なのかは今後の岸田氏の動向を見る必要がありますが、いち早く総裁選出馬を宣言して以降の岸田氏は、総選挙前倒しの断行など、これまでになかった決断力と実行力が見受けられます。正念場となる来年の参院選に向けてどのような政策を打ち出すのか、目が離せなくなりました。

▼一一月二六日

英国のブレグジットに始まり、ドイツでも政権交代が起こり、フランスでも極右政党の伸長によって政治の混迷が続いています。バイデン政権の登場によって一時は大きく揺らいでいたNATO体制は再強化の方向にありますが、米国の民主党政権の基盤は必ずしも盤石とは言えません。ロシアのプーチン政権が軍事的圧力を誇示する中で、求心力が低下しているEUはどこに向かうのか。そしてコロナ感染が再拡大する中で、経済の正常化はどこまで進むのでしょうか。

▼一二月三日

米国の長期金利上昇や南アフリカにおける新型コロナウィルスの変異株の登場によって世界のマーケットは大きく揺らいでいます。世界を覆うカネ余りの中で、株式市場を始める金融マーケットは環境の変化に対して極めてナーバスになっていると言えるでしょう。しかも世界的な半導体不足が自動車や電機などの主要産業の生産に打撃を与える一方で、原油価格の高騰が多くの産業に大きな影響を及ぼしています。荷上作業の混乱に端を発した海運市況の急騰もまた予想外の出来事でした。どこまでが一過性の現象で、どこからが構造的な変化であるのかもまだ検証の必要があります。

▼一二月一〇日

いよいよ二〇二一年もあとわずかになりました。岸田首相が国会で初めての所信表明演説を行いましたが、新型コロナウィルスのオミクロン株の抑え込みと経済対策としての若者への一律一〇万円給付など、前任者に比べれば力強く明快な語り口でした。財政出動と財政再建の順序を間違えてはいけないとの論旨もそれなりに筋は通っています。しかし、「新しい資本主義」など将来の経済再建と新たな成長への展望を開く政策については、中身がまるで分からないままです。アベノミクスが結局は異次元緩和による金融政策にすぎなかったことは衆目の一致するところですが、新しい経済政策は、野党が主張するような分配優先ではなく、長期停滞に陥った成長率の引き上げを目指すものであってほしいと願わざるを得ません。そのためにも重症化リスクの低いことが明らかになりつつあるオミクロン株への過剰な警戒に陥るのではなく、しっかりと正常な社会生活を取り戻さなくてはなりません。

▼一二月一七日

二〇二一年は昨年に引き続いてコロナ禍に振り回され続けた一年でした。感染状況に一喜一憂し、感染防止のためのワクチン接種にまい進する一方、大方の批判の中で一年遅れの五輪開催が強行され、感染者が急増。病床逼迫の責任を取る形で菅政権が幕を閉じました。重症化率が低下し、全ての医療機関による適切な対応が得られれば回避できたはずの医療体制の欠陥が政権の息の根を止めたと言えるでしょう。第五波の収束とともに社会生活の正常化が進み、消費も回復しつつあります。企業の前向きな投資が回復するかどうかが来年の日本経済を占うカギとなります。

二〇二二年

▼一月七日

二〇二二年もコロナ禍の収束が見通せない中で世界に広がる社会の分断と強権的な政治体制の拡大が混沌に拍車をかけています。中でも習近平の率いる中国は、先進国の混迷をよそに、自らの体制を最も成功した民主国家と位置付けています。人権外交に転じたバイデンの米国は、軍事的プレゼンスを自ら低下させたことで影響力の低下は否めません。同盟国との連携の強化に活路を見出そうとしても、経済的な存在感を高め続ける中国とどこまで対抗できるのか。依然として不安定な国内の政治基盤を抱えるだけに、いささか心もとないものがあります。

▼一月一四日

世界がコロナ禍に覆われてから二年が過ぎました。昨年末から始まった変異株オミクロン株の感染拡大はこれまで以上のスピードで世界に広がっています。しかし、これまでとは明らかに違うのは感染者の急増にもかかわらず、重症者や死者が低く抑えられていることです。ウィルスの変異の在り方がそのような経過をたどるのだという指摘もなされています。日本も感染の防止に躍起となるのではなく、医療制度全体で感染者の治療に当たる体制に切り替えるべきでしょう。そのためには、一刻も早く新型コロナウィルス感染症の第二類指定を第五類に変更しなくてはなりません。そして、これまで頑なにコロナ診療を忌避してきた日本医師会が医師の本分に立ち返り、全ての患者と真摯に向き合うことになれば、初めて日本の社会は正気を取り戻すことになるでしょう。コロナ禍における日本の政治はどのようなものであったのでしょうか。

▼一月二一日

オミクロン株による感染拡大が続いています。感染力は強いけれども、かかってもほとんどが無症状化軽症で終わるというのが、世界の通説になりつつあります。新型コロナウィルスは変異を繰り返した結果、通常のインフルエンザよりも怖くない感染症に成り下がったと言えるでしょう。具合が悪くなった人はかかりつけの医師に診断してもらって適切な治療をしてもらえばいいのです。飲み薬もできてそんな日常的な病気になったのなら、毎日ことさら感染拡大を騒ぎ立てて社会経済活動を阻害し、国民の自由な行動を制限する意図はどこにあるのでしょうか。規制の権威やしがらみから解き放たれて新しい商品やサービスを生み出すことで新しい成長の糸口を見つけることが求められているのに、誤った事実認識によって民間の活動を阻む管理強化は社会の沈滞と閉塞をもたらすものでしかありません。次世代に付けを残すバラマキは、暗い未来を約束する麻薬でしかないでしょう。

▼二月四日

これまでの慣例を撤廃して長期政権への道を開き、首相から主席への権限移行を進めるなど、個人独裁の色彩を強めてきた習近平政権ですが、強権的政治は、一方で内外の軋轢と反発を生むリスクを増大させることになります。日本で少なからぬ人たちが期待するような中国経済の自壊が起きる可能性は小さいでしょうが、高齢化の進行や欧州諸国の中国への批判が強まっています。そして東南アジア諸国においても、経済的関係の緊密化の一方で警戒感は高まりつつあります。台湾の独立派の伸長も香港の完全な中国化の進行の結果であり、習近平体制の強化が必ずしも政権の思惑通りには行かない証しと言えるでしょう。

▼二月一八日

極右勢力の伸長や国粋主義や排外思想の蔓延によって多くの民主国家が分断の危機に直面しています。民主的な手続きで成立した政権であってもいつの間にか強権政治に傾くケースも増えています。多くの政治家が自らの保身のためにポピュリズムに走り、大衆迎合の政策によって真の国民の利益とは程遠い政策運営に堕しています。こうした潮流とは無縁であると思いがちな日本においても、安倍長期政権の下で政治の透明性や説明責任など民主主義の基本がないがしろにされてきました。森友・加計学園や「桜を見る会」の問題は強権政治によって歪められた行政機構の実態が露わになった事例ですが、それを許してしまったマスコミや国民の側にも大きな問題が存在すると言えるでしょう。コロナ禍の日本においては、行動制限の長期化など、感染防止に名を借りた自由の束縛が横行し、同調圧力の高まりは、戦時下の日本を思わせるものがあります。

▼二月二五日

安倍政権の誕生と、それに続く黒田氏の日銀総裁の登場によって、日銀は完全に政府の政策運営と一体化することになりました。しかし、超低金利とマネーの大量供給は、株価の上昇と円安によって一時的に日本経済をテコ入れしたかに見えましたが、円安に伴う消費購買力の低下と国家の財政規律の喪失は、日本経済の構造的な弱体化をもたらしていると言えるでしょう。市場誘導型の金利政策の導入によって恣意的な政策運営に歯止めをかけ、日銀の独立性を担保することで、ともすればポピュリズムに走りがちな政府の野放図な財政膨張を抑制するというもくろみは完全に失われてしまいました。

▼三月四日

オミクロン株による感染の拡大はやっと峠を越えたようですが、この間の政府の対応は、看板に掲げたワクチンの三回目接種が遅々として進まないなど、総じて指導力の欠如を天下に曝すもので した。そして突如始まったロシア軍のウクライナ侵攻に対しても、岸田首相の発言はお役人の作文をなぞっているだけとしか思えない平板なものに終始しています。総裁選前に掲げた「新しい資本主義」も、いったい何が「新しい」のか、今もって明確ではありません。結局のところ、何を言っているのか、そして何を言いたいのか分からないままに空疎な言葉がただただ流れていくのを聞き続けるのは苦痛でしかありません。こうした政治小教派政治状況は、国民の政治不信と政治への無関心を一層深め、日本の民主国家としての土台を腐食させることになりかねません。今年の参議院選の投票率の低下が、そうした日本政治の病巣のさらなる悪化を示すものにならないことを願うしかありません。

▼三月一一日

韓国の新大統領が誕生しました。文前大統領時代に歴史問題から冷え込んだ日韓関係は両国に誕生した新しい政権の下で果たして改善に向かうのでしょうか。ウクライナ戦争の勃発によって世界の秩序は大きく揺らいでいます。そうした中で両国が過去のしがらみに絡みつかれて身動きの取れない状況を打開できないでいることは、大きな損失です。両国の政治担当者に確固たる解決の意思があれば、事態は必ず打開できるはずです。その意思さえあれば解決のための知恵を絞ることができるからことです、糸口は見つかるはずだからです。草の根レベルではお互いの新しい文化や芸術を共有する世代が確実に育っています。理解し尊重し合う姿勢があれば垣根は超えられるでしょう。相互に不毛な非難を続ける頑迷な人たちに耳を傾けるのではなく、新しい未来のために知恵を絞る政治が求められています。

▼三月一八日

過去二年半に及ぶコロナ禍で最も大きな疑問は、世界で最も整備されていると考えられてきた日本の医療制度がこの非常時になぜ機能しなかったのかということです。感染爆発に備えるはずだった保健行政の弱体化などさまざまな問題が指摘されていますが、何よりも驚いたのは一般市民の健康を守っているはずの町のお医者さんたちが「発熱した人は来ないでください」と張り紙して診察を実質的に拒んだことです。具合の悪い人を診療しないのなら医者は何のために存在するのでしょうか。コロナ禍で総合病院の感染症担当医は疲労困憊（こんぱい）し、大都市の医療現場は大混乱に陥りましたが、政府の有識者会議の中心には町医者の利害を代表する日本医師会の幹部が涼しい顔で国民の自粛が必要だと呼びかけ、事情を知らない国民は唯々諾々と従いました。コロナ禍は図らずも日本の医療の歪（ゆが）みと欠陥をあぶり出すことになりましたが、そうした本質を突く議論はまだまだ不十分です。

▼**三月二五日**

かつて三〇年前に日本のＧＤＰはアメリカに次いで第二位でした。円高の進行にもかかわらず日本企業の競争力は揺るがず、省力と省エネルギーの追及によって、石油価格の高騰に対しても日本は最も抵抗力のある国でした。円高は企業の競争力を一段と高め、産業構造の変革を促しただけでなく、個人消費拡大の追い風にもなったのです。しかし、アベノミクスの下で進んだ円安は確かに輸出企業の収益を高めましたが、企業は投資よりも内部留保を積み上げ、個人の購買力の低下によって消費は低迷を続けました。円安は国民窮乏化政策でしかなかったのです。

▼**四月一日**

コロナ禍が始まって二年半が経とうとしています。この間、度重なる緊急事態宣言の発出や蔓延防止措置が繰り返される一方、給付金の配布ワクチン接種等の政府支出の増大によって、国家財政の悪化が深刻化しています。これまでコロナ対策という錦の御旗が全ての異論を封じ込めてまかり通ってきましたが、アベノマスクに象徴されるようにコロナ対策の費用対効果は極めてお粗末なものです。貯蓄に回るだけの国民給付金など効果がほとんど得られないと分かっている政策を繰り返す大衆迎合ぶりにはあきれ返るほかありません。そして何よりも恐ろしいのは成長率の低迷によって日本経済そのものが凋落を続けていることです。新しい資本主義が果たして事態の打開につながるでしょうか。

▼**四月八日**

ロシア軍のウクライナ侵攻は国際秩序の基盤を一変させました。軍事力による現状変更は認められないといかに声高に叫んだところで、力ずくで現状変更を推し進めるためにいかなる人命の犠牲もいとわない為政者の前には無力です。確かに経済制裁は一定の効果を発揮するでしょうが、その間に多くの人命が失われ、もう元の世界には戻れないでしょう。停戦交渉は結局ロシアに一定の果実を与える結果になりかねません。この間、中国は一貫してロシア寄りの姿勢を続けてきました。先進国のほとんどが経済制裁に動く一方で、経済基盤が脆弱な途上国は必ずしも先進国グループと一体ではありません。この混乱を経て大国中国はどこに向かうのか。そして国際秩序はどのように変化するのでしょうか。

▼四月一五日

長引くコロナ禍は、日本の医療体制の欠陥を広く認知させる結果になりました。そもそも世界最高レベルの病床数を誇りながらなぜ各地で医療崩壊が起こったのか。その原因は行政のコロナ対応のまずさのみにあるのではありません。日本医師会の強い政治力を背景に診療報酬などさまざまな面で町医者が優遇される一方で病院勤務医や看護師は劣悪な労働条件の下で疲弊しきってきました。厚生労働省が進める、かかりつけ医と高度医療の役割分担も、それを現実のものとする地域医療体制の構築を伴わなければ、机上の空論にしかなりません。競争制限的な政策が生み出してきた慢性的な医師不足と医療分野の偏在も既得権益を擁護し続けてきた政治風土のなせる結果と言えるでしょう。

▼四月二二日

ロシア軍のウクライナ侵攻に端を発したウクライナ戦争は、大方の予想を超えたウクライナ軍の頑強な抵抗によって、短期間に首都を陥落させて既成事実化を図ろうとしたプーチン大統領の思惑が外れ、戦闘が長期化しています。欧米諸国や日本などの先進国による経済制裁も長期化によってロシア経済に深刻な打撃を与えつつあります。しかし、ロシアの行動を「武力による現状変更は認められない」といった通り一遍の断罪だけでは問題は解決しないでしょう。ソ連崩壊以降、旧東欧圏の多くがNATOに加入し、今やロシアを仮想敵国とする国々がロシアの喉元まで迫っているとロシアは捉えているのでしょう。これに対してソ連誕生後にウクライナに編入されたクリミアの奪還だけでなく、ロシアは旧ソ連時代に版図に含まれていたいくつかの要衝や親ロシア地域を武力で切り取ってきました。今プーチンがこの戦争の最期の落しどころとして戦闘を続けている東部ウクライナもその一つです。それを容認することはできませんが、ロシアが何を目指しているのかを考えるのは、今後の国際秩序を考えるうえで不可欠です。

▼五月六日

岸田政権の発足から早くも八カ月になろうとしています。この間、新型コロナウィルス・オミクロン株の大流行や、ウクライナ戦争の勃発など大変な状況に遭遇しながらも、政権は安定した歩みを続けています。まさに変革よりも安定を選んだ自民党議員たちの思惑通りの展開であると言えるでしょう。しかし、それは、官僚機構の上に乗った安定であり、長期停滞に陥った日本を新たな発展へと導くものにはなりえないでしょう。資源価格の高騰と円安の進行によって国民生活はジワジワと圧迫され始めています。それに対する対策がバラマキでしかないとすれば、それは、日本の将来をより貧しくする政策でしかありません。ウクライナがロシアの攻勢をしのいでいられるのは、北米などに散らばったウクライナ移民の後押しが存在するからです。欧米各国の行動には、長い歴史的因縁と人的なつながりが隠されています。浅薄な正義感だけで先進国についていくしかない日本の現状は極めて危ういというしかありません。

▼五月一三日

ロシアのウクライナ侵攻に対して、日本を含む先進各国は、厳しい経済制裁でウクライナを支援しています。短期間でウクライナを制圧し、有利な条件で戦後処理を進めようとしたプーチンの思惑はウクライナ軍の頑強な抵抗によって覆され、ロシアは厳しい経済制裁の下で、何とか面子を保てる解決策を模索するしかありませんが、裸の王様と化したプーチンは果たして現実を認識できるのでしょうか。経済制裁が次第に強化される中でロシア経済はどうなっていくのでしょうか。

▼五月二〇日

ロシアのウクライナ侵攻は、これまでロシアと一定の融和的な経済関係を維持してきたＥＵを東西冷戦時代のロシアを潜在的な敵国とみなす方向に一気に逆戻りさせてしまいました。軍事的な侵攻という一線を越えたことでロシアが失ったものは計り知れないほど大きいのは確かですが、一方でＥＵが支払わなくてはならない代償もまた大きいと言わざるを得ません。ウクライナで行われたとロシアが主張するロシア系住民へのネオナチ的蛮行が本当に全てフェイクなのでしょうか。一方の側の動画は真実で、他方はフェイクだとする根拠は何か。民主主義国を標榜するなら、判断はあくまで公平であるべきです。侵攻はヨーロッパ諸国のロシア恐怖心に火をつけ、スカンディナビア二国のＮＡＴＯ加盟という、プーチンが最も恐れた結果をもたらしたことは皮肉ですが、英米とは異なるＥＵの良識は一体どこに行ってしまったのでしょうか。

▼五月二七日

世界経済は二年を超えるコロナ禍を経てやっと新型コロナウィルスと共に暮らすすべを身に付けて正常な社会経済活動の展望が開けつつありました。しかし、二月二四日にロシア軍のウクライナ侵攻によって始まったウクライナ戦争によって、世界経済は一気に暗雲の垂れこめる事態に陥っています。先進国のロシアに対する経済制裁は石油価格の高騰や小麦の供給難によって発展途上国経済を直撃、長期金利の上昇は世界の金融情勢を一変させてしまいました。戦争の長期化が濃厚になる中で世界の経済はどこに向かうのでしょうか。

▼六月三日

ロシアによるウクライナへの軍事作戦は、当初のロシア側の思惑や大方の予想に反して長期化の様相が濃厚になっています。アメリカや欧米諸国からの武器援助が拡大し、直接的な軍事介入こそ回避されていますが、内実はロシアと米欧による戦争の色彩が強まっていると言えます。戦争の長期化は資源価格や農産物価格の高騰を招き、軍事費の増大は中期的には、グローバル経済のパフォーマンスを低下させる結果になるでしょう。事態の収束よりも戦争の遂行に傾いているかに見えるアメリカの戦略はいったいどこに向かっているのでしょうか。

▼六月一〇日

岸田政権が誕生し「新しい資本主義」をキャッチフレーズに安倍・菅時代とは一線を画した政策展開を標榜（ひょうぼう）しています。しかし、「子ども家庭庁」の創設など見栄えのいい政策で人気取りに終始していますが、肝心の経済政策では低金利政策と財政の出動というアベノミクスの骨格には全く手を付けていません。このため、金融市場は完全にマーケットの機能を失ったままですし、株式市場も日銀や政府の力と外国人投資家の支配するマーケットになったままです。参院選が終わるまでは大きな変化は起こさないようにしているという見方もありますが、本当はたいした中身はないのだという冷めた見方も根強いようです。

▼六月一七日

二月二四日のロシア軍によるウクライナ侵攻以来、日本を含めた西側先進国は、「武力による現状変更は許されない」という大義名分のもとに、ロシアに対する経済制裁やウクライナへの武器供与をはじめとするさまざまな支援を行っています。そのこと自体はある意味で当然のことかもしれませんが、今後のこの戦争の落としどころを考えるうえで、なぜロシアがこうした行動に走ったのかについての冷静な分析が必要です。一方的に相手を非難し続けるだけでは展望は開けないでしょう。その点で大切なのは旧ソ連解体後に旧ソ連の支配地域で何が起きたのか、そしてプーチン政権誕生後のロシアが何をしてきたのか、それはどのような目的と戦略に基づいているのかを冷静に見極めることでしょう。

▼六月二四日

いよいよ参院選が告示され、国政選挙が近づいてきました。岸田政権にとっては発足直後の衆院選に続いて二度目の国民の審判を仰ぐことになります。政権がスタートして九カ月が経過し、国民の評価がどのように下されることになるのか。今後三年間は基本的に選挙の洗礼は受けないだけに、政権運営の今後を占う意味でも結果が注目されます。新型コロナウィルスのオミクロン株の大流行や米国金利の上昇を契機とした円安の進行、そしてウクライナ戦争の勃発と資源価格の急上昇など、この間の岸田政権は目まぐるしい環境の変化に曝されてきました。しかし、その舵取りは官僚主導の安全運転に終始し、内閣支持率は高位安定を保っています。岸田政権が看板政策として打ち出した「新しい資本主義」は、有識者会議の答申がありましたが、依然として何が新しいのか判然としません。子ども家庭庁の創設など目新しい政策を盛り込もうとした努力の後はうかがえるとしても停滞し低迷する日本社会の閉塞感を打破する方向性は霧の中と言えるでしょう。参院選は与党の圧勝が予想されますが、岸田政権は危機の時代に直面する日本をどこに導こうとしているのでしょうか。

▼七月一日

旧ソ連の崩壊後、グローバリズムの進展によって発展してきた世界経済をロシアのウクライナ侵攻は、一瞬にして分断と戦争による有事の経済に逆戻りさせてしまいました。ウクライナ戦争が長期化の様相を呈(てい)するなかで、世界は安定した秩序が保証された環境ではなく、不安定な環境での通商取引を覚悟しなければならなくなっています。ことはロシアとの関係に留まらず、商取引の前提としてさまざまな地政学的リスクと経済安全保障を考慮に入れた商取引に向かわざるを得ません。プーチンの暴走は、彼の思惑と想像をはるかに超えて人類の歴史に深い傷痕を残す結果になるでしょう。

▼七月八日

安倍・菅政権から岸田政権に代わって足掛け一〇カ月になりますが、政策の決定過程や官僚機構との関係には変化が見られても、政策の骨格にはいまだ変革の動きが見られません。人事面では安倍離れが進行しており、参院選挙を乗り越えた後は、アベノミクスに対しても政策変更が及ぶのではないかという希望的観測が高まっています。ウクライナ戦争によって世界が分断され、経済、金融、外交などあらゆる点で政策の転換が求められている中で、日本においては、むしろ変革よりも安定を求める空気が充満しているように思われます。冷静に考えればどう見てもサステナブルではない政策に国を挙げてしがみついている現実をどうしたら変えられるのでしょうか。

▼七月一五日

参議院選挙は、自民党が大方の予想を上回り圧勝すると言う結果になりました。自公両党による過半数獲得と言う目標はもとより、自民党単独で過半数を獲得するという安倍・菅政権下でもなし得なかった久しぶりの大勝利です。選挙終盤で安倍元首相が凶弾に倒れる事件が自民党支持者を投票に駆り立てたと言う見立てもできますが、岸田政権にとっては昨年の衆議院選挙に続く選挙の洗礼をクリアしたことで、本格政権への道を確かなものにすることができたと言えるでしょう。安倍元首相と言う重しがなくなったことで政権運営の自由度は一段と増すことになります。ただ、選挙後の記者会見を見る限りでは、通り一遍の新しさの全くない発言に終始し、無為財の長期停滞をいかにして打破していくのかという日本が抱える最大の課題に対して取り組もうとする気概は、全く感じられませんでした。

▼九月二日

ウクライナ戦争への対応を巡って中国と欧米先進国との亀裂が深まる中で行われた米国のペロシ下院議長の訪台は、党大会を目前に控えた習近平政権を逆なでするものでした。中国は台湾周辺での大規模な軍事演習によって台湾やその背後にいる米国を威嚇しましたが、なんとか不測の事態だけは回避できました。中国の海洋進出や台湾有事に備えるために、自民党内では防衛力強化の動きが強まっていますが、何よりも必要なのは、厄介な隣人と上手に付き合う外交の知恵でしょう。ゼロコロナ政策にこだわることで経済の沈滞を招いた中国の現政権はどこまで国民の支持を獲得できるのか。ウクライナ戦争を巡る対応やITを巡る米中覇権戦争によって先進国との貿易に暗雲が漂う習近平体制は党大会後にどこに向かうのでしょうか。

▼九月九日

今年の夏は記録的な猛暑と集中豪雨に見舞われました。また気象庁は最近になって梅雨明けの時期を一カ月も遅く修正するなど、異例ずくめの年になりました。さらにこの秋は台風の当たり年になるとも言われており、現に史上最大級の台風一一号が沖縄の南で迷走するなど厄介な展開が続きます。こうした極端な気象変動が続く中で、巷にはたくさんの気象情報があふれていますが、それをどのように生活やビジネスに生かせばいいのでしょうか。

▼九月一六日

参議院選に予想を超える圧勝、本格政権に向けて満を持して内閣改造に踏み切った岸田政権ですが、旧統一教会との関係を巡る自民党の対処や安倍元総理の国葬問題で支持率の急落に見舞われています。選挙に有利に働いた安倍元総理の狙撃事件でしたが、その後旧統一教会との安倍家三代に及ぶただならぬ関係が次第に明らかになり、ことは自民党の屋台骨を揺るがす事態に発展しています。何よりも驚かされたのは岸田氏に党総裁としての自覚が欠落していることでしょう。深い思慮もなく、うわべだけの美辞麗句で全てが乗り切れると考えるのは虫が良すぎます。

▼九月三〇日

日本経済は一九九〇年代半ば以降長い停滞期に

入りました。デフレからの脱却を掲げたアベノミクスも円安株高を実現したものの、結局は先進国最低の成長率しか残すことができず、経済大国としての日本の地位は今や風前の灯となっています。痛みを伴う改革を避けて、ぬるま湯につかり続ける道を国民全体が受け入れてきた結果であるとも言えるでしょう。コロナ禍への対応もいつまでもコロナを特別扱いし、医療全体で患者を受け入れる当たり前の体制への復帰にいつまでも踏み切れないまま、経済の回復の足を引っ張り続けています。

▼一〇月七日

新型コロナウィルスの感染防止のために二年半にわたって続けられてきた自粛生活は、日本人の健康に肉体的にも精神的にも深刻な悪影響を及ぼしつつあります。特に高齢者は外出を避け、家に引きこもる生活を続けることで要介護の一歩手前とされるフレールの状況に追い込まれる可能性が高まっています。ここへきて、人流が感染の拡大には関係がないと専門家と称する人が言い始めました。われわれはとにかく外に出て、身体と精神の健康を取り戻さなければなりません。

▼一〇月一四日

世界経済はアフターコロナの景気回復からウクライナ戦争の勃発によって困難に直面しています。先進主要国のロシアに対する経済制裁はエネルギー価格や資源価格の高騰（こうとう）によってインフレの抑制を図るための金融引き締めに発展し、景気後退のリスクが増大しています。戦争の長期化は、中ロと先進主要国との分断をもたらし、グローバル経済の今後に暗い影を落としています。戦争の終結が見通せない中で、世界経済はどのような課題を抱え込んだのでしょうか。

▼一〇月二一日

新型コロナウィルスの地球規模の流行とウクライナ戦争の長期化は世界経済に大きな影響を及ぼしています。何よりも東西冷戦の終結以降急速に進んだ経済のグローバル化の流れに冷や水を浴びせることになりました。中でもウクライナやロシアへの依存度が大きかった小麦の価格高騰は世界的な食料（糧）危機のリスクをはらんでいます。加えて日本は急速な円安の進行により、食料品のみならず、肥料や飼料の輸入価格の高騰により、食品価格が大きく上昇しつつあります。ただ、円安と世界的な食糧不足は、日本の農産物や食品産業の国際展開の好機でもあります。そのためには日本の農業政策を根本から見直す必要があります。

▼一〇月二八日

アメリカ、そして世界の今後を大きく左右することになる米中間選挙が近づいてきました。これまで劣勢が伝えられてきた民主党が最高裁の中絶問題を巡る判決をきっかけとして、巻き返しに転じていることが伝えられています。保守派の歓心を買うためにトランプ前大統領が行った最高裁判事の人事の結果が、実は選挙戦で民主党支持層の掘り起こしにつながったという皮肉な結果をもたらしています。共和党の内部においては、中道派の有力知事候補が保守派からの激しい攻撃で予備選に敗退するなど、依然として超保守派の力が勢いを失っていませんが、こうした先鋭化は共和党の将来の基盤に深刻な傷痕を残すことになるでしょう。物価の高騰に対して行われた相次ぐ金融引き締めにもかかわらず、雇用統計や消費態度指数などの指標を見るかぎり、米国経済の好調ぶりには変化が見られません。このことも選挙では政権側に有利に働くでしょう。

▼一一月四日

日本経済の長期停滞と低成長の大きな原因が企業の投資が収益の向上と低金利にもかかわらず活発化しないことにあることは明らかです。それが人口減少の見込まれる国内市場の悲観的な将来予想に基づくものなのか、あるいは一向に進まない規制改革が需要の拡大の足を引っ張っているためなのか、理由はいろいろと上げることができるでしょう。しかし、何よりも資本主義経済の牽引力である企業家精神、アニマル・スピリットが失われたことが大きいのではないでしょうか。競争を嫌い、ひたすらぬるま湯につかり続ける社会状況が今日の事態を生んでいるとも言えるでしょう。日本の企業社会はどうしたらこの閉塞状況から抜け出せるのでしょうか。

▼一一月一一日

ロシア軍の突然の侵攻によって始まったウクライナ戦争は、間もなく九カ月が経とうとしています。数日で首都を制圧し、既成事実化によるウクライナの属国化をもくろんだロシア・プーチン大統領の戦略は見事に失敗し、戦争は出口の見えない膠着状態に陥っています。裸の王様と化した独裁者の行く末はどうなるのか。戦争の終結が見えないまま、敵も味方も不幸にしかねない独裁体制の悲劇はまだ容易に終わりそうにありません。日本にとってはやはり独裁色を強める習近平の中国がいつまで理性を保っていられるのか、気になるところです。台湾有事の際に日本にどのような選択肢がありうるのか。日本人も想像したくない現実に向き合わなくてはならなくなっています。

▼一一月一八日

中間選挙で大勝して次期大統領を狙ったトランプ氏の野望はとりあえず保留になったようです。インフレ対応の引き締め政策が続く中、市場のセンチメントは低下に向かわざるを得ないでしょう。日本においては、世界の潮流に背を向けた金融緩和を堅持する一方でポピュリズム的バラマキ政策が続きます。支持率の低迷が深まる中で、とにかく人気取りだけで急場をしのぐ岸田政権は、なんとも言いようがありません

▼一一月二五日

欧州経済は大黒柱であったドイツがウクライナ戦争に伴う資源価格の高騰と中国経済の低迷によって力を失い、急速にスタグフレーションの様相を呈しています。ウクライナ戦争の長期化と中国のゼロコロナ政策の継続は、今回のドイツ経済の凋落(ちょうらく)の大本が当分解消しないことを意味しています。しかもECBはインフレ対応のために米FRBによる急ピッチな金利引き上げに追随せざるを得ず、景気後退は避けられないでしょう。大規模な財政の出動はマーケットの不信任によって崩壊したイギリスの前政権の二の舞になりかねません。度重なる危機をドイツの力と統合に至った大人の知恵で乗り越えてきた欧州は果たしてどこに向かうのでしょうか。

▼一二月二日

二〇二二年も師走を迎えることになりました。昨年秋に誕生した岸田政権は「新しい資本主義」を旗印に意欲満々のスタートでしたが、年が明けるとコロナ禍の再拡大に続いて、ロシア軍のウクライナ侵攻によって世界の景色は一変しました。そんな中、七月の参院選こそ無事に乗り切ったものの、選挙終盤に暗殺された安倍元首相の国葬を巡る混乱や旧統一教会問題への緩い対応への批判で内閣支持率が急落、肝心の「新しい資本主義」も焦点が定まらず、迷走ぶりが際立っています。折角のゼロコロナ政策の転換も肝心の指定感染症の分類変更を置き去りにしたままでは、かえっ

て混乱を長引かせることにしかなっていません。相次ぐ閣僚の更迭など年の瀬を迎えた中で政権の前途には暗雲が立ち込めていますが、何よりも日本の未来が一段と不透明になっていることが残念です。

▼一二月九日

国会で特別予算が成立し、次の焦点は二〇二三年度の予算編成に移ることになります。国会での野野党の追及の矛先は旧統一教会と自民党との関わりから政治資金の問題に移り、旧統一教会の問題は被害者の救済に矮小化されつつあります。しかし、文鮮明の率いた旧統一教会の本質は「反日」であり、思想的には現在の統一家庭連合と言う名称に示されているような個人やマイノリティーの権利を軽視する保守的な家庭重視を掲げるアナクロニズムであることは明らかです。それが保守派の思想と一部は重なるとしても、安倍元首相が進めた韓国への厳しい対応と旧統一教会との長い蜜月とはあまりに筋の通らない行動であったと言えるでしょう。そしてコロナ禍が始まって以来の自公政権の大作は、一言で言えばバラマキによって大衆に阿るポピュリズム政策でした。現在の岸田政権は、官僚機構との関係の改善による安全運転こそ前政権とは少し異なりますが本質は何も変わっていません。将来のために現在は痛みを伴う改革が何もできない政治はこれまでの自民党政権の歴史の中でも一段と深まりつつあります。

▼一二月一六日

二〇二二年の日本経済は相も変わらず低パフォーマンスに終始しました。コロナ禍や海外要因に災いされたことも事実です。しかし、何よりもまずいのは、困ったら国に頼ればいい、国は借金に頼ってバラマキをして国民に配る、そうした安易な風潮が社会を支配していることです。そうした社会に明るい未来が望めるでしょうか。ただ、急激な円安や中国経済の変調、そして国際社会におけるさまざまなリスクの高まりを背景に企業の国内投資が活発化する兆しが見えることは唯一の明るいニュースです。二〇二三年の日本経済が前向きの意欲を取り戻すことを願わずにはいられません。

二〇二三年

▼一月一三日

昨年二月にロシア軍の侵攻によって始まったウクライナ戦争は膠着（こうちゃく）状態のまま年を越すことになりました。当初のもくろみが外れて事態の収拾ができなくなったことで、プーチン氏の指導者としての限界が完全に見えてしまうことになりました。諜報機関の官僚でしかなかったこの人にロシアの将来を委ねてしまったロシアの不幸はもはや簡単に終わらせることが難しいでしょう。その点、大衆の反乱に直面して面子を捨ててゼロコロナ政策を捨て去った習近平氏の君子豹変ぶりは見事といえるかもしれませんが、このことが彼の権威を傷付けることになったことも疑いようがありません。いずれにしても、東西冷戦の終結後のグローバル化の流れがいったん小休止し、世界は新たな秩序の構築に向けて進まなければならなくなっています。今必要なのは、新しい時代に対処するための構想力であると言えるのではないでしょうか。

▼一月二〇日

中国では習近平政権がこれまでの不文律を破って三期目に入りました。指導部の体制も自らの息のかかったメンバーで固めるなど、鄧小平以来の集団指導制から完全に独裁体制に移行しています。しかし、体制的に盤石な基盤を構築したからと言って本当に政権が強固になるのかと言えばそうとも言えないでしょう。いかに強固な独裁体制を築いても民心が離れればいつか政権は崩壊します。習近平があらゆる分野で突出した能力を持つ天才だとしても個人の能力には限界があります。しかも政治的な指導力はともかく経済的な政策遂行能力には疑問符が付きます。周囲をイエスマンで固めることで政策運営のリスクは高まっていると考えるべきでしょう。企業統治への介入やコロナ政策の唐突な転換は今後の体制のほころびを予感させます。

▼一月二七日

岸田政権は防衛費のGNP比二％への拡大や敵基地攻撃能力の保有など、安倍政権を含めこれまでの歴代自民党政権が踏み込まなかった領域に足を踏み入れようとしています。ウクライナ戦争の勃発後、西側先進国との共同歩調を最優先し、とりわけアジア地域におけるアメリカの抑止力の補完を求める米国の意向に寄り添う形で、戦力の増強に邁進しようとしています。防衛費の総枠の拡大や敵基地攻撃能力の保有は、いずれも専守防衛を掲げてきた日本国憲法の解釈を逸脱することにならないのか、そういうきちんとした議論が与党内で十分に尽くされた形跡はありません。事の是非はともかく、支持よりも不支持の方が圧倒的に多いこの内閣がここまで性急に事を進める理由はどこにあるのか。党内の右派勢力の歓心を買うことで政権の延命をもくろんでいるのかもしれませんが、あまりにも稚拙で節操のない政権運営と言わざるを得ません。

▼二月三日

岸田政権は東日本大震災以来歴代の政権が続けてきた原発政策を突然大転換させました。既存設備の使用期限の延長や新設の容認など、原発政策は完全に震災以前に戻ったことになります。経済政策の柱の一つであるＧＤ（グリーンディール）政策をお推し進めるためには、原発政策の転換がかかせないとの判断なのでしょうか。廃棄物処理の問題をはじめ、震災が突き付けた重要な課題解決は置き去りにされたままです。安倍・菅政権もできなかった決断をしたと胸を張るつもりかもしれませんが、政策決定過程の透明性に欠けるだけでなく、そもそも議論が本格的になされた形跡すらありません。日本の電力政策を基本的にどうするべきか。慎重な検討が必要です。

▼二月一〇日

昨年二月のロシア軍によるウクライナ侵攻から間もなく一年が過ぎようとしています。この宣戦布告なき戦争は、プーチン氏の短期決着の思惑が外れたことにより、まさに着地点の見えない膠着状態に陥ってしまいました。戦争を始めることは簡単ですが終わらせることは決して容易ではありません。それは第二次世界大戦で大日本帝国が嫌と言うほど経験したことでもあります。戦争をいかに終結させるか。対岸の火事ではなく、日本人も改めて向き合う必要があります。

▼二月一七日

岸田内閣は経済政策の目玉の一つにＤＸをかかげています。これはこれからのデジタル技術の発展の可能性を考えればある意味では当然のことです。しかし、今後のＡＩの進化とそれを受け入れた社会がどのような姿に変わっていくのかを想像できているのでしょうか。政治の役割は、国民生活を豊かにすることだけではなく、国民の幸福に資することです。ＡＩが普及した社会で人間の役割と存在はどのようなものに変わっていくのか。政治家にそうした洞察力を期待するのはないものねだりかもしれないので、国民の側がリテラシーの獲得に努める必要がありそうです。

▼二月二四日

三年に及んだコロナ禍による不自由な日常生活にも、やっと終止符が打たれようとしています。すでに行動制限を伴うような規制はなし崩しで解除されつつあり、街には人出が増えて賑わいが戻りつつあります。五月一三日に予定されている新型コロナウィルス感染症の法律上の位置付けの第二類から第五類への変更が実現すれば、国民の間に根強く浸透しているコロナ恐怖症も徐々に解消していくことになるでしょう。外出を控えて人との接触を避け、屋外、屋内を問わずマスクを着用する生活は、特に高齢者と成長期の子どもたちに深刻な健康被害をもたらしています。すでに最初の緊急事態宣言が発出された後の調査で高齢者の認知症が二割程度増加したという調査結果が発表されていますが、三年以上が経過した今は高齢者には恐ろしい状態に陥っていることが懸念されます。失われた三年を取り戻すことは、もはや不可能ですが、より深刻な事態を回避するために今できることをするしかありません。

▼三月三日

世界の金融市場は、物価の高騰を背景とした米ＦＲＢの急ピッチの引き締め政策を皮切りに、それまでの金融緩和政策から一転、一斉に引き締めに転じています。ウクライナ戦争の勃発に伴うエネルギー価格の上昇もこれに拍車をかける結果になっています。一人こうした流れに背を向けてきた日本も、日銀総裁の交代を機に徐々に軌道修正を図ることになるでしょう。そしてゼロコロナ政策を転換したとはいえ、大幅な経済の減速が続く中国経済が日本をはじめとした先進国経済に暗い影を落としています。

▼三月一〇日

旧ソ連の崩壊とその後のベルリンの壁の消滅によって東西冷戦が終結し、世界は民主主義に統合されていくと考えられた時代がありました。しかし、経済のグローバル化が進む中で経済発展から取り残された人々の間から生まれた超保守主義と排外思想が次第に勢いを増し、強権的政権も次々に誕生するようになりました。旧ソ連の復活を目指すかのように見えるプーチンのロシアはついにウクライナへの軍事侵攻という暴挙に走り、世界の秩序を根幹から揺るがす事態になりました。民主主義への信頼が揺らぐ中で国家と人権をどうとらえればいいのでしょうか。

▼三月二四日

米韓合同軍事演習の実施に対して北朝鮮の反発のボルテージがいつにも増して高まっています。韓国における新政権の誕生とウクライナ戦争に伴う国際環境の深刻化を受けて米韓合同軍事演習は北朝鮮が最も嫌う米爆撃機が参加する大規模なものになり、北朝鮮も舌戦だけでなく、ＩＣＢＭの発射などより危険な行動に走っています。緊張の高まりは不測の事態を招くリスクも増大させることになります。日本は韓国との関係改善に踏み出して日米韓の抑止力強化に最大限の努力を払う一方で、北朝鮮との直接対話の再開など、暴発を防ぐ独自の努力も模索する必要があるのではないでしょうか。

▼三月三一日

東日本大地震から一二年目の春が巡ってきましたが、首都圏に住む者にとって忘れてはならないのは、今年が関東大震災から一〇〇年の節目を迎えることとです。大地震の発生は周期的に訪れることが分かっており、一〇〇年を超えれば次の大地震の発生のリスクが次第に高まってきます。人口が多いだけでなく、埋立地や老朽化した人家が密集する、災害に対して脆弱（ぜいじゃく）な地域が散在する首都圏の抱える危険は、極めて深刻であると言わざるを得ません。地盤の弱い埋め立て地に林立するタワーマンションなど、たとえ建物自体が強固であっても大災害発生後の社会生活の点では予測不能の事態が懸念される問題も潜んでいます。

▼四月一四日

ロシア軍のウクライナ侵攻から二年目の春が巡ってきました。東部のロシアからウクライナが奪還した地域を中心に激しい攻防戦が繰り広げられています。春の訪れを待って欧州からの最新兵器を手にしたウクライナ軍の反攻が開始されるとの見方が強まっていますが、窮地に追い込まれたロシア軍が核を使用するのではないかとの見方も根強くささやかれています。来年に大統領選挙を控えたプーチン氏が容認できるような戦争の終結は果たして可能なのでしょうか。

▼四月二一日

異例の三期目に入った中国の習近平政権は首相など政権の要職を全て側近で固めるという、これまた異例の独裁色を鮮明にしています。しかし、身内だけで固めた政権が必ずしも盤石ではなく、むしろ脆弱（ぜいじゃく）なものであることは、古今東西の歴史が教えてくれるところです。三期目を迎えた習近平政権は終わりの始まりを迎えたのかもしれません。成長が屈折点に差し掛かり、少子高齢化が急速に進み始めた中国社会は、これから強権的な政府統制ではなく、より柔軟な多様性が求められる時代に入っていきます。強大な中国の復活を目指す習近平政権の支配は、かえって中国の没落を招き寄せることになるかもしれません。

▼四月二八日

岸田政権は不人気を揶揄(やゆ)されながらも決定的なミスを犯すことなく、しぶとく二年目の春を迎えています。五月の連休が明ければ、政権運営の足かせになってきた新型コロナウィルス感染症の第五類以降が実現、広島サミットの開催によって政権本格浮揚の絶好の機会に巡り合うことになります。これまで今一つ民心をつかむ迫力を欠いてきた岸田首相が、主要国の首脳を自らの地元に迎えて何をするのか、まさにその真価が問われることになります。対米追随だけでない独自の提案を世界に示す絶好の機会を生かせるかどうか、チーム岸田の実力を少しでもアピールできれば、今後の政権運営にも新たな可能性が生まれるかもしれません。

▼五月一二日

世界各国の金融政策は長く続いてきた超金融緩和から一斉にインフレ対応のための引き締め政策に転じています。先進国では独り日本だけが景気低迷を理由に超金融緩和政策を維持していますが、不動産価格の上昇は明らかに資産バブルの様相を呈しています。資源価格の低下で輸入物価の上昇に歯止めがかかる一方でも国内物価の上昇が続き、インフレ状況には歯止めが掛かりません。植田新体制の下での最初の日銀政策決定会合は、金融政策に変更がないことを確認しました。スタグフレーションへの途につながらなければよいのですが。

▼五月一九日

支持率の回復とともに政権運営に自信を深めている岸田首相が衆院の解散と総選挙に打って出る公算が強まってきました。新型コロナウィルス感染症の法的な位置付けが第五類に変更になり、他の先進国に比べて周回遅れとはいえ、やっとコロナ禍に終止符を打つことができたことから景気にも好影響を及ぼすことが期待できます。念願の広島サミットの開催によってどこまで点数が稼げるかは定かではありませんが、根拠なき自信に支えられた首相にとって、ここはただ前進あるのみというところかもしれません。

▼五月二六日

　黒田日銀から植田日銀へのバトンタッチは多くの市場関係者にとって金融市場の正常化の第一歩になることへの期待を持って迎えられました。人事が明らかになったときに記者たちに囲まれた植田氏が市場機能についてふれたことも期待感をかきたてることになりました。しかし国会での答弁など公式の場での植田氏の発言は政策の変更の否定に終始しています。それではどこまでも超金融緩和による市場機能の歪み（ゆが）みは是正されないのかといえば、そんなことはしないでしょう。インフレの進行を示すデータが積み上がり、コロナ禍の終息に伴うリバウンド景気が始まれば、自ずと金融政策転換に向けた舞台は整います。アベノミクスの革新部分であった金融政策の転換が低金利、低成長、低インフレの呪縛から日本経済を解き放つきっかけとなることを期待したいものです。

柴生田 晴四（しぼうた せいし）

一般社団法人 経済倶楽部前理事長／元・東洋経済新報社代表取締役社長
1948年東京都生まれ。

71年3月早稲田大学政治経済学部卒業。71年4月東洋経済新報社入社。87年4月「会社四季報」編集長。92年1月「オール投資」編集長。95年1月第二編集局データバンク第一部長。95年12月「週刊東洋経済」編集長。97年1月第二編集局データバンク第二部長。2000年1月第二編集局次長。03年12月取締役データベース事業室長。04年12月取締役第二編集局長。05年12月常務取締役第二編集局長。06年12月代表取締役社長。12年12月相談役。13年5月一般社団法人経済倶楽部理事長（23年5月同相談役）。

一般財団法人石橋湛山記念財団理事。

株式会社出版文化社監査役。

令和紙つぶて　－日々烈々十年－

2024年4月29日　初版第1刷発行

著　　　者　柴生田 晴四

発　行　所　株式会社 出版文化社

〈東京カンパニー〉
〒104 - 0033
東京都中央区新川1 - 8 - 8　アクロス新川ビル4階
TEL：03 - 6822 - 9200　FAX：03 - 6822 - 9202
E-mail：book@shuppanbunka.com

〈埼玉サテライトオフィス〉
〒363 - 0001
埼玉県桶川市加納1764 - 5

〈大阪カンパニー〉
〒532 - 0011
大阪府大阪市淀川区西中島5 - 13 - 9　新大阪MTビル1号館9階
TEL：06 - 7777 - 9730（代）　FAX：06 - 7777 - 9737

〈名古屋支社〉
〒456 - 0016
愛知県名古屋市熱田区五本松町7 - 30　熱田メディアウィング3階
TEL：052 - 990 - 9090（代）　FAX：052 - 683 - 8880

発　行　人　浅田 厚志
印刷・製本　中央精版印刷株式会社

ISBN978 - 4 - 88338 - 720 - 5　C0036